ATLETAS DE ELITE

FRANCISCA DE LIMA

ATLETAS DE ELITE

Os segredos e a força mental do atleta brasileiro

INSÍGNIA

EDITOR-CHEFE: Felipe Colbert
ENTREVISTAS E SUPERVISÃO: Francisca de Lima
EDIÇÃO E PREPARAÇÃO DE TEXTOS: Angélica Torres Lima, Anna Halley e Felipe Colbert
REVISÃO: Letícia Siqueira
DESIGN & PRODUÇÃO: Equipe Insígnia

ILUSTRAÇÃO DA CAPA: starline / Freepik
ILUSTRAÇÃO DAS PÁGS. 25, 83, 143, 193, 255 e 301: pikisuperstar / Freepik
FOTOGRAFIAS: Lucas Gabriel Cardoso/Brusque F.C. (capa, págs. 69 e 338 / Fillipe Soutto), Heleno Gouvêa de Mesquita (capa e págs. 325 e 340 / Atílio e Falcão), Dave Landry (capa e págs. 277 e 337 / Eurico Rosa da Silva), Luis Gabriel do Rêgo Silva (foto da dobra e págs. 17 e 301 / Francisca de Lima). As demais fotografias foram cedidas pelos atletas e pofissionais como acervo pessoal. Qualquer falta de menção a pessoas ou organizações relacionadas não foi intencional.

Publicado por Insígnia Editorial
www.insigniaeditorial.com.br
Instagram: @insigniaeditorial
Facebook: facebook.com/insigniaeditorial
E-mail: contato@insigniaeditorial.com.br

Impresso no Brasil.

Dados Internacionais de Catalogação na Publicação (CIP)
(Câmara Brasileira do Livro, SP, Brasil)

Lima, Francisca de
Atletas de elite : os segredos e a força mental do atleta brasileiro / Francisca de Lima. -- São Paulo : Insígnia Editorial, 2021.

ISBN 978-65-996157-0-2

1. Atletas - Aspectos psicológicos 2. Atletas - Brasil 3. Entrevista 4. Esportes 5. Psicologia I. Título.

21-83798 CDD-613.711

Índices para catálogo sistemático:

1. Atletas : Desempenho esportivo : Educação física 613.711

Aline Graziele Benitez - Bibliotecária - CRB-1/3129

Para Maria Diamantina e Eline, minhas mães, fontes de inspiração e fé,
e Florine Koeppen, minha filha e amor da minha vida.

Meus agradecimentos a Felipe Ximenes, meu mestre e amigo, que abriu portas para o meu sonho.

Aos atletas que entrevistei e a todos os que me apoiaram, por acreditarem em mim.

À minha amiga e jornalista Lívia Filadelfo, que também sempre acreditou em meu trabalho.

À minha colega e parceira de profissão Ana Mondini, pelas trocas de ideias.

Um agradecimento especial aos colegas e profissionais da área da saúde pelos seus excelentes textos sobre a saúde dos atletas.

DEPOIMENTOS

"A palavra de orientação psicológica junto aos atletas de futebol, em todas as oportunidades que presenciei, foi de suma importância para o grupo se motivar e superar as dificuldades, até perante adversários muitas vezes superiores. A boa palavra emanada com carinho e inteligência será sempre o caminho bem referendado à vitória!"

Ernesto Pedroso Jr., vice-presidente do Coritiba Foot Ball Club, de 2010 a 2013.

•

"Para fazer algo extraordinário, o atleta precisa se dedicar muito. Viver somente para o esporte pode trazer belas conquistas, mas também pode desencadear depressão, ansiedade, competitividade, além do limite aceitável. Portanto, horas de treino técnico e físico, alimentação e sono adequados, e até recursos tecnológicos, são importantes, mas treinar a mente é imprescindível, é fundamental!

O cérebro é, sem dúvida, um dos maiores aliados do atleta de alto rendimento, se não for o maior. É a mente que controla a ansiedade e fortalece a confiança. É ela que oferece os recursos (força mental, habilidade de concentração) que o atleta precisa para atingir desempenho máximo e alcançar seus objetivos profissionais. É a mente que pode fazer toda a diferença entre atletas com o mesmo foco e com os mesmos recursos de treinamento. E o profissional preparado para auxiliá-los é o Psicólogo do Esporte; o Coach Mental."

Carlos Brazil, gerente do Futebol de Base do Sport Club Corinthians Paulista.

•

"Apesar de sermos um clube pequeno, desde o começo criei um departamento psicossocial dentro dele, porque sempre acreditei na importância do psicólogo e do coach mental em uma estrutura como a nossa. Na grande maioria dos clubes, treina-se a parte tática e física, e a parte mental é esquecida. Esquecemos que todas as ações do atleta em um jogo são tomadas de decisões.

As decisões imediatas e o reflexo vêm do cognitivo, vêm da mente. Concentração e controle emocional são fundamentais, até porque ocorrem momentos de desequilíbrio no jogo. O atleta tem que entender que sua mente precisa estar preparada para receber todos os impulsos.

O atleta bem treinado é aquele que está treinado mentalmente, e sabemos que o trabalho do psicólogo não é fácil, pois ainda existe muita resistência por parte dos próprios atletas e dos clubes. Nas categorias de base, é sempre mais fácil implantar o trabalho do psicólogo.

Em nosso clube, as psicólogas têm trabalhado desde a base com os problemas, a mente e a personalidade dos atletas, por meio de exercícios, testes e várias outras atividades, para que eles se tornem mais seguros, mais confiantes e para que tirem proveito dos resultados para toda a vida."

Rodrigo dos Santos, presidente do Serra Macaense Futebol Clube.

SUMÁRIO

PREFÁCIO
Por Dr. Omar Coêlho de Mello, *pág. 13*

INTRODUÇÃO
...E todos gritavam "Didaaaaaa"! Por Francisca de Lima, *pág. 17*

CAPÍTULO I
A gestão na formação do atleta. Por Luís Felipe Ximenes, *pág. 25*

ENTREVISTAS
Futebol • Dante Bonfim Costa Santos, *pág. 31*
Futebol • Sílvio César Ferreira da Costa (Sílvio Mariola), *pág. 45*
Futebol • Sueliton Pereira de Aguiar, *pág. 57*
Futebol • Fillipe Soutto Mayor Nogueira Ferreira, *pág. 69*

CAPÍTULO II
Atenção plena e meditação: o atletismo de agora. Por Juliana Brescovici Carvalhaes, *pág. 83*

ENTREVISTAS
Futsal • Vinícius Elias Teixeira, *pág. 93*
Futsal • Lavoisier Freire Martins, *pág. 105*
Futsal • Leonardo de Melo Vieira Leite (Leo Higuita), *pág. 119*
Futsal • Gustavo Lobo Paradeda, *pág. 131*

CAPÍTULO III
Sem saúde, não existe alta performance. Por Dr. Michael Simoni, *pág. 143*

ENTREVISTAS
Futebol • Yuri Naves Roberto, *pág. 157*
Futebol • Régis Amarante Lima de Quadros, *pág. 169*
Futebol • Thiago Gentil, *pág. 181*

CAPÍTULO IV
A atuação do fisioterapeuta no esporte. Por Helder Nani Ricardo, *pág. 193*

ENTREVISTAS
Voleibol • Marcelo Freitas (Dentinho), *pág. 199*
Voleibol • Wallace Jansen de Souza Martins, *pág. 213*
Voleibol • Carlos Alberto dos Santos de Oliveira (Carlão), *pág. 229*
Voleibol • William Peixoto Arjona (*El Mago*), *pág. 241*

CAPÍTULO V
O valor da nutrição para a alta performance. Por Fernando Henrique de Oliveira Pardo, *pág. 255*

ENTREVISTAS
Futebol/Futsal/Gestão • Marco Antonio Domingues Bruno, *pág. 263*
Hipismo • Eurico Rosa da Silva, *pág. 277*
Futsal • José Alexandre Fiuza de Melo Cardoso (Barata), *pág. 285*
Futsal • Diego Alexandre Fávero, *pág. 293*

CAPÍTULO VI
A saúde mental do atleta de elite — O grito dos atletas de hoje por socorro psicológico. Por Francisca de Lima, *pág.301*

ENTREVISTAS
Futebol • Carlos Eduardo Soares (Ataliba), *pág. 305*
Futsal • Oswaldo Freitas Júnior (Gera), *pág. 315*
Futsal • Atílio Claudio Fonseca Dias, *pág.325*

PREFÁCIO

Por DR. OMAR COÊLHO DE MELLO

No alvorecer do mês de agosto, do vigésimo primeiro ano do século XXI, recebi uma missão irrecusável da amiga Francisca de Lima: apresentar seu livro *Atletas de Elite — Os segredos e a força mental do atleta brasileiro*, resultado de sua efetiva participação nos cursos de gestão esportiva do professor Felipe Ximenes, um dos mais conceituados executivos de futebol do Brasil, com mais de 40 anos vivendo do futebol e para o futebol.

A missão dos *Grupos FX — Gestor Esportivo* é criar uma nova geração de gestores, com um olhar cosmopolita, moderno, eficiente, eficaz, reagente ao declínio vivenciado pelo futebol brasileiro a partir de 2002, quando conquistamos a última Copa do Mundo.

Neste contexto, Francisca — que tem uma linda história de vida, em que a determinação e a obstinação são elementos nucleares, conforme o leitor pode asseverar na introdução deste livro — não somente participou da turma 002, conhecida como "Os incansáveis", por esticar horas a fio os debates nas aulas, mas começou a ficar "figurinha carimbada" em todos os demais grupos que se sucederam e que se sucedem até hoje.

Deste envolvimento quase visceral com o *Grupo FX*, apesar da distância (ela reside em Hamburgo, Alemanha), do fuso horário (5 horas à frente de Brasília), de todos os seus compromissos, a Mestre em Psicologia e Coaching idealizou este livro garimpando atletas de alta performance, bem como outros profissionais exitosos em suas áreas, para que consigamos traçar um perfil do que faz um atleta ser vitorioso na vida, trazendo histórias familiares, suas dificuldades e a determinação, os seus sonhos e sofrimentos, até chegar ao ápice.

Quais elementos são determinantes para tal fim? Onde vão buscar forças? Buscando essas respostas, ou visando encontrá-las, Francisca, com sua *expertise*, aplica questões a 22 atletas que se destacaram ou se destacam no futebol, voleibol, futsal e hipismo: Dante, *El Mago* (William Peixoto Arjona), Wallace Martins, Eurico Rosa da Silva, Vinícius Elias

Teixeira, Lavoisier Martins, Leo Higuita, Gustavo Lobo Paradeda, Yuri Naves, Sílvio Mariola, Fillipe Soutto, Dentinho (Marcelo Freitas), Diego Fávero, Carlão (Carlos A. de Oliveira), Sueliton Pereira de Aguiar, Marco Bruno, Gera, Barata (José A. Fiuza Cardoso), Atílio Dias, Ataliba (Carlos Eduardo Soares), Thiago Gentil e Régis Amarante. E vai buscar nos especialistas Felipe Ximenes (Gestão), Juliana B. Carvalhaes (Meditação), Michael Simoni (Ortopedia), Helder Nani (Quiropraxia) e Fernando Pardo (Nutrição), todos da *Família FX*, dados complementares que se somam e conduzem os atletas ao desenvolvimento de suas aptidões em busca da excelência.

Esta, sem dúvida, é a primeira de muitas experiências que serão levadas adiante pela autora, Francisca de Lima, por ser a vida dinâmica e porque a busca pelo aprimoramento constante sempre nos levará a algo mais a acrescentar a arquétipos a serem quebrados e superados.

Aproveite a leitura, ela lhe fará muito bem.

Dr. Omar Coêlho de Mello, *advogado, é integrante da Turma 002 FX e vice-presidente do Centro Sportivo Alagoano (CSA). Foi procurador-geral do Estado de Alagoas, bem como presidente da Associação Nacional dos Procuradores de Estado e do DF, e presidente da OAB/AL.*

APRESENTAÇÃO

...E todos gritavam "Didaaaaaa"!

Por FRANCISCA DE LIMA

Posso afirmar com todas as letras o que até hoje sinto pela arte do futebol: AMO esse esporte, assim como amo a minha própria vida

Quem sou eu? E por que este livro? Nasci em Irecê, no interior da Bahia. Meu pai era comerciante de feijão e minha mãe era dona de casa. Não me lembro de brigas, mas, depois de algum tempo, percebi que meu pai tinha viajado para nunca mais voltar. Tivemos que mudar e minha mãe nos justificou: ele havia perdido a nossa casa no jogo. Éramos cinco filhos e ela estava grávida do sexto.

Eu me lembro do quanto ela ficou brava e que chorava muito, esperando que ele voltasse, ou que desse alguma notícia de seu paradeiro — o que nunca aconteceu. Após alguns meses, com a nossa família vivendo com o mínimo necessário à sobrevivência, minha mãe decidiu ir a Brasília. Parte da família de meu pai morava na capital do país, para onde ele dizia que iria à procura de trabalho.

Em Brasília, ela não encontrou o meu pai, mas decidiu ficar por lá até ele regressar, como a família dele dizia que aconteceria. Mas ele jamais voltou. Vivíamos na miséria e às vezes até passando fome. Eu tinha só seis anos e já ajudava a cuidar de meus irmãos menores.

Minha mãe passou a trabalhar como faxineira em várias casas em Brasília, para podermos sobreviver. No entanto, a situação para ela não era fácil de levar. Sem conseguir ir muito adiante com esse pequeno sustento que nos dava, ela, por preocupação amorosa, achou de deixar os filhos com famílias que se dispusessem a nos criar. Cada um teve o seu destino junto a famílias diferentes.

Eu fiquei na casa em que ela trabalhava. Era um casal com três filhos e que sonhava ter uma menina. É inesquecível para mim a cena dela se despedindo, dizendo que ia tentar a vida no Rio de Janeiro e me deixando ali, sozinha, entre estranhos. Ainda uma criancinha, eu não entendia muito bem o que estava acontecendo. Só sabia que ela estava indo embora e que eu tinha de ficar naquele novo lugar.

Que difícil, repentinamente, me ver numa casa e num universo tão diferente! Parecia que o mundo tinha desabado. De noite, chorava em silêncio e imaginava histórias para suportar a dor e a solidão. Mas minha nova família me aceitou bem. Minha mãe de criação era muito generosa e o meu novo irmão, o primogênito, parecia preocupado em fazer com que eu me sentisse em casa. Já o menor, brigávamos muito. Provavelmente ele tinha ciúmes, por ter que dividir comigo a atenção dos pais.

Com sete anos, fui para a escola e logo fiz amizade com outros meninos. Sempre juntos no recreio, brincávamos com bolas de gude e jogávamos umas peladinhas de futebol. Com o passar do tempo, esses meninos foram se tornando cada vez mais meus amigos. Eram como a minha família. E posso afirmar com todas as letras o que sinto até hoje pela arte do futebol: AMO esse esporte, assim como amo a minha própria vida.

No nosso time, cada um era chamado pelo nome ou apelido de um jogador famoso do futebol brasileiro. O meu era "Dida", e o apelido pegou até em casa. Mesmo a minha mãe de criação, pensando em me castigar, acabou vencida e passou também a me chamar de Dida. O fato de eu estar sempre rodeada de meninos representou um grande problema para ela, que vivia me pondo de castigo por eu não me comportar como uma menina.

No Brasil, sou conhecida como Dida por muita gente. Na época, eu não sabia bem de quem se tratava. Sabia somente que era um atleta. Depois de anos, descobri que Dida foi o maior ídolo do Zico e o segundo maior artilheiro da história do Flamengo. Ele conquistou o tricampeonato estadual pelo Flamengo, de 1953 a 1955, e foi campeão mundial em 1958, na Suécia. Foi muito triste ele ter falecido, em 2002, com 68 anos de idade, justo no dia do meu aniversário, 17 de setembro. É com muita honra, portanto, que carrego esse apelido.

Bem, mas quando fiz 12 anos, a família decidiu que eu devia aprender a tocar flauta e não me deixaram mais jogar bola. Não me interessei pela flauta e nunca aprendi a tocar; meu sonho era tocar saxofone e ser psicóloga. Meus pais adotivos tentaram fortemente me afastar do meu grupo de amigos. Até curso de culinária eu tive que fazer, embora, à época, não gostasse nem um pouco de cozinha. Hoje, ao contrário, adoro cozinhar.

Aos 15 anos, eu quis voltar a viver com minha mãe biológica, no Rio de Janeiro. Minha mãe de criação ficou muito magoada com a minha decisão e cortou completamente a relação comigo desde o dia em que me deixou lá, num quarto mínimo, em um beco repleto de quartinhos. Minha mãe morava em Duque de Caxias, um município muito pobre do Estado do Rio.

Tive logo que começar a trabalhar para ajudá-la e encontrei emprego em uma fábrica. Era um sacrifício ter que viver naquele cubículo, dormir sobre um pedaço de papelão no chão, trabalhar na tal da fábrica durante o dia e estudar à noite. Meu sonho era me formar e seguir em frente. Aquela não era a vida que eu sonhava para mim. Eu queria mais.

Depois de anos de subemprego e de minha mãe trabalhando como faxineira, vi que precisávamos mudar a nossa condição de vida, mas eu não sabia como e nem quando. Um dos patrões dela tinha um amigo que morava na Alemanha e que estava à procura de empregada. Minha mãe achou que eu, talvez, fosse a pessoa ideal. Fiz a entrevista e de cara fui reprovada.

Desempregada e sem nenhuma perspectiva, fui para a casa de uma amiga em Vitória, no Espírito Santo. Precisava pensar e decidir sobre o meu futuro. Dois meses depois, fui novamente entrevistada e dessa vez, pela mãe da pessoa que morava na Alemanha. Era uma psicóloga renomada no Rio de Janeiro que, após quase três horas de bate-papo, me disse que o emprego era meu.

Na semana seguinte, eu já estava viajando para a Alemanha, acompanhando as três crianças que tinham ido passar férias com os avós no Rio. Eu iria trabalhar de babá. Naquele momento, eu só pensava em poder ganhar dinheiro, comprar uma casa para a minha mãe e dar oportunidade a meus irmãos de estudar.

Após seis meses, quando a família voltou para o Brasil, eu havia conseguido juntar o dinheiro para tirar minha mãe da miséria. Comprei uma casinha para ela, em Brasília, para onde ela tinha regressado, mas permaneci em Hamburgo, trabalhando por mais um ano para uma família alemã, quando tive a oportunidade de fazer graduação em Psicologia. Depois de anos exercendo a profissão, pude trabalhar com dois atletas de elite. Foi quando voltei a sonhar com as peladinhas que tanto joguei na infância: o futebol voltava à minha vida.

Há quem pergunte de onde vem a minha força interior e a vontade de vencer. Ao me deixar na casa da nova família, minha mãe disse: "Segura na mão de Deus e vai". Este refrão de fé me acompanha diariamente desde então. Sempre volto ao passado e vejo o que alcancei, por ter sido determinada e não parar de sonhar em fazer o que amo.

Histórias de vida e superação que se cruzam, de uma psicóloga e *coach* mental, e 22 atletas. Muitos se perguntam: como alguém que suportou viver em situações extremas — sem estrutura familiar nem financeira, sobrevivendo com o mínimo, morando em favelas, passando fome — conseguiu chegar ao topo da carreira esportiva e da alta performance? O que leva atletas a serem assim, diferentes? De onde vem o desejo de superar as dificuldades e a força mental para encarar os desafios? Como muitos se tornaram ídolos, dentro e fora do país, e alguns chegaram a ser considerados os melhores do mundo?

Todos os atletas entrevistados para este livro têm a resiliência em comum, ou seja, têm esse poder de superar crises ou situações extremas. Como as próximas páginas vão mostrar, eles sentem medo e insegurança, vários viveram experiências traumáticas, mas nada os impediu de seguir em frente. Ao contrário, a cada desafio, foram se fortalecendo e se tornando mentalmente melhor preparados. Eu também vi meu mundo desabar, mas dentro de mim, assim como eles, cresceu o desejo de mudar a minha história e de vencer.

Como a vida é repleta de surpresas, formei-me na Europa em Psicologia Clínica e Organizacional e Coach Mental para Atletas. Eu já tinha conquistado muita coisa, inclusive o sonho de ter o meu próprio consultório, mas nunca me passou pela cabeça a ideia de trabalhar com jogadores da Primeira Liga da Alemanha.

Fiquei muito honrada ao receber o convite de uma agência de futebol na Suíça para ajudar atletas de elite a manterem o equilíbrio mental durante e após o término de suas carreiras. Ao mesmo tempo, me senti intimidada pelo desafio de atuar com esses profissionais, admirados por milhares de torcedores como grandes heróis.

Chegando lá, constatei que eles também têm medos e inseguranças, passam por conflitos emocionais e problemas na família, como qualquer ser humano. A diferença é que, sob os holofotes, não demonstram vulnerabilidade, pois "devem" parecer confiantes e inabaláveis. O tema da saúde mental no mundo esportivo passou a ser mais discutido depois que renomados falaram abertamente de suas dificuldades em lidar com a cobrança e o estresse — e continua instigante.

Aliás, quem não sofreu estresse emocional em 2020, com a pandemia da Covid-19? Perante o desafio do isolamento, as pessoas intensificaram suas conexões via internet. Foi assim que conheci o gestor Felipe Ximenes, criador de uma comunidade *on-line*, integrada por centenas de desportistas de diversas modalidades, em 16 países, para debater questões de gestão do esporte.

Ao longo de um ano e meio, participei das discussões com minha experiência sobre a importância da psicologia para atletas de alta performance. Ali, encontrei grandes astros e estrelas do esporte. Curiosa em conhecer a trajetória de suas vidas — eu sabia que muitos, como eu, tiveram uma infância difícil, de muita pobreza e sem estrutura familiar —, entrevistei 22 atletas brasileiros que atuaram/atuam dentro e fora do país, nas mais importantes competições mundiais.

Quem imaginaria que aquela menina pobre que gostava de jogar futebol, um dia estaria diante de grandes ídolos do esporte, ouvindo as suas histórias de sucesso? E você verá que esse resultado demanda, além de força de vontade e perseverança, um amplo trabalho envolvendo profissionais de diferentes áreas, como ortopedia, fisioterapia, nutrição, meditação e psicologia. Assim, conversei também com médicos e especialistas que atuam com atletas de dentro e de fora do Brasil, e que revelam alguns segredos para quem quer atingir o ponto mais alto do pódio.

Por que, então, publicar este livro? Para mim, é como viver o sonho que muitos brasileiros pobres vivem no momento do jogo, quando nos sentimos nivelados, nossos corações se tornam um só e temos a sensação de ser uma nação sem desigualdades — tal como a letra da famosa canção da Copa de 70, que dizia "90 milhões em ação", unidos em torno de um só objetivo: o de vencer!

O sonho de todo menino brasileiro é ser um jogador de elite; de, por breves momentos, poder se sentir sem a distinção social de origem. Pobreza, discriminação, preconceitos e sofrimento desaparecem como num passe de mágica, e ele se vê como parte importante nesse todo, sem pensar de onde veio, para onde vai ou como será o amanhã.

Apesar da relevante participação das mulheres no esporte ter crescido bastante nos últimos anos, os desafios ainda são enormes. Gostaria de ter também entrevistado algumas dessas grandes atletas que estão aqui pela Europa e pelo mundo; infelizmente, o contato não foi possível. Mas este é um assunto para o próximo livro. Neste, com as generosas revelações dos depoentes, espero levar inspiração para leitores lutarem por seus sonhos, por mais distantes que lhes possam parecer. Sobretudo neste momento.

Francisca de Lima (Dida)
Hamburgo, setembro de 2021.

CAPÍTULO I

A gestão na formação do atleta

Por LUÍS FELIPE XIMENES

A gestão é o fio condutor da implementação de processos que garantem o bom funcionamento e relacionamento entre os integrantes do ecossistema do esporte. Além disso, é a grande viabilizadora do alcance das metas propostas pelos clubes.

São diversas as atribuições do gestor: avaliação dos potenciais dos atletas, juntamente com o departamento de análise de desempenho; estabelecimento de metas e objetivos para as competições que vierem a ser disputadas; prospecção de "venda" de ativos para outros mercados; prospecção de contratação de novos atletas para as categorias principais do clube; contratação e demissão das pessoas que fazem parte do departamento, entre outras.

A gestão do processo de formação do atleta é um fator extremamente importante e todas as pessoas que dele participam, de um modo ou de outro, são gestores, cada uma em sua competência. Portanto, é fundamental definir quais são as funções do gestor e quem estará à frente desse trabalho.

Gestores são todas as pessoas que manejam os métodos de formação do atleta. O preparador físico é um gestor; o treinador do garoto é um gestor; o executivo de futebol de formação é um gestor. Em determinado momento, o empresário vai ser o gestor da carreira do atleta. Em outro momento, os pais fazem parte desse processo. Porém, neste contexto de formação do atleta, a gestão é mais importante do que a figura do gestor.

Desafios

Não se pode negar que as instituições vão exercer influência na carreira do jogador, desde a escolha do local adequado ao desenvolvimento, por meio de metodologias direcionadas à sua formação como desportista, até o fortalecimento de seu caráter. A questão financeira não deve ser vista como a mais importante do processo, mas sim os valores humanos a serem transmitidos a um jovem em formação.

Considero uma grande inversão daqueles que se preocupam simplesmente com as condições estruturais, técnicas e táticas, em relação à preparação do atleta, deixando em segundo plano a atenção à transmissão de princípios humanos e éticos para a pessoa como um todo. Portanto, antes de sonhar com uma melhor estrutura oferecida pelos clubes, os pais ou responsáveis pelo indivíduo devem refletir acerca dos valores sobre os quais aquela instituição se assenta e conduz o seu trabalho.

O maior desafio de um gestor esportivo consiste, talvez, na conscientização dos familiares do jogador, pois a instituição é apenas um agente para o complemento de sua formação e não o principal responsável por essa ação. Assim, saber manter os pais e os responsáveis alimentados de informação e, principalmente, atuando no processo de evolução do jovem, parece ser mesmo o grande desafio do gestor.

São quatro os pontos fundamentais para se fomentar o salto em direção a uma formação sistêmica dos atletas: a diminuição de seu quantitativo nos clubes; o foco, real e verdadeiro, em sua educação e não somente em sua escolarização; a capacitação contínua dos profissionais que conduzem ou que têm algum contato com o processo da formação; e a comunicação entre o clube e todos os *stakeholders* que compõem a equipe de preparação do atleta como tal — desde a imprensa, passando por pais, empresários e funcionários, ou seja, toda a comunidade que permeia o clube de futebol e as instituições de outras modalidades esportivas.

Adversidades

As dificuldades encontradas para a realização deste trabalho são: a alta rotatividade (*turnover*) dos profissionais dos clubes — ou seja, dos que permanecem no clube por pouco tempo, ficando assim impossibilitados de implantar e, mais ainda, de desenvolver projetos de longa duração; a baixa valorização financeira dos técnicos que trabalham com a base, fazendo com que os melhores profissionais e os destaques desejem trabalhar em categorias maiores, a fim de serem melhor remunerados; a política interna dos clubes, que mistura questões políticas com as de funções que deveriam ser exclusivamente técnicas, ocasionando a troca frequente de profissionais; a cobrança de resultados imediatos, dentro do futebol, que é algo absolutamente crônico no país.

Sim, os relacionamentos interpessoais são mandatórios na sociedade atual, mas antes de estar preparado para entrar nessa seara, o profissional deve voltar a sua atenção ao relacionamento intrapessoal, ou seja, para o relacionamento consigo próprio. Saber se entender, aprender a se aceitar e a ter clara noção de seus pontos fortes e fracos é fundamental para estar habilitado ao relacionamento com outras pessoas.

Lidar com as questões do baixo rendimento e da performance do atleta, antes de mais nada, exige do gestor o entendimento do porquê isso está acontecendo, ou quais são os motivos que o levaram a essa situação. A performance de um atleta ou de uma equipe é determinada por uma fórmula muito simples: o potencial do atleta mais as interferências positivas menos as interferências negativas.

Sempre que um gestor estiver avaliando um atleta e sua performance, é preciso antes identificar e reconhecer que tal análise de potencial foi, de fato, bem feita. A partir daí, ele deve se manter atento às citadas interferências que possam estar influenciando o atleta, para só então estimulá-lo a aumentar aquelas positivas ou diminuir as negativas.

Felipe Ximenes, *mineiro de Três Corações, 53 anos, graduado em Educação Física (UFMG) e mestre em Educação (Unincor), trilha uma longa estrada na área esportiva, se revezando nos papéis de gestor, atleta, treinador e árbitro de múltiplos esportes em nível escolar e regional. Foi Secretário Municipal de Esportes, Lazer e Turismo de Três Corações (MG) e gestor em inúmeros clubes, com destaque para: Atlético Mineiro, Coritiba, Vasco da Gama, Flamengo e Santos. Integrou o corpo docente da extinta Escola Brasileira de Futebol (atual CBF Academy), de 2008-20 e, em 2020, criou no Instagram o curso "Gestor de Futebol: os desafios de uma função", com alcance em todo o Brasil e em 16 países.*
Instagram: @felipeximenes

DANTE BONFIM COSTA SANTOS

Futebol

Dante leva o sonho ao Paraíso

Dante Bonfim Costa Santos *nasceu em Salvador, Bahia, em 18.10.1983. Jogou na base do Catuense, Galícia e Capivariano, e seu primeiro clube profissional foi o Juventude, de Caxias do Sul. Em 2004, Dante foi transferido para a França, onde atuou no clube OSC Lille e ganhou a Copa Intertoto da UEFA (2004) e a Pro League (2007-08). Na Bélgica, passou pelo Charleroi e pelo Standard Liège; foi campeão na Supercopa da Bélgica (2008) e no Campeonato Belga de Futebol (2007-08-09). Em 2009, foi contratado pelo alemão Borussia Mönchengladbach. Após três temporadas, foi transferido para o Bayern de Munique e lá conquistou títulos como: melhor zagueiro da Associação dos Jogadores de Futebol da Bundesliga (2011-12); Copa do Mundo de Clubes da FIFA (2013); Liga dos Campeões de UEFA (2012-13); Superliga Europeia (2013); Campeonato Alemão (2012-13-14); e Supercopa da Alemanha (2012). Jogou na Seleção Brasileira da Copa do Mundo de 2014. Atualmente, joga pelo OGC Nice.*

No bequinho da rua

Os meus pais sempre me educaram a dar valor à escola e, depois, ao que eu queria ser, um jogador de futebol. Aos seis anos, eu tive aquele entusiasmo que me desencadeou a vontade de ser jogador de qualquer jeito. Eu já jogava com os meus primos num bequinho estreito da rua: a gente botava as sandálias, fazia dois golzinhos e punha dois contra dois, ali, depois da escola. Era muito divertido. Com o passar do tempo, um tio meu conseguiu ser profissional. Eu sempre o acompanhava, levava a chuteira dele, e sentia uma emoção muito grande ao vê-lo jogar. E pensava, *eu quero um dia sentir essa emoção aqui dentro, também*. Então, aos oito, nove anos, eu já estava decidido que era isso o que eu queria mesmo pra mim.

O começo, na infância

Entrei com oito anos em escolinha de futebol. Lá, nós jogávamos o campeonato de bairro e fiquei procurando um time, fazendo testes pra ver se era aceito em algum clube. Consegui fazer uns torneios e fui ficando. O tempo foi passando até que, aos 14 anos, fiz dois testes no Vitória, da Bahia, mas fui reprovado, infelizmente. Com 15 anos, fui para o Matsubara, em Cambará, no Paraná: 54 horas de ônibus pra ir fazer um teste... e só pude ficar uns seis dias, porque tinham muitos jogadores e os caras mandavam todo mundo embora. É nesses momentos que a dificuldade aparece e você se pergunta, "é isso o que eu quero? Eu quero passar por tudo isso, realmente?". Mas aquela vontade de ser jogador é tão grande que você aceita, literalmente, tudo. Aí, o cara fala, "vou dar duas marmitinhas pra vocês comerem...". Às vezes tinha marmita, às vezes não tinha marmita, e você vai levando, você aceita, porque você está atrás do seu sonho, *né*?

As pedras do caminho

Daí, você se dá conta do quanto és forte na tua vida pra alcançar um objetivo. Você aceita viajar de ônibus mais de 50 horas, aceita comer só marmita — às vezes sim, às vezes não, às vezes nada, às vezes o que tem —, aceita ficar longe da família, sentir saudades, ter que treinar de manhã e estudar à noite, entendeu? Eu já tinha uns 16 anos e fui fazer outro teste. Saí do Paraná e fui pra São Paulo: 18 horas de carro.

Enfim, a chance

Até que o Juventude me chamou pra fazer um teste, onde um cara lá dizia: "Olha, amigo, você só pode entrar aqui no clube com a passagem de volta". E eu pra ele: "Meu amigo, pelo amor de Deus, eu não tenho dinheiro nem pra ir, imagina pra voltar!". E você pensa, *eu sou louco, cara... eu quero encarar isso mesmo?* Mas pra ele, eu falei: "Cara, só faz uma coisa: quebra esse protocolo e acredita em mim, porque eu sei que vou dar certo. Me dá uma chance, eu só preciso de uma oportunidade. Minha família toda está esperando só por isso. Eu não vou desperdiçar e não vou te desapontar". Aí, o cara, meio gauchão... não é discriminação, mas eles têm essa coisa assim meio aproximativa, *chama tudo* de negrão: "Tá, negrão, eu gostei da tua personalidade, vamos lá, eu vou te dar essa chance". Eu chego lá e o cara: "Poxa, e aí?". E eu: "Olha, eu não trouxe nada, realmente, eu não tinha dinheiro pra comprar uma Coca-Cola, *bicho*". Ele fala: "*Pô*, você está de brincadeira comigo?" E aí... ele me aceitou.

Tem que ter coragem

Fiquei no Juventude, onde joguei um ano de júnior e pagavam trezentos reais, na época; no ano seguinte, eu já estava no profissional, ganhando novecentos reais, e feliz da vida: "Opa, o negócio está ficando bom!". Até mandava um dinheirinho pra minha mãe. Fui até os 20 anos jogando lá e daí, vim para a França. Mas, assim, esse processo da infância para a adolescência, tendo no meio um sonho, requer muita força de vontade mental e coragem. Porque não só nós temos desafios e dificuldades, também os que hoje estão desempregados, os pedreiros, os garis etc., têm os deles.

Obstinado a não desistir

Fui muitas vezes reprovado em testes nos clubes — digo, não fui aprovado em nenhum lugar. Antes de ir *pro* Paraná, fui pra Portuguesa, de São Paulo; fui no Fluminense, no Rio, também de ônibus e, ô! É longe demais: são 26 horas, *pô*. Mas você é obcecado por aquele sonho, você vai, você não desiste. E é interessante ver hoje tudo o que eu vivi, porque é com alegria que eu conto isso. Eu falo, "escutem a minha história, mas não tenham pena de mim, porque acho que vivi tudo isso pra dar, talvez, um bom exemplo, encorajar outras pessoas, ter uma prova real de que, com todas as dificuldades, podemos chegar lá".

O poder da força mental

Você imagina, Francisca, que no meu primeiro clube, eu comecei a trabalhar realmente aos 16 anos. Super tarde! As pessoas já não acreditavam mais em mim e falavam, "ah, você não vai conseguir". Mas isso também me dava força e eu reagia, *olha, eu vou acreditar em mim e não vou desistir*. E essa coisa é interessante, porque todos nós vivemos períodos de dificuldade. São ciclos, *né?* Quem desiste primeiro? Esta é a pergunta que eu sempre me fiz, mas repetia que ia tentar até o final. Não queria me arrepender de ter que dizer, "poxa, eu desisti rápido"; então, eu falava, "não! Vamos lá, vamos continuar trabalhando". E foi com essa mentalidade de perseverança que, graças a Deus, no final, deu tudo certo. Mas entendo que muitas pessoas às vezes não conseguem continuar no caminho, devido a tanta dificuldade.

Disciplina de trabalho

A concorrência é muito grande. São muitos jogadores e você não percebe isso, mas está todos os dias concorrendo, primeiro consigo mesmo, depois com os outros. Muitas pessoas hoje rodeiam os clubes, então, essa concorrência pesa; muitos jogadores não entendem porque não têm a chance agora, porque o treinador dá chance aos outros. Acho que é grande a dificuldade de as crianças terem um acompanhamento melhor, no que significa se preparar pra ser um profissional. Não é só jogar nas divisões de base, ou ser eleito a estrela do time, ou ser um titular. A preparação de um profissional é ter hábitos e rotinas a trabalhar. É um trabalho árduo, todos os dias, sempre buscando vencer os seus próprios limites, corrigindo os seus defeitos, melhorando as suas qualidades a cada dia.

Dificuldades iniciais

Converso com muitos jovens hoje que falam, "ah, o treinador não gosta de mim, porque não me põe pra jogar e se eu não jogar, não tem graça, não tenho vontade". Pergunto: "E é por isso que você vai desistir?". Muitos pais falam: "O meu filho é bom, mas eles não dão confiança, não dão chance pra ele". Mas o que é dar chance? É ele estar lá, jogando? Isso já é uma grande chance. A dificuldade é de interpretarem o que é sorte e o que é a formação de um jogador. Formação de jogador, no meu modo de ver, não se faz só com ele jogando na divisão de base. Muitos que começaram super bem e foram tidos como estrelas, depois não conseguiram ter carreiras boas, não é? É preciso entender qual o significado de estar num clube e da chance de terem um campo legal pra treinar. Estas são as principais dificuldades no começo da carreira.

"O que falta ao jovem é saber interpretar o que quer dizer a formação dele. Porque em termos de divisão de base, os clubes estão muito melhores do que no passado. Isso é uma grande realidade e é até mesmo uma grande riqueza pra todos eles, hoje"

Má interpretação

Bem ou mal, há muitos bons clubes, estruturados, e ainda há os menores, que dão o mínimo que o atleta precisa para ser jogador. E eu acho que muitos se perdem, deixam o sonho deles de lado, pela má interpretação do que quer dizer o futebol em si, porque tomo o meu exemplo: comecei a jogar num clube verdadeiro aos 17 anos, muito tarde, hoje em dia. Com essa idade, os caras hoje estão no profissional, voando. Mas eu nunca deixei de treinar quando estava sem clube. Treinava sozinho, saía pra correr de manhã cedo na praia ou no final da noite, depois dos estudos. Continuava trabalhando, porque eu acreditava que o caminho era aquele. Hoje é, "ah, falta uma passagem de ônibus pra ele ir para o treino, ou algo pra comer etc.". O que falta ao jovem é saber interpretar o que quer dizer a formação dele. Porque em termos de divisão de base, os clubes estão muito melhores do que no passado. Isso é uma grande realidade e até mesmo uma grande riqueza pra todos esses jovens.

A adaptação na França

Cheguei na França com um contrato de empréstimo: eu tinha primeiro que provar, antes de ser comprado. Realmente, teve a barreira do idioma, da cultura, da temperatura e tudo isso para um garoto de 20 anos, sozinho. Tive que refletir por onde começar, para as coisas ficarem mais fáceis. E se você não fala francês, então, a primeira coisa é aprender a falar francês. Comecei logo a fazer as aulas e em oito meses deslanchei, já dava entrevista em francês e, pronto, fui me adaptando. Observava bastante, via o que eles gostavam de fazer e o que não gostavam, tipo, no Brasil, a gente chega e fala só "bom dia"; lá, você tem que apertar a mão de todos, por exemplo.

"Observava bastante na França, via o que eles gostavam de fazer e o que não gostavam, tipo, no Brasil a gente chega e fala só 'bom dia'; lá, você tem que apertar a mão de todos, por exemplo"

São hábitos que você vai entendendo, a pontualidade, aquela coisa de estar bem disciplinado, você vai aprendendo com eles. Eu tinha a mente aberta e humildade pra aceitar tudo, então, facilitou muito pra mim essa transição, até mesmo da parte dos meus companheiros, porque eles viam o meu esforço para me comunicar dentro de campo, mesmo. São sinais positivos que você dá e, consequentemente, eles se propõem a te ajudar.

As diferenças culturais

Mesmo não tendo *umas* condições financeiras enormes e jogando na França, fui super bem, já que tive essa minha concentração de aprender o idioma, a cultura, aceitar as pessoas como elas são — porque nós que somos brasileiros... e a gente que é baiano, quer folia, a gente quer carnaval, quer abraço, quer risos, quer música, mas esse pessoal não é assim. A gente quer, depois, que o cara salta, pula, dá cambalhota e as pessoas lá não são assim. Você não está acostumado com isso, mas tem que aceitar. E isso aí foi muito positivo, porque, colocando o meu sonho sempre na frente de tudo, era falar, "se eu tiver que aceitar os caras pra continuar jogando na Europa, vou aceitar os caras, tá bom? E vou trabalhar".

Batalhar é preciso

E, claro, depois, o jogo do campeonato francês não é o mesmo do brasileiro; o impacto físico é muito maior, a dinâmica e a intensidade são maiores. Só que você está ali, correndo, batalhando, morto de cansaço, mas continua correndo e o cara pergunta: "Está bem?". "Sim, estou bem, estou bem", e não pode parar. Então, é ter resiliência. É a força interior que você consegue tirar e que você nem sabia que tinha. Isso fez com que a minha adaptação fosse mais leve do que eu pensava.

"O alemão, tive também de aprender rápido. Cheguei a dar entrevista em alemão depois de um ano. E foi, pra mim, uma vitória. Quando eu cheguei lá, os alemães disseram, '*Jetzt bist du in Deutschland, jetzt musst du deutsch sprechen*'"

Na Alemanha e na Bélgica

O alemão, tive também de aprender rápido. Cheguei a dar entrevista em alemão depois de um ano. E foi, pra mim, uma vitória. Quando eu cheguei lá, os alemães disseram, "*Jetzt bist du in Deutschland, jetzt musst du deutsch sprechen!*" (agora estás na Alemanha e tens que falar alemão!). E daí, fui estudar. Aprendi e entendi bastante a cultura deles, mesmo porque, antes disso, eu tinha passado três anos na Bélgica. Mas a Bélgica já é um país mais tranquilo, mais *light*. As pessoas lá aceitam muitas coisas. E depois, me deparei com essa cultura rigorosa alemã, que é muito disciplinada, muito focada. Mas aquilo ali, pra todo mundo, para os jovens hoje, eu falo, "cara, quer tirar força de algum lugar? Põe o teu sonho lá em cima, aí você vai tirar força". Porque tem palavras que as pessoas, quando não querem entender, elas não entendem.

Entendendo os alemães

Eu pergunto sempre para os garotos: "Qual é o teu objetivo? Qual é o teu sonho? *Tu quer* ser quem na vida? Você tem que colocar o seu sonho o mais alto possível". E isso aí me ajudou também a procurar entender a cultura dos alemães e acho até que *conquistei eles* mais ainda, porque eles tinham grande admiração por mim, falavam que eu sempre estava rindo, estava sempre alegre, mesmo com frio, neve, e aí eu falava: "Mas não era pra estar rindo? Nós estamos bem, estamos num país maravilhoso. Pelo amor de Deus, eu vou rir mesmo, eu estou ótimo. De onde eu saí e onde eu estou agora, eu estou bem pra caramba". E daí, a gente ria bastante.

Lesões e inseguranças

As lesões, claro, são um momento de muita fragilidade do interior da pessoa, só que temos que ser fortes, porque elas vêm nos mostrar alguma coisa, sempre. Em Lille, eu tive uma lesão no púbis, que se chama pubalgia. Eu ia fazer exames e o doutor não detectava nada; eu voltava a treinar e machucava de novo; parava três semanas, voltava a treinar, machucava. E o doutor falava, "eu não sei o que aconteceu com você, porque não tem nada". Durante seis meses eu fiquei nesse impasse de volta e machuca de novo, até me operar. Nesse momento fiquei um pouco inseguro, porque eu tinha 21 anos, estava só, em Lille, e tinha que mostrar o meu futebol pra continuar crescendo, pra me manter, e devido à falta do diagnóstico dos médicos, aquilo me causou insegurança, sim.

Receios naturais

Depois eu tive, no Borussia Mönchengladbach, algumas lesões, mas eu já estava mais maduro e pude recuperar tranquilo. Agora estou há oito meses sem jogar; rompi o ligamento cruzado. Hoje foi o meu primeiro treino com o time, e aconteceu tudo bem, graças a Deus. E, claro, eu, com 37 anos, muitos disseram que seria o final da minha carreira, devido à minha idade — porque a contusão foi muito grave. Mas isso aí são apenas desafios e em nenhum momento eu duvidei que ia voltar a jogar. Muitos jogadores se aproveitam de lesões pra crescer, até mesmo na sua rotina de trabalho, porque quando você está lesionado, você trabalha muito mais.

Medo de machucar de novo

Muitos aprendem a trabalhar com uma carga maior, no limite. E outros atletas, claro, têm receio, primeiramente, neurológico mesmo, porque não conseguem se readaptar aos movimentos que faziam antes. E isso aí dificulta bastante. Aquele medo de machucar novamente, claro que é muito grande. Tipo, eu fui ver um cirurgião e tinha um questionário pra perguntar quantos por cento eu tinha de medo de me lesionar novamente, se eu tinha alguma apreensão. São coisas que atingem realmente o atleta. Enfim, depois de certas lesões, o atleta tem que ter um acompanhamento com bastante atenção, até mesmo pra se lesionar novamente... ou pra estragar a carreira.

Psicologia é importante

O fisioterapeuta tem que ter conhecimentos como psicólogo, não de forma técnica, mas prática. Isso quer dizer que as pessoas envolvidas no tratamento têm que ser sempre positivas, dando coragem ao atleta, dizendo que ele é forte, é importante receber boas afirmações. E dependendo do tempo de lesão, parado, um acompanhamento psicológico é importante — não todos os dias, mas pra ele ter noção de que pode voltar a fazer tudo o que fazia antes, sem medos. Eu mesmo fiz um *reset* neurológico e é interessante sentir que a pessoa está falando pra você que você tem força. Então, isso tudo aí é da psicologia... você sabe mais do que eu falo. Eu já vi jogadores aqui no Nice que ficaram três anos machucados; uma vez era o tornozelo, depois o joelho, depois a coxa, depois isso, depois aquilo. Era o psicológico afetado... ele pegou, foi embora e jogou um ano inteiro noutro time.

O *coach* mental

Alguns clubes têm um psicólogo, mas eles gostam de chamar de preparadores mentais. *Coach* mental, *né*? Eu acho que alguns clubes acreditam, só que não o suficiente, ainda, porque hoje nós temos um problema de "educação da sociedade", e não só a esportiva; eu falo do trabalho em geral. Hoje, poucos jovens, mesmo estando cansados, têm vontade de trabalhar. Isso quer dizer o quê? Eles falam, "hoje eu estou fazendo devagar porque estou cansado". São ajudantes de pedreiro e são jogadores de futebol, de basquete. Então, o acompanhamento de um *coach* mental que seja, iria ajudá-los a interpretar essas situações de jeito diferente. Eu fiz um curso de preparação de gestão mental.

Fixando objetivos

Eu quero ser treinador e quero entender a cabeça desses caras, porque eu não entendo. O mentor do curso de *coaching* me falou assim, "o mais importante, Dante, é você fazer um questionário e perguntar quais são os seus objetivos nesta temporada, a curto, médio e longo prazo, pra daí você ter, mais ou menos, uma noção de qual direção ir". E eu achei isso superinteressante, Francisca, porque a gente não fala de objetivos, por exemplo, "ah, eu quero ganhar dez jogos, fazer 30 gols, não sei o quê...". E ele falou também que as rotinas são muito importantes, assim: "Quais são os seus objetivos?". "Ah, isso e aquilo." E ele: "Não, vamos fazer o seguinte: três semanas, ok? Antes do treino, você tem trinta minutos de exercícios para se preparar *pro* treino e depois, então, você tem outros trinta minutos de exercícios, também". Porque isso aí são rotinas que um atleta de alto nível tem que ter, são fixações de objetivos e não vai ter aquela coisa de, "ah, cheguei dez minutos atrasado porque estou cansado". Não, esse não é o nosso objetivo, você está quebrando o protocolo, não é assim. Você entendeu?

"São coisas interessantíssimas que o *coaching* ensina... mas os clubes fazem o quê? 'Pô, os garotos de hoje não trabalham.' Mas como é que você quer que eles trabalhem, se ninguém *guia eles*? É fácil um preparador chamar o cara e falar, 'vamos lá trabalhar'. Agora, ele fixar o objetivo, é outra coisa"

Desatenção dos clubes

São coisas interessantíssimas que os clubes deixam de fazer... Aí, os clubes fazem o quê? "Pô, os garotos de hoje não trabalham." Mas como é que você quer que eles trabalhem, se ninguém *guia eles*? É fácil um preparador chamar o cara e falar, "vamos lá trabalhar". Agora, ele fixar o objetivo, é outra coisa. Tem também o quesito de gestão de estresse e do discurso interno, que eu também aprendi e achei muito interessante. Há garotos que entram no campo e perdem trinta por cento da capacidade deles. É normal, é humano, mas como vamos gerir isso?

Gestão de emoção e concentração

Eu acho que um *coach* mental pode ajudar nisso tudo, pois pode-se analisar como o atleta reage depois de uma falha ou até mesmo depois de um gol. Será que ele perde a concentração e por isso falhou? Um *coach* mental num clube pode ir balanceando os atletas. Aqui, a gente tinha um, muito fera, que trabalhava com nadadores olímpicos, os caras do *rugby*, os caras do tênis e ele tem 25 medalhas olímpicas — entre aspas, porque ele trabalhava com 25 campeões de medalhas olímpicas. E teve um treinador que não acreditou nele e *mandou ele* embora. E eu achei isso muito triste... essa gente que não dá valor ao *coach* mental ou psicólogo.

Crenças limitantes

Eu acredito muito no trabalho do *coach* mental e dos psicólogos, é algo que nós todos falamos sempre, "olha, no esporte tem técnica, tática, física e mental". Então, como você não vai trabalhar com um *coach* mental? Eu não entendo. *Ué*, todo clube tem um técnico pra falar da técnica e da tática com o seu *staff*; e a parte mental, fica com quem? Há treinadores que não gostam que o clube tenha *coach* mental, pra não entrar muito na cabeça do jogador. Mas eu acho que isso tudo vem de crenças limitantes, falsas crenças do que o cara acredita.

"Há treinadores que não gostam que tenha *coach* mental, pra não entrar muito na cabeça do jogador. Mas eu acho que isso tudo vem de crenças limitantes, falsas crenças do que o cara acredita"

De atleta para atletas

Primeiramente, o melhor é estar com os ouvidos e a mente aberta pra aprender. Quem quer crescer, tem que aprender primeiro, antes de executar. Segundo, estar pronto pra trabalhar duro e com disciplina, porque vai ser, às vezes, na hora em que você não quer e muitas vezes com quem você não quer, mas você precisa trabalhar duro. E em trabalho árduo, não existe negociação, ponto. Terceiro, eu acho que eles têm, sim, que ter objetivos e persistência, porque o caminho mais fácil vai ser sempre o de desistir. Então, é ter coragem pra trabalhar duro e pôr os sonhos deles sempre na prateleira mais alta, pra ganharem essa força e seguir.

Olhando para trás

Demorei muito pra procurar um clube, isto eu mudaria. Porque eu estava nas escolinhas e eu estava ali, jogando o que eu mais queria, e com aquela sensação de realizado. Mas eu tinha que pensar um pouco mais lá na frente. Se bem que, no passado, a gente passava pelas escolinhas primeiro, jogava com os clubes, pra daí ser chamado pra fazer teste. Eu sempre fui um garoto muito corajoso, perseverante, e que gostava de trabalhar.

Pendurar a chuteira

Mesmo depois de ganhar muitas coisas, o futebol continua realizando os meus sonhos. Mas, a partir do momento que o jogador não tem mais aquela adrenalina pra ir *pro* campo, se ele perde isso, pra mim, é o final. E não tem nada a ver com idade. Tem a ver com sentimentos, com a forma que o futebol te atinge e é algo inexplicável. As pessoas falam, "poxa, o Dante, em outubro, tem 38 anos e quer jogar o quê, só mais um ano?" E eu digo, "não, no mínimo dois...". Se eu me sentir capaz e com essa adrenalina, vou continuar jogando. Claro que algumas pessoas, infelizmente, param no meio do caminho por graves lesões. Bom, eu também tive uma grave lesão, agora. Mas vou voltar.

Mágoas e frustrações

É legal tocar nesse assunto, porque, como você é psicóloga, estou querendo me basear mais ali dentro. Muitos jogadores param por frustrações no futebol e eu já vi os que pararam a carreira porque não aguentavam mais as pessoas que não os respeitavam, por pensarem diferente deles. Treinadores sem o conhecimento do jogador faziam coisas que eles diziam ser incorretas — mas, talvez, também, porque eles já não conseguissem fazer coisas brilhantes, como as que faziam antes. Muitos amigos meus me falaram isso. "Ah, não. Chega! Tem hora que eu não aguento mais, esses caras não respeitam ninguém. Treinador muito sem noção, só bota a gente pra correr".

> **"O futebol vai muito além de um treinador sem noção e de um cara que não escuta. Temos que ter um recuo pra esse entendimento mútuo, até mesmo respeito pela ideia dos outros. Mas o futebol é um esporte muito vaidoso, então é difícil, é complicado"**

O respeito mútuo

O futebol vai muito além de um treinador sem noção e de um cara que não escuta. Futebol é paixão, é alegria, é resiliência, é empatia. Você se põe no lugar de um treinador e acha que ele está errado, mas ele pode estar certo. Agora, o físico, a gente controla menos. A hora que a idade chega, realmente se está sofrendo e sofrendo. Claro que há o desgaste até mesmo mais psicológico do que físico, também pode acontecer aquela coisa de você estar lutando contra o seu corpo todos os dias. Mas muitos param porque as pessoas não batem as ideias, não acreditam no que você diz. É a mesma coisa que eu chegar pra você e falar: "Francisca, o futebol é assim, assim e assim". E você fala: "Não, eu não acho que é assim". Eu falo: "Francisca, você está louca? Eu joguei em tal e tal lugar, eu conheço muita coisa, fui campeão de um bocado de coisas e você está me falando que não é assim? Está me entendendo, doutora?". Então, temos que ter um recuo pra esse entendimento, até mesmo respeito pela ideia dos outros. Mas o futebol é um esporte muito vaidoso, então é difícil, é complicado.

O legado

A família é o ponto mais alto da pirâmide, isso é fato. Ou é o ponto mais baixo, é a base, como quiser. Mas eu acho que o que fica é a minha empatia por onde eu passei. Porque o retorno que me deram foi esse, de como eu era sempre atento com a situação de cada pessoa que estava em volta de mim. E eu me colocava no lugar delas e transmitia algo naquele momento pra confortá-las. É por isso que eu sempre fui líder. Porque devido a ter uma forte empatia, eu estava sempre rindo. Mas nem sempre eu queria estar rindo... muitas vezes, eu estava rindo pra transformar um ambiente mais leve, mais legal, pra dar exemplos àqueles que às vezes não se esforçavam pra fazer o ambiente do time, do clube, melhor. Você fala de resiliência... E lá dentro tem resiliência, também. Porque tem que ter força... viu?

"O que eu vou deixar aí? 'Ah, o Dante, aquele cara que pensa nos outros, aquele cara que tem uma força interior muito grande, que se adapta bem e que nos momentos difíceis não desistia, não baixava a cabeça, estava sempre além'"

Sorriso significa alegria?

Tem que ter força quando você está subindo e quando está lá embaixo. Mas não uma só vez: quando você esteve lá embaixo três, quatro vezes, e não quer mais estar embaixo, e você se encontra lá de novo, tem que ter força pra subir outra vez. E aí? Aí, você olha pra Francisca e a Francisca olha *pro* lado, já não te olha mais; já não te ajuda mais aqui e ali; aí você pensa, *me encontro sozinho! O que eu faço?*

Três parâmetros

Tive muitos momentos assim na minha carreira, mas eu mostrei força. Onde eu passei, aí na Alemanha mesmo, todo mundo me conhece como aquela pessoa alegre, mesmo estando em situação difícil. Esses três parâmetros, empatia, resiliência e adaptação, em todas as situações, é o que eu vou deixar aí, *né*? "Ah, o Dante, aquele cara que pensa nos outros, aquele cara que tem uma força interior muito grande, que se adapta bem e que nos momentos difíceis não desistia, não baixava a cabeça, estava sempre além".

De cabeça raspada

Eu quase caí pra segunda divisão... daí, raspei meu cabelo e foi a maior confusão, meu Deus do céu, foi uma loucura! Eu nunca contei isso pra ninguém, mas aquilo foi um sinal que eu me dei *pro* time, da confiança que tínhamos que ter uns nos outros. Imagine a loucura do cara aceitar cortar o cabelo por achar que aquela ação ia dar força ao time dele? Foi muita loucura... mas nos salvamos. Jogamos uma repescagem contra o VfL Bochum, da Alemanha... tive que raspar o meu cabelo! Depois, seguimos muito bem. Então, a cada ciclo, eu soube me adaptar muito bem. O Bayern de Munique, por exemplo, foi um momento de muita alegria na minha vida.

Enfatize o positivo!

Depois da Copa do Mundo, que momento difícil, triste... Você se via desamparado e muito só. Tinham poucas pessoas ao seu redor. Mas, *vambora*, vamos ser valentes e seguir; as pessoas vão lembrar do meu sorriso — mas claro que, às vezes, eles não sabem o motivo do sorriso, *né*? Foi um livro que eu li, que fala, "quando tiver dúvida do que fazer, vá sempre pelo positivo; em vez de se fechar, vá rindo que vai passar melhor". O resto é pouco pra gente.

Os heróis

Meus pais e meus avós cuidaram de mim e me ajudaram a me educar. Porque o meu pai saiu de casa e minha mãe, que ficou com a gente, trabalhava muito, saía cedo e voltava só às oito da noite. E eu ficava o dia todo com os meus avós. Além deles, só Deus, *né*? A educação que eles me deram, baseada na fé, nesse espírito familiar, foi muito importante. Devo muito a eles toda a educação, os ensinamentos, o respeito que preciso ter com os mais velhos, com o próximo. Tudo, tudo o que aprendi, foi com eles. São eles os meus heróis.

Futebol

Atleta desde antes de nascer

Sílvio César Ferreira da Costa, *o* **Sílvio Mariola,** *nasceu em Niterói, no Rio de Janeiro, em 06.03.1970. Artilheiro, jogou no Fluminense de 1982-90 e foi campeão carioca no juniores, em 1988. Vendido para o Bragantino, foi o melhor jogador e campeão da taça paulista de 1991. Jogou no Logroñés, Espanha, em 1994-95. Em 1996, foi campeão da Recopa, jogando pelo Grêmio; campeão do torneio Maria Quitéria, em 1998, pelo Bahia Sport Clube; em 1997-98, foi vice-campeão da Taça de Portugal, pelo Sport, em Braga. Jogou ainda no Internacional de Porto Alegre; no Guarani, no São Caetano e também no CRB de Alagoas, em 2000. Foi um dos quatro melhores jogadores do futebol Libanês e um dos oito melhores artilheiros do mundo árabe, em 2002-03, quando ganhou a chuteira de ouro. Atualmente é treinador das escolinhas do Juventus, em Miami.*

O sonho realizado

Meu pai sempre sonhou em ser jogador profissional de futebol. Ele também era centroavante e me recordo de que me levava para os campos de várzea, de pelada. Ele não chegou a ser profissional, mas me contou que já sabia que eu viria quando minha mãe engravidou, e que eu seria um jogador de futebol: "Vou fazer tudo o que eu puder pra você realizar o meu sonho em você". Então, eu já nasci com talento pra jogar futebol e jogava no bairro da minha cidade, São Gonçalo. Com 12 anos, entrei pra uma escolinha de futsal chamada Embaixadores e de lá, passei para o Mauá, clube que também é da minha cidade. Dali, fui para o Fluminense. Tudo com 12 anos de idade. E do futsal, emendei direto no campo, com 15 anos — ou seja, fiz a transição em três anos.

Craque já aos 18 anos

No futebol de campo, participei de todas as categorias, Infantil, Juvenil, na época, não tinha essa nomenclatura Sub-11, Sub-12. Era 1º ano de Juvenil, 2º ano de Juvenil, 1º ano de Júnior, até o 3º, e estourar a idade para o profissional, com 20 anos. Então, comecei no campo aos 15 anos com o Fluminense; aos 17, passei a treinar no profissional e estreei com 18 anos num Fla-Flu. Tinha Zico, tinha Romerito, essas lendas vivas dos dois lados. Então, ter sido artilheiro no Infantil, Juvenil e Juniores, ter conquistado títulos em todas essas categorias de base e o Fluminense ter me projetado para o futebol nacional com 18 anos, foi um grande sonho.

De uma safra de bambas

O Fluminense sempre teve grandes safras de atletas e, *pô*, a minha safra era a mais nova e estava se juntando com a do Alexandre Torres, com a do Eduardo, abraçada pelo Washington, pelo Romerito e pelo Jandir. A minha era a safra do Donizete, do Franklin, do Gama, Carlos André, o Alberto, o João Santos. Tendo estes como jogadores da casa e reforçando o plantel com outros mais, acho que o Fluminense teve uma grande safra durante alguns anos. Então, alcei daí a jogador de futebol profissional e as coisas tomaram rumos muito bacanas. Sou bem feliz profissionalmente. Não sou cem por cento realizado, mas cheguei próximo. A única coisa que eu ainda queria era ter disputado uma Copa do Mundo. Cheguei próximo (1994), mas não tive a oportunidade.

"Eu me considerava um dos melhores cabeceadores do futebol brasileiro. Fiz muitos gols de cabeça. E como sou canhoto, eu procurava sempre aperfeiçoar a minha perna direita, finalizar com ela. E calibrar a perna esquerda, o cabeceio, o controle com giro"

Sempre elevando o nível

Anualmente a gente tinha que passar na peneira, porque num clube como o Fluminense chegam sempre muitos jogadores pra fazer testes e ganhar novas experiências. Todo ano era uma competição com os jogadores que apareciam e com a gente mesmo, pra elevar cada vez mais o nível. Como todo atleta profissional que precisa competir primeiramente consigo próprio, eu precisava ser artilheiro todo ano para poder provar o meu valor. Depois que se chega ao profissional, eu, por exemplo, ficava, sei lá, uma hora depois do treino. Sempre que tinha bola, algum goleiro e um preparador físico ou auxiliar técnico, fazia trabalho de finalização. Eu pegava um jogador a mais, que fazia as mesmas funções, pra eu poder finalizar cabeceio. Na época, me considerava um dos melhores cabeceadores do futebol brasileiro. Fiz muitos gols de cabeça. E como sou canhoto, eu procurava aperfeiçoar a minha perna direita, finalizar com ela. E calibrar a perna esquerda, o cabeceio, o controle com giro. Então, essas coisas, que eram a minha função dentro de campo, eu sempre procurava fazer, pra deixar a máquina no ponto.

As dificuldades

A minha família me deu a base, sempre ali comigo: "Você é capaz, tem um potencial muito grande, estou sonhando junto". Não era sempre que o meu pai podia estar comigo, estava trabalhando pra poder me dar o dinheiro da passagem. Éramos muito humildes, aquela família tradicional brasileira: um casal com dois filhos. O pai, operário de uma metalúrgica, minha mãe, do lar, minha irmã estudando e eu sonhando, querendo fugir da escola e minha mãe brigando comigo pra eu permanecer nela, essa dificuldade que todo atleta tem. E as dificuldades que enfrentei foram: uma contusão (que fiquei tratando por dois meses) e as financeiras, pra poder sobreviver no futebol. O Fluminense era muito longe. Pra ir para o treino, eu tinha que pegar dois ônibus, a barca e viajar em pé, cansado, ou enfrentava a Ponte Rio-Niterói, o ônibus lotado.

As mágoas pelo caminho

O primeiro bom salário era muito difícil, porque a gente, prata da casa, não era tão valorizado. A torcida do Fluminense até hoje fica chateada com a diretoria do clube. Até o próprio presidente, na época, disse que foi muito enganado por pessoas que estavam ao redor dele, que falavam que eu não viraria jogador de futebol. Eu me recordo dos que me venderam, aos 20 anos de idade, eu sendo artilheiro de todas as competições, de todas as categorias do Fluminense, e falaram que eu não viraria jogador profissional. Era só ter um pouquinho mais de paciência comigo e com toda a minha geração, *né, pô*! O Donizete, eu, o Alexandre Torres, o Eduardo, todos fomos jogadores de Seleção Brasileira. O Franklin fez sucesso e mora até hoje na Alemanha, então, como que a gente não seria jogador profissional depois de tudo o que a gente fez, da história que contamos na época da base?

O primeiro dinheiro

O Ângelo Chaves — eu guardei essa entrevista, tenho até hoje — falou que a maior decepção dele foi ter acreditado em pessoas que disseram que eu não seria jogador profissional. Eles me venderam em maio de 1990 e, um ano depois, em junho de 1991, eu estava sendo convocado para a Copa América. Então, existe muito dessas coisas no futebol. Naquela época, assinei contrato por um salário mínimo no Fluminense. O primeiro dinheiro que entrou pra mim, na verdade, foi com o título de Campeão Paulista, que eu ganhei logo depois que me venderam do Fluminense *pro* Bragantino. Foi aí que eu juntei um pouco de grana, com o salário e a luva que me deram da minha venda *pro* Bragantino.

A casa aos pais

A primeira coisa que eu quis fazer com meu primeiro salário foi comprar um carro, aquela coisa de status, de cabeça de 20 anos de idade. No final, comprei uma casa para os meus pais, *tirei eles* do aluguel como eu tinha prometido, e eles moram nessa casa até hoje. Eu já quis tirar os dois de lá e eles não quiseram sair. É num bairro simples, onde eles cresceram, fizeram a família, é onde eles têm as amizades deles e não quiseram sair de lá de jeito nenhum. Meus pais são muito simples... e muito engraçados. Ele, principalmente, é muito engraçado, mas a minha mãe também é bastante. Eu trouxe os dois para os Estados Unidos, mas eles quiseram voltar lá para o bairro. Enfim, o meu grande sonho foi realizado com a ajuda do futebol, que foi dar essa tranquilidade da casa própria pra eles. E um carrinho, também.

Geração de *enfants terribles*

Eu conquistei vários títulos, muitos estaduais e internacionais, como a Recopa, pelo Grêmio. Depois, conquistei alguns títulos no Líbano. E cheguei no ápice no futebol muito novo ainda, com 21 anos. Naquela época, era raro ter jogador com essa idade... vamos lá: tinha eu, o Cafu, o Clebão, na Copa América... acho que só nós três, assim, mais novos. O *resto era* o Taffarel, o Ricardo Rocha, o Mazinho, o Mauro Silva, o Raí, o Neto, uns caras mais experientes, já ídolos nos seus clubes, com aquela idade mediana aí, 25, 26 anos. E eu e o Cafu, a gente ficava muito junto, por jogar em São Paulo e ter disputado uma final de Campeonato Brasileiro.

O maior título

O meu ápice foi disputar uma final de título brasileiro, um ano após eu ter sido campeão paulista pelo Bragantino. O Vanderlei Luxemburgo, que foi outro multicampeão, falou numa entrevista que o título mais importante da vida dele também foi o de campeão paulista pelo Bragantino. Foi o que abriu as portas pra gente no mundo do futebol. Na época era assim: se você fosse campeão paulista, automaticamente já seria convocado para a Seleção Brasileira. Eu não tive essa oportunidade, tive a de Campeonato Brasileiro, mas o Mauro, o Gil Baiano, o João Santos, *tudo* Bragantino, time pequeno, foram convocados para a Seleção Brasileira. Hoje, o Bragantino está grande em função do Red Bull, uma multinacional que chegou e abraçou o time. Mas o Bragantino... Bragança Paulista deve ter uns 150 mil habitantes, não tem como comparar com essas grandes metrópoles, São Paulo, Rio de Janeiro, Belo Horizonte.

"Dos lugares mais distantes, mais simplórios, mais exóticos, as pessoas nos assistem, até mesmo as realezas. O futebol tem uma linguagem universal"

Linguagem universal

O futebol tem o poder de abrir portas onde não se tem a mínima ideia. Pessoas nos assistem dos lugares mais exóticos do planeta; dentro daquela cabana lá no Polo Norte, lá no fim do mundo, a pessoa pode estar assistindo por uma *live*, por uma rede social. E a gente chega lá e o cara, "ei, Sílvio!"... como ele sabe o meu nome, rapaz? Dos lugares mais distantes, mais simplórios, mais exóticos, as pessoas nos assistem, até mesmo as realezas. O futebol tem uma linguagem universal. Então, quando a gente entra na casa das pessoas, é preciso deixar uma mensagem positiva para elas, sempre. E conquistar a confiança de um povo desconfiado não é fácil...

No Líbano

O Líbano foi uma experiência única. É um povo muito querido e, vamos partir desse princípio, ou eles amam, ou odeiam. Eu cheguei lá e, por mais currículo que eu já possuísse, mais história que eu já tinha no futebol, precisei primeiro respeitar a cultura, o povo, e mostrar o que eu fui fazer lá. Eu não posso tirar uma sátira porque eles rezam cinco vezes por dia, em qualquer lugar; eu preciso respeitar a cultura religiosa deles, respeitar o Ramadã. Por exemplo, no Ramadã, eles não tomam água e eu não podia desrespeitar e beber água na frente deles. Eu sou cristão-evangélico e falo pra mim mesmo que pra ser respeitado, eu preciso respeitar. Então, eu respeitava muito o espaço deles, assim como eles respeitavam o meu, a minha Bíblia, que fica na minha cabeceira e leio quase todo dia. Eu botava a garrafa de água dentro da minha bolsa e no carro, eu a bebia. Durante um mês foi assim. Era eu que precisava me adaptar à cultura deles, não o contrário.

Lenda viva

Três coisas que eu carrego comigo quando vou a outros países: respeitar aquela cultura, respeitar a religião deles e tentar falar a língua local. "Ah, eles que falem a minha língua..." Não, se eu é que estou no país deles, eles estão me pagando e vão me ajudar, então sou eu que tenho que me esforçar por essa adaptação. Com 30 anos, eu já pensava assim. Por isso que eles me adoram, me têm lá como uma lenda. Converso de vez em quando com alguns ex-jogadores, a gente se segue no Instagram, e eles dizem: "Sílvio, você, para nós, foi o maior centroavante que passou na história do Líbano; o povo fala, as outras torcidas falam que você é uma lenda viva que passou aqui no futebol libanês". Eles dizem que eu sou o "divisor de águas: antes de Sílvio e depois de Sílvio", "porque hoje nós temos referência do que é um centroavante goleador, antigamente não tínhamos, e não só dentro das quatro linhas, mas também fora delas". Isso é muito legal saber sobre um brasileiro que passou lá e só deixou coisas boas.

"'Você, pra nós, foi o maior centroavante que passou na história do Líbano; o povo fala, as outras torcidas falam que você é uma lenda viva aqui'. Eles dizem que eu sou 'o divisor de águas: antes de Sílvio e depois de Sílvio', 'porque hoje nós temos referência do que é um centroavante goleador'"

O estudo e a carreira

O estudo na vida de um atleta não é importante: é fundamental. Ele precisa ser parte da nossa vida. A gente vive estudando, indiferente do que seja. A minha mãe me tirou por um ano do Fluminense porque eu não queria estudar. *Ah, eu estou no Fluminense, agora vou ser jogador...* e virei vagabundo. Ela conta isso toda orgulhosa e eu falo: "É, sua *véia*, você não ia ter casa própria se eu não tivesse sido jogador de futebol". "É, mas você também não teria essa inteligência que você tem, se eu não brigasse pra você estudar." A responsabilidade dos estudos era com a minha mãe. Meu pai só perguntava, "e aí, como é que foi? Como ele está?". E minha mãe falava, "ah, ele está melhorando". Mas ela foi muito dura comigo... eu dizia que ela amaciava muito a minha irmã, mas a minha irmã sempre estudou muito, ela é da área da saúde.

Estudar todo dia e jogar?

Eu era brabo, era vagabundo mesmo. Mas depois que eu terminei o Segundo Grau, eu não fiz faculdade, porque é realmente difícil conciliar as duas coisas. Estudar todo dia, como é que faz, se tem viagem? No final da carreira, alguns até metem uma grana pra poder fazer um estudo melhor. Ou faz uma parceria, uma propaganda da escola — eu fazia... de vez em quando, eu oferecia essa troca pra poder obter um desconto na escola dos meus filhos. Mas o Ensino Médio, é preciso terminar. O meu filho, que hoje está na base do Atlético Goianiense, terminou. Aos trancos e barrancos, também, mas terminou.

Pendurando as chuteiras

Eu queria até hoje estar com a vitalidade dos 20 anos. Mas falo com o Sérgio, que trabalha junto comigo, na Juventus: "Serginho, nós, com 50 anos, estamos numa rotação de vinil e os caras estão numa rotação de DVD, de *Blue-ray*". Então, quando essa hora chegar, é falar assim, "*pô*, cara, olha só, eu não estou tendo mais prazer de acordar de manhã pra ir para o treino, não tenho mais prazer de concentrar; o que o treinador está falando?". Não é o cara que está chato, é você que não aguenta mais. E chegou esse momento pra mim. Com 35 anos, eu já não aguentava mais palestra, treino, viagem, meu joelho já não suportava mais, aí tem que parar. O atleta profissional é assim, muito novo pra vida, mas muito velho pra sua carreira.

"Nunca mais joguei uma peladinha na minha cidade, mas o pessoal começou a me chamar de novo. Eu não queria mais, mas de tanto insistirem, recomecei. Logo me deram a faixa de capitão do Fluminense e eu reclamei... Não aguento mais!"

De volta ao futebol

Eu passei toda a minha vida no futebol e agora, o que eu vou fazer? Alguns preenchem esse espaço com bebidas, drogas, mulheres e na verdade, não é esse o foco. Eu preenchi fazendo cursos pra entender de computação, fui estudar um pouco mais Teologia e me aprofundar na minha empresa de construção de casas. E nunca mais joguei uma peladinha na minha cidade, mas o pessoal começou a me chamar novamente, "vamos jogar um *showbol* com a gente"... Eu não queria mais, mas de tanto insistirem, recomecei. Já me deram a faixa de capitão do Fluminense e eu reclamei, "*caraca, mano, pô,* até aqui eu tenho que ser capitão?! Não aguento mais!". O Alexandre Torres: "Não, vai lá, você é o maior símbolo de todos os jogadores aqui, é o que tem mais história com o Fluminense", e tal. Daí, você já embala novamente, começa a fazer evento pra tudo que é lado, igual um maluco. *Caraca, estou no futebol, estou praticamente profissional, de novo.* O futebol, essa competitividade, não sai de dentro da gente. Portanto, hoje, como treinador, sou supercompetitivo. Não consigo parar.

Violência e traumas

Eu não queria ser treinador no Brasil porque é complicado. Embora eu estivesse trabalhando pra ser algo, eu estava com a minha construtora e fazia muita coisa ao mesmo tempo. Numa noite, dormindo, eu morava num condomínio fechado, cinco ladrões invadiram a minha casa. Um terror, "vai morrer, vou te matar", aquela coisa toda. Mudei de casa na mesma noite e fomos pra um apartamento. Minha esposa entrou num quadro de depressão e não queria mais sair na rua pra nada.

A saída encontrada

Eu queria fazer alguma coisa por ela e comecei a pedir uma direção a Deus de como poder ajudá-la. E veio esse negócio no meu coração, de eu me mudar de país. Ela adorou a ideia e viemos para Miami. Ficamos 15 dias passeando e encontramos um amigo da mesma igreja que eu em Niterói, chamada Lagoinha. Ele é italiano e me disse que para o meu campo de atuação, estava aberto aqui. Comecei a orar em cima disso e decidi, com a minha mulher, preparar a mudança para cá, de vez, porque temos um visto de habilidades extraordinárias.

Em Miami

Em abril, chegamos em Miami. O amigo italiano nos recepcionou e minha esposa sentiu ter voltado à vida normal, andar na rua, dirigir, trabalhar. Ela tinha sido assaltada um ano antes, na minha caminhonete, parada num sinal. Cinco caras meteram o revólver na cara dela e uma das nossas filhas também tinha sido assaltada, em setembro de 2015. Entraram na nossa casa um ano depois, em setembro de 2016, e outra filha foi assaltada em primeiro de janeiro de 2017. E eu estava esperando o quê? Então, viemos pra cá. O Serginho Manoel já estava aqui, trabalhando na Juventus, e entrei em contato com ele. Ele me indicou e estou aqui, na área. Preparamos meninos em academias pra disputar torneios. É muito legal, estou bem satisfeito aqui na América.

O legado

Costumo dizer em palestras: tenha sempre uma conduta profissional. Onde você for recebido de portas abertas, faça todo o possível pra que, ao sair, falem que você será sempre bem-vindo. Teve clube que eu não consegui fazer gols — minha função é fazer gol, sou contratado para isso — e os caras falaram pra mim, "Sílvio, você sempre deixou respeito e admiração pelo profissional e pela pessoa que você é". Então, acho que o legado que se pode deixar é o de uma referência positiva sobre você. Você não é jogador de futebol pra vida toda, você *está* jogador de futebol por um período; mas você é uma pessoa pelo resto da sua vida. Essa é a importância que eu dou, Francisca.

Liderança inata

Eu quero sempre marcar de maneira positiva a pessoa que encontra ou que convive comigo, quero que ela consiga desenvolver o seu potencial ao máximo. Pessoas ao meu redor falam, "*pô*, você tem esse poder de ativar e de motivar os que estão ao seu lado a desenvolver o melhor deles". Por todos os clubes que eu passei, tive a incumbência de ser o capitão do time. Eu sempre querendo me desviar, muitas vezes falava: "Estou na reserva, cara". "Não, você é um dos líderes, tem boa conversa, sabe fazer uma leitura bacana de tudo." Fui líder de grandes clubes, as pessoas tinham confiança em mim, o que é uma felicidade, porque liderança não se conquista e não se impõe, as pessoas que te elegem como líder. E esse é o legado que eu posso deixar.

"Você não é melhor do que ninguém. Trabalhe como se fosse o seu último dia, procure dar o seu melhor nos treinos, porque se você não sofrer no treino, vai sofrer no jogo. Então sofra, chore nos treinos, pra poder sorrir nos jogos"

Recado a futuros atletas

Aos que estão começando agora: priorize a carreira. Carreira não combina com festa, muitas vezes também não combina com namorada, com balada, com drogas, bebidas. É preciso abrir mão de muita coisa que você ama, no início ou até mesmo no decorrer da carreira. Ou você a abraça ou vai viver de festa. Eu, por exemplo, só fui ver, depois de 15 dias, o meu filho nascido. Eu morava no Líbano, tinha jogos importantes a fazer por lá. O que é mais importante do que o nascimento de um filho? A minha primeira filha, quando nasceu, eu estava concentrado em Campinas, só fui vê-la no dia seguinte.

Segundo recado

Respeitar treinador, dirigente, pessoas que estão acima e até mesmo abaixo de você. Você não é melhor do que ninguém. Trabalhe como se fosse o seu último dia, procure dar o seu melhor nos treinos, porque se você não sofrer no treino, vai sofrer no jogo. Então sofra, chore nos treinos, pra poder sorrir nos jogos. O futebol profissional é de exclusão, tem alguém sempre querendo tirar o seu lugar, então faça o seu melhor, e ainda será pouco, porque ele vai poder te levar onde você quer chegar. E não abra mão também dos seus estudos, vá até onde possa ir, porque é o que vai te dar uma base pra tua vida, depois do futebol.

SUELITON PEREIRA DE AGUIAR

Futebol

Fé em Deus e trabalho duro

Sueliton Pereira de Aguiar *é natural de Vitória de Santo Antão, Pernambuco. Nasceu em 19 de agosto de 1986. Sueliton iniciou a carreira no Vitória das Tabocas. Em seguida, ingressou no Porto-PE (2006–2007). Nas temporadas seguintes, jogou pelo Sete de Setembro e pelo CS Sergipe antes de regressar ao Porto durante a temporada de 2009. Na temporada seguinte, voltou para o Vitória das Tabocas, antes de se transferir para o ABC Futebol Clube (2010). Teve passagem também pelos clubes: São José-RS (2011), o espanhol Rayo Vallecano (2011–2013), Criciúma (2013), Atlético Paranaense (2014), Joinville (2015) e Figueirense (2015). Mais recentemente, passou pelo Goiás, Náutico, Mirassol, novamente pelo Criciúma e pelo Paraná. Entre os principais títulos, o Brasileiro da Série C, com o ABC, e a Bola de Prata, em 2013, jogando pelo Criciúma. Atualmente, joga no Próspera.*

Desafios de um nordestino

Sou um pernambucano meio louco, sonhador. Sempre fui muito elétrico. Com 15 anos, eu já estava saindo de casa, pegando ônibus na rodoviária *pro* União São João (Araras, SP). Ali fui reprovado, assim como em outros clubes. Meus pais nunca deixaram faltar nada, posso dar glória a Deus, porque é algo que até hoje não é fácil no Nordeste, imagina 15, 20 anos atrás. Há grandes dificuldades lá para um atleta tentar realizar os seus sonhos, mas, ao mesmo tempo, é um celeiro de grandes jogadores: Rivaldo, Diego Costa, Juninho Pernambucano, entre outros, que fizeram história no futebol brasileiro e mundial. E é muito difícil sair do Nordeste, tem que querer muito. Eu fui um desses que lutaram, com respaldo do meu pai, sempre do meu lado, e do meu irmão Alexandre, que é lateral esquerdo. Hoje eu moro em Santa Catarina, que dá mais oportunidade.

Irmãos adversários em campo

Eu me lembro do meu irmão jogando pelo Santa Cruz — uma das maiores equipes de Pernambuco e com a maior torcida — como lateral esquerdo e eu, lateral direito, numa equipe mais simples, chamada Sete de Setembro, de Garanhuns. Época complicada, passando muita dificuldade em concentrações e no dia a dia. Meu irmão pagando a minha janta pra jogar no outro dia contra ele, um jogo televisionado na *Globo*. Mas foi bacana, serviu demais pra irmos aprendendo e nos fortalecendo. O nosso pai sempre dando força, mostrando que podíamos chegar lá. E estudávamos. Às vezes, a gente se afastava um pouquinho, mas o estudo sempre estava paralelo ao futebol.

Dificuldades na base

Na fase de maturação, jovem pra adulto, aquela fase de categoria de base *pro* profissional, eu via que muitos amigos tinham problemas. Será o tema do meu TCC *(Trabalho de Conclusão de Curso)* na faculdade. Estou quase finalizando Educação Física; é um tema que acho muito importante. Os atletas da categoria de base vivem numa pressão diária, não sabem se vão permanecer na equipe, se vão conseguir algo amanhã. Isso mexe muito com a cabeça do ser humano, do jovem, principalmente.

Batalha real

Eu lembro o que passei e sei o que os garotos passam hoje. No Brasil, são muitos jogadores. Aqui em Criciúma, daqui a pouco, dez, vinte por cento, vai dar certo. Os outros vão jogar em equipes medianas, muitos vão ter que estudar pela necessidade, muitos vão trabalhar pra ajudar em casa e construir a vida. Um dos vários pontos importantes é a perseverança. É uma batalha muito grande contra a nossa mente; muitas vezes ela diz: *Ó, não dá, cara. Vai trabalhar. Não dá, não dá.*

Quando não há opção

Com 21 anos, eu estava parando de jogar, porque já pensava, *ah, não vai dar.* Lá no Nordeste, o Sub-23 é muito difícil. Agora foi que abriu mais, com grandes clubes sendo formados, como o Porto de Caruaru, onde me formei, revelando muitos jogadores. Araújo, Rômulo, tantos outros atletas foram formados ali e passaram na Seleção Brasileira. Tem também o Retrô, um time de grande qualidade *pros* atletas em todas as áreas. Isso lá atrás, a gente não tinha.

As interrogações

Pra gente chegar, era muito difícil e não era só o querer, era a gente não ter condições de continuar a caminhada. Quando você tem condição, é uma coisa. Mas quando o pai chega e diz: "Filho, o pai não tem mais condições. Está tudo muito difícil pra nós". E você se sente incapaz, *pô, vou parar a minha carreira.* Aí, olha do lado: *Mas eu quero ajudar o meu pai em casa, quero fazer alguma coisa, quero fazer a minha família.* E isso cria um montão de interrogações na sua cabeça.

"Eu fazia gol olímpico, fazia gol de falta, gol de bola parada; eu cruzava, o cruzamento dava efeito e a bola ia na cabeça do cara. Tudo estava dando certo, tudo"

A guinada

Foi lá na minha cidade, quando eu retornei pra não jogar mais, que em outubro de 2009, recomecei numa competição chamada Copa Pernambuco. É como se fosse uma Copa Santa Catarina aqui, é um segundo semestre, para o pessoal que está fora jogar um pouco mais. O meu time, o Acadêmica Vitória, tinha subido pra primeira divisão da minha cidade e eu estava jogando a Copa Pernambuco. Foi nesse campeonato que tudo aconteceu: eu fazia gol olímpico, fazia gol de falta, gol de bola parada; eu cruzava, o cruzamento dava efeito e a bola ia na cabeça do cara. Tudo estava dando certo, tudo.

Virada de sorte

Acabei esse campeonato como uma das principais peças e, em 2010, veio o Campeonato Pernambucano. A confiança ali já era muito grande e fui o melhor lateral direito da competição — onde tem Sport, Santa, Náutico. Foi ali que eu peguei o meu irmão e fizemos um grande campeonato. Nesses dois campeonatos, foi que eu disse, "epa, acho que dá pra continuar". Ali a gente já começou a ser um pouco melhor remunerado e de lá, eu fui *pro* ABC de Natal. Foi um *up* na minha vida, me mostrando que eu poderia prosseguir com a minha carreira. Até então, minha cabeça estava esgotada, com tantas situações difíceis que eu tinha passado. De lá pra cá, Deus abençoou e passei por grandes clubes do futebol brasileiro.

No ABC de Natal

Depois de vários campeonatos jogando em Pernambuco, eu fui *pro* ABC de Natal, em 2010, quando começou uma trajetória bacana na minha vida. E hoje a gente faz parte de jogadores que entraram pra história do futebol do Rio Grande do Norte. Não existia, até então, um clube potiguar campeão brasileiro. O ABC de Natal e o América, que são os dois maiores, que têm essa rivalidade, até o momento não haviam conseguido esse feito. Mas com grandes jogadores ali, conseguimos fazer uma história bonita de campeões no ABC de Natal. E nessa trajetória, a gente faz muitas amizades. Fizemos um grande papel lá no Nordeste e daí, vim aqui *pro* Sul; e, do Sul, fui para a Espanha.

Procurado por grandes

Primeiro, vim para Porto Alegre, pra uma equipe chamada Zequinha, que é o São José do Rio Grande do Sul. Aí, fizemos um grande Campeonato Gaúcho já em 2011, e ficamos entre os quatro melhores clubes da competição. Graças a Deus, eu também consegui ser o melhor lateral direito e isso me trouxe uma força mental muito grande, porque comecei a entender que podia jogar em grande nível. Grandes clubes do futebol brasileiro me procuraram — Grêmio, Inter, Vasco, Ponte Preta, Criciúma. Clubes do Nordeste, que antes não me queriam, já estavam fazendo contato, isso faz parte do processo do futebol.

Penando na Espanha

Tive convite de uma equipe da Espanha chamada Rayo Vallecano. Fui avisado, anos antes, que eu iria pra Europa, que Deus me poria onde eu realizaria os meus sonhos — não da minha forma, era do jeito d'Ele — e fui entender isso justamente quando eu estava na Espanha. Fui negociado *pro* Rayo Vallecano após o Campeonato Gaúcho e fiquei por duas temporadas. Tive depressão e por conta disso, voltei ao Brasil. Joguei pouco, me machuquei muito. Quando você chega à Espanha, é tudo muito grande. Até eu me adaptar, entender o sistema, a forma de jogo, foi difícil. Aos poucos as pessoas vão te cativando, vão te abraçando, mas não é do dia pra noite. Você precisa ser aceito: é o treinamento, a pessoa, você entender melhor o idioma, começar a se aproximar deles. Enfim, os espanhóis foram sensacionais comigo. É um país que eu adoro, que eu amo. Foi uma experiência muito boa pra minha vida.

"Atletas de grandes clubes e campeões mundiais também tiveram síndrome do pânico, entre outros amigos com quem eu converso no dia a dia. É forte de conversar, quando recordo daquilo que eu tive lá na Espanha"

Síndrome do pânico em Madri

Fui sozinho pra Madri. Não tinha filho, nem esposa, na época. É uma dificuldade muito grande estar sozinho em outro país. Eu tive, como se fosse, síndrome do pânico. E eu só queria viver, só queria ser feliz. Só quem vive isso entende o que eu estou falando, ou quem estuda e busca entender. Na época, vários atletas, até de grandes clubes e campeões mundiais, tiveram síndrome do pânico, entre outros amigos meus, com quem eu converso no dia a dia. Isso é um assunto muito forte de conversar, quando recordo daquilo que eu tive lá na Espanha. O que mais ajuda a gente a aguentar é a parte financeira, porque a gente lembra, *olha de onde eu vim e onde Deus me colocou. Por que eu vou deixar?*

O álcool como "solução"

Eu nunca curti bebida alcoólica; hoje eu tomo um vinho, nada de me embriagar. Mas na Espanha, eu comecei a beber. Não conseguia dormir — quem tem síndrome do pânico, sabe o que passa. Eu tomava duas taças de vinho e já estava bêbado. Sou fraco pra caramba pra beber. Já eram duas, três da manhã, e eu tinha que acordar às oito pra treinar. Mas eu cansava, ficava mal, dali a pouco, lesionava. A bebida me fazia dormir e acaba que muitos, não só atletas, vão por esse caminho, que é muito complicado.

"Lá, na Espanha, eu estava do lado deles, trocando camisa com o Daniel Alves, e ele me falando a mesma coisa que estou falando pra você agora, das dificuldades, dos problemas, das complexidades..."

Depressão e desgastes

Quando junta a depressão com o álcool, muitas coisas negativas acontecem. E isso foi me levando a um desgaste físico, técnico, tático, cognitivo. Tudo isso fez parte da minha trajetória na Espanha. É um *mix* de situações: a distância, a falta da família, o momento, o lugar, tudo o que você está vivendo, sem jogar de titular. Eu ia a um jogo contra o Barcelona, por exemplo, olhava *pro* lado e via Messi, Iniesta, Xabi, Daniel Alves, e um ano e meio antes, eu estava na minha casa, assistindo a esses caras e jogando *PlayStation*. Lá estava eu do lado deles, trocando camisa com o Daniel Alves, e ele me falando a mesma coisa que estou falando pra você agora, das dificuldades, dos problemas, das complexidades...

Apoio profissional

Eu não tinha costume de beber. Eu bebia pra esquecer, pra dormir. É algo que eu estudo, leio, que eu vejo acontecer, amigos meus têm problemas com isso. Alguns procuram a Medicina. Eu acho bacana unir Deus e Medicina, porque daí você pode tomar remédios pra estar mais tranquilo no dia a dia e poder exercer a sua profissão. Tem situações em que Deus também permite ao médico agir, porque Ele capacita as pessoas justamente pra elas nos ajudarem. Então é bacana, quem tem depressão, procurar pessoas capacitadas. A psicologia é uma coisa boa pra se escutar, pra se entender também. E tudo é um caminho pra chegar até a solução.

Radicado em Santa Catarina

Voltei da Espanha e vim pra cá, que hoje virou a minha casa, que é o Criciúma. É o clube que eu amo, que realizou todos os meus sonhos. Eu vim pra cá pelo meu filho, minha esposa, tenho esse lugar como o lugar que eu adoro, sabe? Tenho muitos amigos aqui em Criciúma e moramos aqui até hoje.

As lesões

Tive lesões normais de músculo. De grau um, dois, na anterior, na posterior, na panturrilha. Depois de 18 anos de futebol, você sempre vai ter alguma coisa, principalmente no futebol de hoje. É corrido. Hoje os clubes têm médias muito altas de lesão mensal, anual. É recorde a cada ano que passa, devido à forma como está sendo jogado o futebol. Graças a Deus, nunca fiz cirurgia nenhuma. Tive, na Espanha, uma torção muito grande de tornozelo, levou três meses pra me recuperar e me deixou muito mal, porque eu ia jogar contra o Barcelona e acabei me lesionando. Pra voltar, foi difícil.

Chute no colateral

No Náutico, em 2017, eu fiz um gol e recebi uma pancada no meu colateral lateral esquerdo. Foi um chute de esquerda que eu dei, então, tomei uma porrada nessa parte do joelho e tive um rompimento total. Uma das únicas partes do joelho que se regeneram é esse tendãozinho que se chama colateral lateral. Graças a Deus, me recuperei e também em três meses, voltei.

As consequências

As lesões mexem muito com a gente, porque a gente fica com uma sensação ruim. A gente quer, mas não pode jogar. Perdemos muita coisa quando nos lesionamos: o bicho do jogo, o prestígio, os jogos. Em três meses, você tem 12, 15 jogos, mais ou menos. Então, você perde também espaço, *né*, porque tudo hoje é *scout*... Quantos jogos ele jogou? Como foi? Quantas lesões? Se você tem uma lesão em janeiro, praticamente fica fora do campeonato estadual. Fica três meses parado. Isso mexe muito com nós, jogadores de futebol. Mexeu muito comigo, porque algumas lesões me deixavam incapacitado.

Deus é justo

Eu sempre fui muito apegado a Deus. A minha base familiar é

cristã e, independentemente de ser cristão, acreditar em Deus já é algo muito positivo pra nós, atletas. Eu ficava naquela coisa de pedir muito a Deus. O tempo foi passando e comecei a entender algumas coisas. Um dia, vi um garoto da categoria de base orando antes do treinamento e achei muito bacana. Noutro dia, depois de um jogo em que ele não esteve bem, ele falou: "Ai, meu Deus, por que isso? Por que aquilo?". E eu falei pra ele, "ó, nem tudo Deus vai estar agindo na sua vida. No futebol, aquele que acredita em Deus e aquele que não acredita, treinam igual. O sol é pra ele, a chuva é pra ele e é pra você, também. Então você vai ter que treinar mais do que ele, pra você ser melhor do que ele. Deus te dá a capacidade de saúde, de força, de luta, mas você tem que fazer algo diferente pra ser melhor do que o outro, pra fazer com que as coisas aconteçam. Então, pare de se culpar e de conversar com Deus essas coisas. Deus é justo. Ao pecador e ao não pecador — *todos são 'pecadores'* —, Ele vai dar a mesma coisa. Agora, aquele que se capacitar mais, vai ganhar mais. Treine mais, lute mais pras coisas acontecerem".

Retribuição aos pais

Meu pai, Severino Felix de Aguiar, que chamo de "comandante", é ex-militar, e minha mãe, Rosilda, são os meus dois maiores empresários. Primeiramente Deus e depois eles, que deram toda a base pra minha vida. E o meu maior orgulho foi poder ajudar os sonhos de outras pessoas, como os meus pais. Poder dar qualidade de vida melhor do que eles viviam, retribuir a eles me deixa muito feliz. Poder ver a minha mãe na Espanha... ela chorava: "Meu Deus, você trouxe a gente pra cá!". Conheceram países, lugares. Minha mãe passou um momento muito difícil — dinheiro não é tudo, mas ajuda muito — quando teve leucemia. O médico me falou que ela teria de dez a quinze dias de vida, caso não suportasse a medicação, muito forte.

Gratidão eterna

Eu sou mesmo muito apegado aos meus pais. O que eu puder fazer pra eles viverem melhor, pra sorrirem, eu vou fazer. A gente tem que olhar *pros* pais e entender que vão ser sempre nossos pais. Muitos garotos esquecem isso um pouco quando atingem um grande nível. Não se lembram do pai e da mãe, que acordavam cedo pra fazer o café da manhã, não se lembram deles num momento ruim. Pais, independentemente da situação, a gente tem sempre que honrar.

> **"O garoto tem que crescer entendendo os valores humanos: respeito, ética, o cuidado, o sono, a parte nutricional, cognitiva, os estudos. Não é só botar a bola no pé e dar uma pedalada, como antigamente. Acabou isso. O futebol é pensado"**

Mais que jogar bola

Hoje a gente tem que entender que o futebol anda em paralelo com outros pontos. O jogador que tem condição financeira muito boa já na categoria de base — o Paris Saint-Germain, o Barcelona —, nem quer estudar. Mas posso dizer que até noventa e nove por cento não tem condição nenhuma. Fica uma incógnita, o que será do futuro? O que eu passo pras crianças é: treinar, mas não deixar os estudos. E não é só treinar, é se cuidar. O garoto tem que crescer entendendo os valores humanos: respeito, ética, o cuidado, o sono, a parte nutricional, a parte cognitiva, os estudos. Não é só botar a bola no pé e dar uma pedalada, como antigamente. Acabou isso. O futebol é pensado.

Mente sã e pés no chão

Hoje, pra se ter um diferencial na categoria de base para uma transição, o atleta tem que trabalhar a mente, descansar e se alimentar bem, porque a tendência é a capacidade física e a cognitiva estarem melhor. São pontos importantes, assim como manter os pés no chão, entender que ainda não se chegou a grandes objetivos e que, quando chegar, tem que pegar grandes exemplos, pra entender que chegou ao profissional ganhando uma grana, que vai começar a mudar a vida, sim, mas que tem que permanecer o caráter.

Juventude pervertida

Sempre fiz palestras em clubes e conversei com atletas mais novos. O pensamento do garoto da categoria de base no Brasil ainda é a tatuagem mais bonita. É pegar o salário e gastar com o fim de semana, festas, é comprar brincos, carros. E é muita rede social. Tem garoto que fica sete, nove horas no Instagram, e poderia ficar uma hora só estudando inglês. É isso que falta em alguns clubes, principalmente aqui no Brasil: não tem assistente social, não tem psicólogo, que também fazem parte do crescimento dos atletas.

Gerenciamento financeiro

Quando recebi o meu primeiro salário mínimo, eu lembro, eram duzentos e oitenta reais, o meu pai me tirou cem reais e disse: "*Tu fica* com cento e oitenta, porque com estes cem reais, *tu e o teu irmão vão comprar* um terreno". Reclamei, mas em três anos comprei a parte do meu irmão e depois vendi por três vezes o valor do terreno. Eu penso, *olha, meu pai me ensinou uma coisa que eu levo* pro *resto da vida: não querer passar a perna*. Porque eu fui dividir o dinheiro com o meu irmão. Então, eu levei isso pra vida: não desperdiçar dinheiro com bobagem. O lateral não ganha dinheiro. Quem ganha dinheiro é o atacante. Eu cruzei umas dez bolas *pro* cara, o cara fez duas, foi vendido e eu fiquei, e ganhando pouquinho. Então, o pouco que a gente ganhou, graças a Deus, colocou no lugar certo. Tem uma vida pela frente, quando se para de jogar futebol.

O legado

Independentemente do clube em que se está, tem que ser correto. Acredito que esse legado eu deixei, de um cara parceiro, dinâmico, comprometido, que ficava enfurecido quando não jogava, que não gostava de ficar no banco, mas de jogar, participar. Eu dizia ao meu pai, "eu adoro quando eu passo no *Fantástico* à noite". Isso faz parte do meu legado também: querer jogar. Tem atleta que só quer ficar no banco ganhando dinheiro e bicho. Sempre fui muito respeitado pelos meus amigos, pelas comissões técnicas, sempre fui um dos capitães de clubes em que passei, isso me deixava muito feliz. Hoje eu recebo ligações de diretores de clubes pra pegar informações de atletas, de treinadores. Faço parte de alguns trabalhos, como fiz no Lagarto, como ajudei aqui o Criciúma na formação do time, no ano passado. E um dos maiores legados é meu filho.

Quando bate o cansaço

Deixar aquela alegria que a gente sente dentro do campo, não é bom.

É uma alegria gostosa comemorar um gol, a vitória. No dia seguinte, está todo mundo feliz, o treino é mais leve. Mas chega um momento em que o cansaço psicológico pega. Eu já não gosto mais de estar concentrado pra jogar, prefiro a minha casa, estar com a minha família, como a gente fazia na Europa. No Brasil, o atleta é muito preso. Até porque tem treinador que já tentou deixar o atleta em casa, mas o atleta foi pra boate, pra churrascaria. Na Europa, não, o atleta chega ao meio-dia pra jogar às quatro horas da tarde. Almoça no clube, tem palestra, conversa, brinca e vai *pro* jogo. É uma coisa muito boa. Eu já tenho esse cansaço. Meu físico também já não é o mesmo. Estou indo pra 35 anos. Mas deixa uma saudade grande quando a gente vai saindo do futebol e se recorda dos melhores jogos, dos melhores clubes, dos melhores momentos. Você começa a rever camisa, história, foto.

Investimento no currículo

Nos últimos oito anos, vim me preparando. Fiz um minicurso dentro do Chelsea, fui aprender como era a gestão, como é viver no Chelsea, o que eles fazem de tão diferente do Brasil, *né*? Tem coisas em que o Brasil está bem à frente. Eu arranho o inglês, mas falo fluentemente o espanhol e já é uma boa pra nós, brasileiros, aprendermos idiomas pra, após a carreira, ficar um currículo um pouco mais recheado. Estou indo pra parte final da minha faculdade e isso agrega ainda mais na minha vida. Terminando a carreira, a gente já tem que saber lidar com as situações.

Erros viram lições

Eu sempre fui muito de aconselhar, mas também vivi dificuldades. Na Espanha, principalmente, e no sentido financeiro. Foi uma mudança drástica sair de uma equipe de menor proporção no Brasil e ir *pro* Campeonato Espanhol. Comecei a conviver com outros atletas, mas não culpo ninguém, eu me culpo. Eu queria ter essa cabeça antes, pra ter vivido outras situações, mas Deus faz tudo muito perfeito e me serviu de lição, pra eu poder passar pra outras pessoas mais jovens. Eu poderia ter mudado, na Europa, a minha forma de pensar e agir, não ter voltado *pro* Brasil tão rápido, mas aconteceu. A gente acertou e errou, a gente passa, porque o acerto e o erro podem melhorar a vida de mais gente que vai estar errando também.

Os heróis

Os meus pais são meus heróis, foram eles que lutaram comigo. Hoje estou com mais um príncipe e a minha princesa aqui — minha mulher e meu filho. Esses são os meus maiores, estavam comigo nos momentos bons, ruins, eram eles que me davam os melhores conselhos. O meu pai falava que ia acontecer e acontecia. Parecia que ele era vidente, mas é um cara abençoado, que tem a cabeça pra frente. Eu trouxe tudo pra poder passar ao Benício, o meu filho, com aquele jeitinho meio matuto de ser, lá de Pernambuco. Aquele cuscuz que ele vai comer também, aquele estilo de vida bem arrastado, porque hoje os moleques vivem em apartamento, e ele tem que sujar o pé e entender que a vida é dura. Quando a gente trata os filhos com amor e ensina respeito, eles vão ser grandes nomes, também.

Participação neste livro

Fico muito feliz pelo convite e honrado por fazer parte deste livro, ao lado de atletas que são diferenciados, pelo conteúdo que está sendo passado. A gente precisa de mais pessoas que possam expressar o que tem no esporte, no futebol, que é o meu segmento. E isso é bom, num todo, pra quem está em atividade e pensando no pós-futebol. Tenho certeza de que será um livro que vai fazer sucesso pela informação que está sendo passada.

Futebol

Um atleta feito na cara e na coragem

Fillipe Soutto Mayor Nogueira Ferreira, *nascido em Belo Horizonte, Minas Gerais, em 11.03.1991, tem sua história ligada por longo tempo ao Atlético Mineiro, onde começou a jogar, em 1996, aos cinco anos de idade. Logo mostraria talento como volante e habilidade para cobrança de falta. Em 2007, assinou contrato com o Atlético e já no ano seguinte, foi capitão da equipe campeã do Torneio de Gradisca, na Itália. Foi integrado profissionalmente ao elenco do Atlético, em 2010. Em 2012, foi emprestado ao Vasco; em 2014, ao Joinville; em 2015, ao Náutico; em seguida, ao Linense, e té o fim de 2016, o Londrina, quando encerrou seu ciclo no Atlético. Jogou ainda no Red Bull Brasil, no Vitória, e desde 2020, joga no Ituano. Títulos: Campeonato Mineiro (2011, 2012 e 2014), Campeonato Brasileiro (2012) e Recopa Sul-Americana (2014).*

O começo

Minha história no futebol começou como a de qualquer outro jovem sonhador. O Brasil é um país que tem lugar sem uma caixa d'água, mas tem sempre um campo de futebol. Não passei por muitas dificuldades na infância — caso raro entre os atletas que se tornaram profissionais —, mas desde novo eu sonhava em praticar o futebol. Era comentado que eu poderia seguir na carreira por ter maior aptidão pra jogar bola do que os outros colegas. Comecei na escolinha do Atlético Mineiro, com cinco anos, e não vou ser presunçoso de dizer que entrei porque minha mãe via em mim um grande talento. Na verdade, entrei pra queimar energia, como qualquer outra criança. Somos todos mineiros: minha mãe, minha única irmã, meu pai e eu.

No Atlético Mineiro

A escolinha do Atlético ficava na região da Pampulha. Fiquei lá até os meus 11 anos, quando fiz a minha primeira e última peneira, porque fiquei no Atlético por 25 anos. Passei por todas as categorias de base até chegar no profissional, com 19 anos, em 2010. Tive a minha estreia e consegui me manter no elenco. Ainda vinculado ao Atlético, passei por empréstimo por alguns clubes e fiz carreira profissional. Após 64 jogos no profissional, saí e joguei no Vitória, no Joinville, no Náutico, no Linense, no Londrina. E no mesmo dia em que meu vínculo com o Londrina acabou, fui desvinculado também do Atlético.

Autonomia e poder de decisão

Em 2017, me vi livre no mercado, pela primeira vez. Eu iniciava uma temporada andando com minhas próprias pernas, sem depender de aprovação de empréstimo ou de saber se ia ser aproveitado no elenco ou não. Na minha opinião, um dos maiores desafios do atleta é o de lidar com essa dicotomia, se ele presta ou não. Isso é muito delicado e desafiador, do ponto de vista psicológico. Em 2017, tive uma proposta do Red Bull Brasil, fiz lá o Campeonato Paulista, me destaquei e fui para o Vitória, onde joguei um ano e meio. Também foi uma passagem legal, um clube que tem uma certa expressão no Brasil. Quando o meu contrato com o Vitória acabou, eu estava com uma pendência do meu passaporte comunitário e, em 2019, optei ir para o Japão.

Ano de luta

O projeto era passar pelo Japão e depois chegar à Espanha, já com o meu passaporte comunitário nas mãos, mas não deu certo. Eu não tive oportunidade de jogar profissionalmente em 2019, mas foi um ano de muito crescimento pessoal, muito aprendizado, um ano de luta. Porque funciona assim: quando você está em evidência, as pessoas te procuram e querem se autodeclarar suas amigas; quando isso não acontece, elas se afastam. Então, aquele foi um ano de enriquecimento pessoal, de saber que as pessoas valiosas que eu tenho são a minha esposa e minha filha, meus pais e minha irmã, ou seja, meus familiares diretos, que estiveram comigo naquele momento mais complicado, por eu não estar jogando.

Chances se abrindo

Ainda em 2019, consegui também pegar a minha cidadania: fui a Portugal e tirei presencialmente o meu cartão cidadão e o passaporte europeu, por descendência. Quando voltei no fim do ano, já acertei com o Ituano e fui pra um projeto do Paulistão e Série C, que é a divisão que o Ituano ia disputar em 2020. Consegui jogar esse ano todo, até o começo da pandemia. E no final da temporada, tive a proposta de renovação e optei por continuar nesse Paulistão de 2021.

Lidar com a discriminação

Numa sociedade que cultua tanto o ódio, como a nossa aqui no Brasil, ele acaba nos movendo muito mais do que o amor, infelizmente. Tenho cuidado pra falar isso, mas é uma grande verdade: o futebol é um meio que discrimina muito as pessoas. Ele tem essa característica por ser um esporte predominantemente praticado por pessoas menos afortunadas, menos abastadas. É um esporte simples de se praticar. Com quaisquer dois chinelos e uma bola de papelão ou de meia, dá pra jogar, interagir, brincar. Eu vivi esse preconceito na base, por ser de uma família um pouco mais estruturada, de não depender do futebol pra dar sustento e casa própria para os meus pais. Eles não são ricos, mas viviam em condição diferente da maioria dos meus companheiros que, ao mesmo tempo, são concorrentes, porque todos almejam chegar no profissional.

Caindo na real

Foi difícil pra mim. Não vou negar que passei por fases de adaptação, à medida que fui crescendo e me desenvolvendo como ser humano, de entender que em muitos momentos eu me veria sozinho e pouco querido neste sentido social, por ter uma opinião mais forte, mais formada e por hábitos diferentes, como por exemplo, gostar de ler, conversar, aprender sobre outros assuntos. Esse é o meu perfil e no futebol, ao contrário do que acontece normalmente, pessoas assim são deixadas um pouco de lado.

O abominável racismo

Da minha parte, eu sempre quis e gostei de me entrosar, de estar com todo mundo, de levar pra minha casa alguns amigos que moravam na concentração. Mas essa discriminação que tanto se vê de racismo, de colocar o pobre como escória e tal, no futebol é meio que ao contrário, apesar de que também existe o racismo e ele é abominável, óbvio, mas eu vivi um pouco disso. Minha relação com os companheiros inevitavelmente passava por essas questões, mas também não era uma coisa que me impedia de me relacionar. Algumas relações dessas duraram e se tornaram amizade de verdade.

A realidade da base

A base é muito cruel. Ao mesmo tempo que ela junta, ela afasta. Ela tem esse poder, porque o funil vai se estreitando, as pessoas vão tendo que encontrar outros rumos e na minha época, ainda não tinha a facilidade de comunicação que se tem hoje, e é todo mundo perseguindo o mesmo sonho e querendo o seu lugar. Acho que o fato de eu ter jogado também numa base em um só clube, e no clube da minha cidade, do meu coração, também facilitou muito. Eu nunca tive que morar debaixo de arquibancada, em pensão, nunca tive que sair novo de casa deixando família, amigos, pra tentar conquistar o meu espaço em outro lugar. Eu reconheço esse ponto como uma grande dádiva na minha trajetória.

Lesões e dores

Na base, praticamente não tive lesão. As outras que eu tive também não foram sérias, então foi tranquilo de lidar, porque não houve grandes problemas. Já no profissional, eu tive alguns. Logo que subi, no meu primeiro treino, quebrei o nariz e aí perdi uma oportunidade. Depois, no ano em que eu estava me destacando, tive uma convocação para a Seleção Sub-20, mas machuquei o joelho, tive que operar e ficar fora. Também foi frustrante aquele momento. Não foram sérias, mas como tudo que impede o seu trabalho, lesões são bem incômodas, bem desconfortáveis. Agora, à medida que o tempo vai passando, uma coisa fica muito clara: nós temos que aprender a conviver com a dor.

"Nós temos que aprender a conviver com dor, o tempo todo o atleta sente dor. Um amigo costuma dizer, 'ó, se o cara acordar sem dor, se a mulher vê que ele sai da cama saltitando, tem alguma coisa errada'"

O tempo todo o atleta sente dor. Um amigo meu costuma dizer, "ó, se o cara acordar sem dor, se a mulher vê que ele sai da cama saltitando, tem alguma coisa errada". Tem que sair da cama mancando, meio travado, até esquentar a máquina, porque o nosso corpo não foi feito pra ir à exaustão tantas vezes, como acontece com atletas de alto nível, seja do futebol ou de outras modalidades. Aprendi na marra, ninguém conta que você tem que passar por isso, lidar com a decepção da lesão e as dores, que são naturais.

O sonho realizado

Eu me considero privilegiado, porque comecei a jogar e a sonhar em me tornar profissional no meu clube do coração e ter o meu nome gritado pela torcida na arquibancada. Todos esses sonhos, consegui realizar. E seria muito hipócrita da minha parte dizer que nunca pensei também em ficar rico. Sabemos que só uma minoria de atletas é bem-sucedida financeiramente, mas esse glamour voltado para o lado financeiro, enche os olhos de todo mundo. Só que nunca foi esse o meu objetivo. Eu sempre quis me tornar um jogador profissional de futebol e poder, sei lá, dividir vestiário com grandes ídolos que eu via na tevê e admirava. Então, quando consegui, e da forma como tudo aconteceu, fiquei muito feliz e levo isso pra sempre, com muito orgulho.

Persistir com afinco

Ao longo da carreira, as experiências boas ou ruins acabam forjando o caráter, os nossos valores, as coisas que importam na nossa vida e que influenciam na questão profissional. Mas, e depois? A gente realiza o sonho e parece que, *ah, agora eu posso respirar.* Não, agora você tem que dar conta do recado, senão vai ficar pelo meio do caminho. Tudo o que abdiquei pra me tornar profissional, valeu, foi bom pra caramba, mas depois, tenho que continuar abdicando de um monte de coisa pra me manter em alto nível. Todo atleta tem que ser assim, senão ele vai sucumbir em algum momento.

O futebol e a realidade brasileira

Eu tive dois diretores no Atlético que foram muito importantes, porque tinham uma política restritiva quanto a dar dinheiro, principalmente para os mais jovens — o André Figueiredo, na base, e o Eduardo Maluf, no profissional. Você tinha de provar que merecia mesmo, pra chegar a um salário que você achava justo. Porque na sua cabeça você já está pronto, preparado, já jogou pra caramba, já tem que ganhar cinquenta, cem, duzentos mil. E as coisas não são assim. Ali não era assim.

Sem a pressão familiar

Hoje, infelizmente, até pela crise financeira dos clubes, o salário de um menino mais novo, que não jogou no profissional, acaba sendo maior pra aumentar a multa rescisória, e o clube poder vender e tapar o buraco das dívidas. Mas na minha época isso não acontecia, então, eu soube valorizar cada aumento que eu recebia. Era demorado: eu precisava bater um tanto de meta pra chegar num salário que me permitia quitar o meu carro, por exemplo. Mas ter uma família melhor estruturada me ajudou, porque meu pai não ficava me pressionando, "ó, filho, seu salário aumentou, então aumenta a minha pensão...", "ó, vai ter que pagar a conta de água, luz, não sei o quê".

Final previsível

Meu pai nunca me pediu um real; vive a vida tranquila dele, sem luxos, mas de forma digna. Poderia ter me pedido ou exigido ajuda, mas nunca aconteceu. E esse é um grave problema no Brasil, porque o jovem que acaba se profissionalizando, além de não ter tido condições financeiras na família, sofre pressão da própria família pra custear a vida de todo mundo. E aí, no final, a gente já sabe o que acontece.

"O jovem que acaba se profissionalizando, além de não ter tido condições financeiras na família, sofre pressão da própria família pra custear a vida de todo mundo. E aí, no final, a gente já sabe o que acontece"

O primeiro grande título

O meu primeiro título foi muito especial, foi o Mineiro de 2012, no

Atlético; participei de praticamente todos os jogos, mas me machuquei no segundo jogo da semifinal, então eu não participei das duas finais, que foram contra o América. Foi um campeonato importante, porque foi um título invicto e estive presente nas comemorações. Dois ou três anos antes eu estava na rua, cantando, rodando a camisa com amigos e, nessa ocasião, eu estava em cima do carro do corpo de bombeiros, vendo os amigos lá embaixo. Então, foi um momento especial e eu senti que os meus amigos e também os familiares, vizinhos, estavam felizes por me verem ali. Alguns até consegui identificar no meio da multidão.

O sonho comum

Eu sinto que consegui realizar o sonho de muita gente que sonhou junto comigo o meu sonho, especialmente o meu avô, que faleceu quando eu era adolescente e que foi um grande fã meu — na verdade, ele mal sabia que quem era fã era eu, dele; meu padrinho, que me acompanha desde sempre; meu empresário, que surgiu na minha vida quando eu tinha 16 anos e sem muita perspectiva ali na base do Atlético; sem falar nos meus pais, na minha irmã, na minha esposa que se tornou minha namorada pouco antes de eu chegar no profissional e que passou por tantas situações comigo; e os amigos de escola.

Boa relação com fãs

Tenho um relacionamento muito bom com todas essas pessoas, que me falam, "cara, até hoje eu não acredito que a gente conseguiu realizar um sonho". Tipo, "você não está representando só você, não, mas todos nós, que íamos *pro* Mineirão assistir jogo aos domingos às quatro da tarde, pegar fila, e quarta-feira às dez da noite... e no dia seguinte, tínhamos de estar na escola às seis da manhã...".

De atleta para atletas

A primeira coisa: menos celular, mais trabalho, disciplina e foco. Voltar um pouco às origens do processo: focar em treinar, em melhorar, em trabalhar e se aperfeiçoar; o cara que é canhoto tem que aprender a chutar com a perna direita e o que não cabeceia bem, tem que aprender a cabecear, porque isso só vai dar ganhos a ele. Não existe zona de conforto. Você vê jogadores de alto nível jogarem em alto nível até hoje, mostrando que o segredo deles é o trabalho, a seriedade, o profissionalismo.

Usar o tempo para treinar

Em outros tempos, os grandes craques não davam esse exemplo fora de campo. Hoje, não há o que contestar. Cara, se o melhor há tantos anos, já bilionário, é conhecido não sei por quantas nações do mundo, como, talvez, a principal figura pública do seu país, se esse cara treina e trabalha igual... por que nós — nós que eu digo são os meninos — vamos ficar aqui mexendo no celular, jogando, em vez de usar esse tempo para treinar? Vai lá, treina uma hora e meia, volta pra casa, mantém teu foco.

Carreira e estudos

Outra coisa é conciliar o estudo, o aprendizado, o conhecimento com a carreira, porque, além de ajudar nela, vai te preparar pra vida. E este é o grande problema que vejo no futebol brasileiro: os jovens não chegam preparados... e se não der certo o futebol? Eles não sabem o que fazer. Com 20 anos, são arremessados no mercado e têm que se virar. Muitos têm filhos, têm esposa e vão ter que apelar para um trabalho informal. Há o caso do cara que consegue construir e consolidar a carreira, mas não sabe o que fazer com o dinheiro ganho: se compra um apartamento parcelado, se uma lancha, se investe no mercado financeiro. Enfim, conciliar o estudo com a construção da carreira é também indispensável.

"Muitos atletas, com dificuldade de encontrar outro trabalho, ou de saber usar o dinheiro, administrar a vida, se envolvem em contratos muito perigosos"

A falta que faz o alicerce

Fiz um MBA-FGV (*Master Business Administration* da Fundação Getúlio Vargas) com a FIFA, e o meu TCC foi sobre essa necessidade de integrar o esporte e a educação no processo de formação do atleta. Vejo alguns jovens que passaram na base comigo e se profissionalizaram, mas que invariavelmente têm muita dificuldade em lidar com outras coisas, como encontrar outro trabalho, saber usar o dinheiro, administrar a vida, e acabam se envolvendo em contratos perigosos, investindo sem muita informação e, até, se perdendo. Também quanto à questão pessoal, como casamento e filho antes da hora, isso tudo parte um pouco do quesito educação básica, que muitos não têm em casa e o clube também não se preocupa. É responsabilidade do atleta e da família dele, mas, sobretudo no Brasil, que é um país tão desigual, o clube também deveria assumir essa responsabilidade.

Os corresponsáveis

Isso é um fator crítico, que lá na frente acaba fazendo toda a diferença, até mesmo entre atletas de alto nível. Seja numa postagem ou, sei lá, na forma como reagem a um insulto, tudo influencia. Tantos exemplos assim que nós temos, nem vale a pena citar nomes, mas está muito claro, para nós, que é falta de instrução, de alicerce, e os clubes são corresponsáveis, na minha visão. A preparação psicológica, desde a base, também é fundamental pra que haja uma interação, uma estrutura de mais confiança entre atleta, família e o clube.

O legado

Eu sempre falei pra minha mãe — somos muito próximos —, e falo também pra minha esposa, que a dignidade é o maior orgulho de um homem. É mais do que profissão. Falar do meu grande orgulho de ter jogado no Atlético ou ter virado profissional, é muito pequeno diante do que a vida representa. Ter bons princípios e valores é o que vai me dar competência pra criar bem a minha filha, pra ser um bom marido, bom filho, bom cidadão, bom ser humano. Isso pra mim é o meu maior orgulho, ser uma pessoa melhor a cada dia, porque tudo passa. O título é bom, marca a história, você talvez vai ganhar o "bicho", vai ficar na foto no pôster e tudo mais, mas vai passar e você, sua vida, seus sonhos, projetos, seus pontos fortes e fracos, tudo vai continuar. Então, o que você vai deixar? Como as pessoas vão se lembrar de você? Simplesmente como um cara que ganhou no campo? Ou como um homem de respeito, de caráter? Acho que o legado parte disso.

"Falar do meu grande orgulho de ter jogado no Atlético ou ter virado profissional, é muito pequeno diante do que a vida representa. Ter bons princípios e valores, ser um bom marido, bom filho, bom humano, bom cidadão, isso pra mim é o maior orgulho, ser uma pessoa melhor a cada dia, porque tudo passa"

Ser mais que ídolo

Talvez o Brasil não tenha grandes ídolos no esporte por valorizar muito o que o cara fez no campo, mas um ídolo é muito mais que isso. Eu nasci em 1991, o Ayrton Senna morreu em 1994, e até hoje ele é o maior ídolo do esporte no Brasil. E é pela Fórmula 1? Definitivamente não, porque a Fórmula 1 não é um esporte que eu goste, não entendo nada, a ultrapassagem dele... Lógico que os títulos que ele ganhou e a performance o tornaram um cara conhecido por multidões. Mas o que ficou pra mim foi o legado deixado. *Pô*, as pessoas falam dele como um grande homem, uma grande referência; as frases, a postura dele.

Carência de líderes

O esporte, como um todo, é carente de líderes, porque esquecem que a vida do atleta é muito maior e impacta também profissionalmente e aí, a gente perde a referência do que vale e do que não vale. Eu, por exemplo, prefiro um atleta regular, mas de nível alto, claro, que me transmita bons valores do que um cara *top*, mas que, infelizmente, não é uma referência positiva.

A pandemia

Aprendi com a pandemia a viver cada dia com intensidade, gratidão, alegria, valorizando cada momento. Isso me fez avaliar melhor a minha vida, os meus conceitos, a entender que tudo tem que se voltar para o hoje, o poder do agora, o momento presente. Por outro lado, sempre fui muito ambicioso, sempre quis chegar longe e estar em alto nível no futebol, jogar com os melhores, e esse fogo não se apagou em mim. Tenho ainda muita vontade de voltar a um cenário de time grande, quem sabe da Europa. Vou trabalhar e esperar que as coisas se encaminhem para o melhor.

Planos pós-carreira

Estou me preparando para o pós-carreira — assim como fizemos o curso do Felipe Ximenes, tenho procurado outros cursos, o da FGV, por exemplo, embora o mercado ainda seja carente desse tipo de conteúdo — e acho que a minha área será mais de gestão. Não tenho tanta vontade de voltar ao campo, no pós-carreira, pra ser treinador, auxiliar ou alguma outra profissão. Mas não descarto, porque tudo faz parte, pela minha vivência no futebol. Acho que tenho grandes chances de continuar no futebol e se continuar, será nesta parte gerencial.

Olhando para trás

De certa forma, é um arrependimento ter acreditado muito no ser humano. Hoje, sou um pouco mais cético com relação ao comportamento do outro. Só que não há como eu querer que o Fillipe Soutto de 30 anos tenha a mesma cabeça de quando tinha 20 anos. Então eu mudaria isso, porque em muitos momentos na minha carreira, ao conversar com uma pessoa e acreditar que ela iria me ajudar, e também na questão técnica, me davam um *feedback* muito mais voltado para o que queriam do que para o que eu poderia dar. Vivi um pouco disso, principalmente no início, de querer agradar um treinador, um diretor, alguém importante, e me desagradar das minhas funções ali, ao longo do tempo. Eu já não faria mais isso. Hoje eu sei do meu valor e quero vencer acreditando nele, em vez de querer ser o que outras pessoas querem que eu seja.

Conflitos e autoconfiança

Ao longo da minha carreira, só tive o meu pai, um ex-jogador, meu tio, meu compadre. Eu fui na cara e na coragem, o tempo todo. Ninguém me aconselhava, "ó, velho, se o cara diz pra você fazer isso, não faz; faça o que você sabe fazer, você não vai conseguir se transformar nesse jogador que ele quer". Há muito conflito em time grande, que tem condição de contratar outro atleta sem pensar em você. É tipo, "ou você se adequa ao que eu quero, ou eu contrato outro que faça". Então você pensa que, pra ter a chance de se manter ali, tem que fazer o que esse cara quer. Por um lado, ter começado e me mantido no início de carreira em time grande foi uma boa experiência. Mas em algum momento, na minha cabeça, eu precisava me adequar ao que estavam me pedindo. Hoje vejo que não, você está lutando pelo seu espaço, então lute com as suas armas.

Os heróis

Primeiro, Jesus, por ser uma referência de comportamento, muito acima da questão religiosa. Ele cumpria as atitudes que pregava. Isso é tão raro. Ele dizia para amarem os inimigos e quando até poderia escorraçar alguém, perdoava. Então, não há como esse cara não ser um herói. Depois, meu pai. Soa comum demais? Mas foi quem me ensinou tudo e ponho minha mãe, junto. Uma heroína. E não ponho ninguém mais, embora o meu avô, que morreu quando eu tinha 15 anos, tenha sido o meu grande amigo na infância. Meu pai morou por um tempo na Europa e *meio que* fui criado pelo avô. Com mais de 70 anos, era ele quem me levava pra treinar e ficava o treino todo; era quem me dava os *feedbacks* e que estava sempre presente.

"Nós, os atletas, talvez sejamos os seres humanos mais carentes. Sobretudo os que estão num nível mais alto, de Seleção, que têm muitos pra pedir e poucos pra dar carinho, amparo, um pouco do seu tempo"

Fazer parte deste livro

Sou grato por ter sido escolhido para participar do projeto deste livro, nos aproxima um pouco das pessoas e elas de nós. Trazer a nossa história e mostrar que também somos de carne e osso. Acho que falta um pouco disso. Hoje a comunicação melhorou, mas ainda existe um pouco desse estigma e talvez, nós, os atletas, sejamos os seres humanos mais carentes. Sobretudo os que estão num nível mais alto, de Seleção, que têm muita gente pra pedir e poucas pra dedicar um pouco do seu tempo, seu carinho, seu amparo. Parabéns pela iniciativa. É um orgulho estar entre os que estão contando as histórias que vão ilustrar o seu livro, Francisca.

Solidão dos grandes

Quanto mais os grandes atletas vão chegando ao topo, mais solitários terminam. Os que são realmente amigos passam por um funil, ainda mais quando você sai dos holofotes. Isso também deve servir para o atleta mais jovem: não pôr tanta expectativa na fama. Porque a fama pode corromper sua cabeça, se não estiver tudo bem firme dentro de você. Senão, você vai esperar que te deem o que não vão te dar. Dão, quando você fizer três gols; se não fizer, vão te dar o contrário. E viver nessa maré do que vai acontecer no dia seguinte, pra você se sentir bem ou não, você vai ficar cada vez mais solitário e carente. Isso tem a ver com a formação que falamos e com a descoberta do valor que se tem, independentemente do que dizem lá fora. Porque a opinião das pessoas muda, para o bem ou para o mal, e você não pode viver refém disso.

CAPÍTULO II

Atenção plena e meditação: o atletismo do agora

Por JULIANA BRESCOVICI CARVALHAES

A meditação tem ganhado cada vez mais espaço na vida dos atletas de alta performance. Isso porque estamos vivendo uma crescente onda de estudos científicos a respeito das técnicas meditativas e seus efeitos positivos na saúde física e mental.

A meditação já não é considerada uma prática de cunho religioso ou espiritual. Os Estados Unidos da América, por exemplo, consideram a meditação e o *mindfulness* técnicas de medicina complementar alternativa. No Reino Unido, a prática de *mindfulness* já está presente no sistema de saúde público, no sistema judicial e educacional (e é por isso que é conhecido como *Mindful Nation*).

Mindfulness, traduzido para o português, corresponde a "atenção plena", um estado mental verificado ao se colocar a atenção de forma intencional no momento presente, sem julgamentos, com abertura e curiosidade. O professor Jon Kabat-Zinn, da Universidade de Massachusetts, define o *mindfulness* como uma consciência não julgadora, momento a momento, cultivada por prestar atenção de maneira específica, isto é, no momento presente, de forma não reativa, sem julgar e com o coração mais aberto quanto possível.

As principais técnicas de meditação praticadas por atletas de alta performance são a meditação transcendental e o *mindfulness.* Ambas têm a intenção de focar no momento presente, aliviando, assim, os momentos de tensão e ansiedade antes das competições, bem como melhorando as capacidades físicas durante os treinos.

Para tais atletas, a resiliência é de extrema importância. Como estão sempre lidando com uma competição interna e externa, é importante que tenham a habilidade de se recuperar mental, emocional e fisicamente, após uma competição ou longos períodos de treinos.

Os maiores vilões de um atleta, que muitas pessoas podem não reconhecer, são as vozes internas e a ansiedade.

Elas podem sabotar o próprio atleta ou limitar o seu potencial durante uma competição. Muitas vezes, esses sentimentos podem até levar a acidentes por desatenção ou desequilíbrios emocionais.

Mas, afinal, o que é resiliência?

Na física, cada material tem um nível de resistência relacionado à quantidade de pressão sofrida e à sua capacidade de retornar ao estado primário, sem que haja qualquer ruptura ou danos em sua estrutura original. Essa capacidade de um objeto voltar ao seu estado primário é chamada de "resiliência".

Nas últimas décadas, a psicologia se baseou nesse termo para definir a capacidade que um indivíduo tem de se adaptar a mudanças, lidar com pressão, superar problemas, obstáculos e situações adversas, sem apresentar um desequilíbrio psicológico que o impeça de aprender, de encontrar soluções para essas questões, para que, então, possa seguir em frente.

A meditação tem se mostrado uma ótima ferramenta para aumentar a resiliência e o foco dos atletas de ponta. Ela pode ser um grande diferencial se implementada na rotina dos treinos. Vale ressaltar também que ela deve ser praticada regularmente, pois assim, nos momentos desafiadores em que precisar de mais equilíbrio e foco, o atleta já estará condicionado a responder de forma mais consciente e equilibrada.

Por esse motivo, atletas que praticam a meditação diariamente são mais resilientes, têm uma capacidade maior de se recuperar de qualquer momento de trauma ou de alto impacto emocional. Durante a prática da meditação, por exemplo, é estimulado o córtex pré-frontal, região responsável pelo foco e concentração. Ela também diminui os estímulos do sistema límbico, que é a região primitiva do cérebro responsável pela fuga e luta, a impulsividade.

Quando o atleta inicia o treino, após meditar, está mais presente e consciente para executar esse treino. Por sua vez, o *mindfulness* estimula a habilidade de estar presente durante uma ação específica. Mesmo durante o jogo ou uma competição, o atleta tem a habilidade de se conectar com a respiração, com o ar batendo na pele, com os impulsos e sensações do corpo, não deixando se levar por pensamentos compulsivos ou obsessivos que, eventualmente, poderiam se tornar desequilíbrio e desespero, podendo fazê-lo perder o foco em um momento de pressão, como, por exemplo, uma competição muito importante.

Muitos atletas de alta performance relatam que, após praticarem regularmente a meditação, sentem-se mais dispostos, mais produtivos nos treinos e, nas competições, não perdem o equilíbrio após uma perda ou uma vitória.

O jóquei Eurico Rosa, por exemplo, relata que, após cada páreo, faz pausas para meditar para não se desequilibrar emocionalmente, seja pela derrota ou vitória de uma corrida. Isso faz com que ele tenha foco durante toda a competição.

A longo prazo, podemos ver que a meditação foi de grande valia na sua carreira como jóquei com atuação mundial vitoriosa; pois é grande diferencial na comparação a outros atletas que se desestabilizam emocionalmente e perdem o foco nessa mesma modalidade.

Outro praticante, Bruno Caboclo, jogador de basquete de alta performance, relata que, desde que começou a meditar, é menos impulsivo emocionalmente e apresenta um melhor desempenho nas quadras. O que antes lhe tirava a paciência, agora já não o desestabiliza, pois sabe identificar os gatilhos emocionais em seu corpo e se conectar melhor com o momento presente.

Muitos atletas relatam que, depois que começaram a meditar, sentem menos dores musculares e também sofrem menos acidentes e contusões, pois os principais motivos dos acidentes são a distração e os pensamentos negativos em momentos decisivos, como as competições.

Todos esses exemplos demonstram que a prática de *mindfulness* ensina os indivíduos a habitarem os seus próprios corpos e a não serem levados pela maré do estresse e dos pensamentos acelerados e negativos que podem estagná-los.

Além disso, a prática regular de meditação estimula um estado chamado de "Estado de *Flow*". Essa é uma visão descrita pelo psicólogo húngaro Mihaly Csikszentmihalyi, que descreve como o momento em que estamos tão concentrados em algo que parece que estamos flutuando e não vemos o tempo passar. É um momento em que tudo flui e parece estar em perfeita sintonia. Aquele estado no qual a sua atividade parece não exigir qualquer esforço. Este estado é muito comum em atletas de ponta e a meditação tem a capacidade de estimulá-lo.

Seguramente o lado mental é essencial para o sucesso de qualquer atleta, já que ele pode determinar a força de vontade para superar obstáculos ou impor barreiras antes mesmo das competições. Os esportistas sofrem lesões, problemas de rendimento, doenças que podem deixá-los impossibilitados de desempenhar as atividades necessárias ao exercício da sua profissão. Apesar disso, recuperam-se com facilidade. Isso é produto do aprendizado — também um exercício de fé e esperança.

Não podemos esquecer de destacar os atletas com deficiências que, apesar de suas aparentes limitações, demonstram sucesso ao darem o melhor de si e ao enfrentarem com determinação e esperança o desafio de melhorar a cada dia. Muito antes de se colocarem como vítimas, posicionam-se como conquistadores e grandes exemplos de vida. Nada os detém, eles são fortes e extremamente resilientes.

Novamente, destacamos que a resiliência no esporte é uma capacidade muito importante. Muitos atletas passam um dia inteiro executando o mesmo movimento, centenas de vezes, sem sucesso algum, embora em todas essas vezes a tentativa seja obter o sucesso.

A preocupação em trabalhar com seu próprio corpo é constante e, por trás das medalhas, além de muito esforço, existe uma importante fonte de pressão e problemas: as temidas lesões.

Muitos treinos e competições vêm acompanhados de quedas, machucados e lesões (algumas muito sérias), em que a dor se mistura com o sentimento de fracasso e vergonha.

Os atletas têm que lidar com esses sentimentos, com o estresse das competições e com a pressão de serem os melhores em seu trabalho, o tempo todo.

O esporte profissional, além de exigir o máximo do corpo fisicamente, também exige o máximo dele mentalmente, ficando longe de ser algo saudável.

Certamente, a vontade de jogar tudo para o alto é constante, mas cada erro oferece também uma oportunidade e um ensinamento.

É principalmente nesses casos que a resiliência no esporte pode se converter em uma excelente ferramenta para superar com êxito as dificuldades e os problemas, tanto os mais cotidianos como os mais raros e os que nos causam um maior impacto emocional.

Aprender a gerenciar essas circunstâncias de modo correto permite uma recuperação mais rápida. Além disso, a resiliência praticada no esporte pode ser um bom treinamento para praticá-la fora das quadras e dos campos.

Ser um atleta resiliente permite lidar com o fracasso e as falhas de maneira muito mais madura e inteligente, pois proporciona um estado que permite analisar os erros e aprender com eles ou mesmo observar como os vencedores triunfam e, assim, poder se espelhar neles (não podemos esquecer que os campeões também passaram por tudo isso).

A capacidade de trabalhar com os erros e tropeços é vital para um bom desempenho. Quanto melhor um atleta puder fazer isso, mais bem equipado ele estará para lidar com situações difíceis no esporte. É dessa forma que os atletas de elite desenvolvem uma resistência mental que lhes permite prosperar e desfrutar do sucesso.

Podemos afirmar que a meditação no esporte é uma técnica muito útil e eficaz para aumentar o rendimento — em um estado de equilíbrio emocional em que tudo flui — e para enfrentar de forma mais consciente os desafios, além de ser também um estado do qual se pode desfrutar.

Destacamos a seguir alguns benefícios da meditação nos esportes:

- Aumento do nível de motivação do atleta;
- Melhora da concentração;
- Melhora do estado de foco no momento presente;
- Diminuição dos pensamentos negativos, proporcionando um melhor rendimento esportivo;
- Ativação dos níveis de estresse ideais. O estresse é necessário numa competição, porém na medida certa. É nesse estado que o *mindfulness* consegue agir, fazendo com que o estresse seja controlado em níveis ideais para a competitividade do atleta;
- Diminuição de sintomas da depressão;
- Aumento dos níveis de autoestima e de confiança do atleta. Ter

confiança é um fator básico para uma competição satisfatória;
- Nível de bom senso coerente, permitindo uma visão sensata e equilibrada na hora de interpretar os sucessos e os fracassos;
- Melhora na gestão das emoções. O atleta aceita suas emoções e seus pensamentos e os administra de maneira natural, sem a necessidade de que sejam modificados ou eliminados; e
- Incentivo à união da equipe.

Tais benefícios proporcionam o desenvolvimento de habilidades diferenciadas pelos atletas que meditam:

Persistência
Essa característica está relacionada à capacidade do atleta de manter sua força de vontade e de não desistir diante de adversidades. Basta observar que essa palavra vem do latim e significa "continuar com firmeza".

Autoconfiança
A resiliência está muito relacionada à confiança que a pessoa tem em seu desempenho e a maneira como ela acredita positivamente em suas qualidades e habilidades para superar os obstáculos.

Empatia
A empatia é um processo de identificação em que a pessoa consegue se colocar no lugar da outra. A partir disso, ela obtém suas próprias impressões e começa a compreender o comportamento desse indivíduo. É uma característica importante para a resiliência, pois ajuda a desenvolver nossa sensibilidade e compreensão em relação ao que acontece ao redor.

Humildade
Existem situações em que procuramos justificar os erros de execução de nossos projetos em tudo que está à nossa volta. No entanto, na maioria dos casos, nós somos os principais responsáveis por isso. Ser humilde nos permite entender que estamos longe da perfeição e que podemos aprender e sermos melhores a cada dia.

Otimismo

Ninguém fica feliz quando se depara com uma situação adversa, mas é importante que haja um momento de reflexão para entender que existem meios de se recuperar e lutar novamente pelo objetivo desejado. O otimista consegue lidar com isso de forma muito inteligente e projetar melhores cenários para o futuro.

Além disso, vale destacar as primeiras aplicações do *mindfulness* nos esportes. Ainda no começo da década de 1990, esportistas e equipes profissionais norte-americanas de alto nível começaram a praticar tal técnica com o objetivo de melhorar a qualidade de vida dos atletas e a performance nos jogos. O caso de sucesso do time de basquete do Chicago Bulls, no período do auge de rendimento esportivo de atletas como Michael Jordan, é sempre citado. Atualmente, muitos atletas incorporam *mindfulness* em sua rotina como Novak Djokovic (Tênis), e equipes como o Seattle Seahawks (NFL) e o Golden State Warriors (NBA).

Uma pesquisa na qual, por um ano, cientistas acompanharam um total de 168 jogadores profissionais de futebol (jovens, do sexo masculino), um grupo participou de um treinamento em *mindfulness* e de um curso sobre a psicologia das lesões esportivas e outro não.

Os resultados foram positivos e consistentes, demonstrando os efeitos do *mindfulness*. Os atletas que introduziram *mindfulness* regularmente em sua rotina de treinamento apresentaram um menor número de lesões e menos dias perdidos de treinamentos e competições devido às lesões esportivas.

Cumpre mencionar também um estudo, autorizado pela Fundação Oswaldo Cruz (Fiocruz), que detectou que oitenta por cento de um grupo de 600 atletas de diferentes modalidades, entre 19 e 45 anos, apresentavam sintomas de depressão, ansiedade, insônia e estresse.

Por fim, concluímos essa análise com o recente caso do ícone internacional da ginástica, a americana Simone Biles, alegando a necessidade de dar um passo atrás para cuidar de sua saúde mental. As motivações para essa decisão podem ser diversas: medo, pressão, depressão, traumas psicológicos etc. Não importa.

O assunto sobre a importância da saúde mental nunca esteve em tanta evidência na mídia e, em especial, no mundo dos esportes. Vermos uma atleta com a coragem de se posicionar e priorizar a sua saúde mental nos faz acreditar que esse processo de autoconhecimento não tem volta e, certamente, aqueles atletas que investirem tempo na meditação e no *mindfulness* terão em suas mãos ferramentas fundamentais para o sucesso de suas jornadas competitivas.

Juliana Brescovici Carvalhaes *é graduada em Marketing (UNISUL) e formanda em Mindfulness pela Escola Paulista de Medicina (UNIFESP). Discípula de Maharishi Mahesh Yogi, formou-se como instrutora de Meditação Transcendental (Maharishi European Research University) e, além de fundadora do Instituto Nacional de Meditação, acumula na bagagem outras formações, como: Vedanta (Instituto Vishva Vidya — Jonas Masseti); facilitadora de Access Consciousness (BF); Thetahealing DNA Básico; Terapeuta Floral; Hatha Yoga e Yogaterapia — Aliança do Yoga; Yoga para o Parto e Doula. É também modelo da Ford Models.*
Instagram: @meditacaoinm

VINÍCIUS ELIAS TEIXEIRA

Futsal

Com a régua da ambição nas alturas

Vinícius Elias Teixeira *nasceu em Cuiabá, Mato Grosso, em 31.12.1977. Começou a jogar futsal em escolinhas de Presidente Prudente, São Paulo, aos sete anos de idade. Aos 16, jogou no Santos, na equipe Marvel, quando se profissionalizou no futsal. A primeira convocação para a Seleção Brasileira de Futsal ocorreu em 1997, pelo Atlético Mineiro, de Belo Horizonte. Atuou em mais de 200 jogos pela Seleção Brasileira, entre 1997 e 2012. O primeiro título mundial conquistado por ele foi a Copa de Futsal FIFA, no Rio, em 2018. Seu último jogo pela Seleção foi na final da Copa do Mundo de 2012, na Tailândia, onde o Brasil sagrou-se campeão. Jogou dez anos na Espanha e uma temporada na Rússia. Foi o melhor jogador da Liga Espanhola nas temporadas 2008-09 e 2009-10.*

O início

Nasci fora do eixo Rio-São Paulo, em Cuiabá, que na época dominava o esporte em todos os sentidos, sobretudo quanto a oportunidades que, acredito, são propícias nas regiões mais centrais do Brasil. Comecei jogando na rua, brincando, gostando da bola. E foi naturalmente entrando em mim a vontade de ser um jogador de futebol ou futsal. A decisão de ser atleta de futsal aconteceu aos 16 anos, quando saí de casa para jogar profissionalmente. Então, a minha infância não foi uma busca, digo, eu não tinha esse sonho exagerado por ser jogador. O sonho foi entrando naturalmente, de acordo com os resultados que iam sendo atingidos; os convites apareciam.

Frustração paterna

Aí tem a parte do meu pai. Ele foi um atleta frustrado, em teoria, porque não teve condições de seguir o sonho dele. Chegou a ir para o Rio fazer um teste no Flamengo. Foi convidado, conseguiram esse teste para ele e acabou que não teve dinheiro para ficar na cidade. O teste foi marcado para alguns dias depois, mas ele preferiu voltar e nunca mais jogou futebol. Então, ele passou a investir nos filhos, em mim e no meu irmão Lenísio, que jogou na Seleção Brasileira de Futsal, foi artilheiro da Liga Futsal em cinco oportunidades, um dos maiores nomes do futsal brasileiro.

Pai pródigo e terno

Então, tudo o que meu pai não teve com o pai dele, ele investiu nos filhos. Éramos uma família muito simples, mas não faltava o apoio para o tênis ou para levar nas escolinhas. Ele sempre pagou escolinhas particulares para a gente. E o que mais me marcou do meu pai, acho que você vai abordar isso no livro, foi a questão de ele sempre estar presente, sem nunca colocar o peso sobre os filhos. Ou seja, ele sempre deixou claro que a vontade tinha que partir de nós e ele estaria do nosso lado, fosse qual fosse a nossa decisão.

Fatores de sorte

Tive a sorte de ter o meu irmão do meu lado, porque saímos juntos de casa, fomos morar juntos e fomos também convocados juntos para a Seleção Brasileira. Tem vários fatos assim que foram colaborando, além do apoio da família, desde criança, sem a pressão que acontece muito hoje em dia. Eu percebo que os pais transferem os sonhos deles para os filhos e isso eu não tive, ao contrário. Era clara para mim essa leveza de ir para a quadra, para o campo, pra brincar, pra nos divertirmos. Não fazíamos nada para agradar ou para realizar o desejo do meu pai. Mas eu acho que, dentro dele, ele tinha essa questão... só não deixava transparecer que sonhava muito em ver a gente jogando. A forma como ele agia era a de manter aquela distância de "olhem, estou aqui para apoiar, mas façam o que vocês quiserem".

Lesões e força mental

Meu irmão tem um ano e dois meses de diferença para mim, então, quando crianças, brincávamos praticamente o dia todo com a bola. Mas eu tive muitos problemas físicos na adolescência, Francisca. Com dez anos, já comecei a ter lesões. Foram seis cirurgias no joelho ao longo da minha carreira, além de uma fissura no pé e dezenas de outras lesões musculares. Aos 11 anos, minha perna foi engessada por problema de crescimento precoce, que causa dores nos ossos. Fiquei um ano sem jogar por causa desses problemas. Com 19 anos, no Atlético Mineiro, que foi minha primeira equipe profissional, fui diagnosticado com um problema no joelho. Eu precisava fazer uma artroscopia e acabei assinando um contrato de risco com eles, por essa situação. Então, a vida foi me colocando obstáculos, *né*... nada comparado à vida difícil de um brasileiro comum, mas, no esporte, os problemas físicos acarretam um problema muito grande para o atleta.

"As lesões eram mais um obstáculo no meu caminho e minha força parece que foi sendo construída com a soma desses percalços, fazendo com que eu ficasse cada vez mais resistente. Ler também me ajudou, porque tirava a minha mente daquele pensamento fixo nas lesões"

Superando os obstáculos

Com o tempo, esses problemas foram se tornando naturais e muito pequenos. As lesões, as cirurgias, eram só mais um obstáculo no meu caminho e minha força parece que foi sendo construída com a soma desses percalços, fazendo com que eu ficasse cada vez mais resistente nessas situações. Mas também, quando começaram as lesões, eu me habituei a ler bastante: era a maneira que eu tinha de relaxar e de levar a mente para outro lugar que não fosse aquele pensamento fixo na lesão. E essa prática me ajudou bastante até no pós-carreira. No livro *O obstáculo é o caminho*, o autor Ryan Holiday diz que o obstáculo pode ser transformado em oportunidade, fazendo você crescer. Parece que comigo também aconteceu assim.

Regulagem da ambição

A ambição é muito pessoal. Cada um tem a régua da exigência em uma altura. No meu caso, eu tinha um desejo muito alto de alcançar coisas grandes e as lesões me davam "aquele" baque. Os que desejam menos põem a régua mais abaixo, ficam satisfeitos até onde foi conquistado e acabam deixando de lado o sonho. É comum que jovens de 18, 19 anos, tendo lesões no joelho, no tornozelo, acabem desistindo. Mas eu acho que quem abandona é porque a régua estava numa altura mais baixa. A régua mais alta acaba quase fazendo a pessoa ser puxada pelo desejo... e os impedimentos acabam se tornando parte do caminho.

O gargalo da seleção

É bom explicar que o futsal tem umas condições econômicas complicadas, principalmente em relação à estrutura. Éramos 14 atletas morando num apartamento de dois quartos, não havia privacidade, era todo mundo em cima de todo mundo, barulho, sujeira, aquela confusão. Então, na minha visão, o ponto principal da base é quase que uma seleção natural que é feita. Você é testado em relação à comida também, que não é das melhores; você come o que tem. No meu último ano de juvenil, de Sub-20, eu não tinha janta, porque a gente treinava com adulto e acabava perdendo o horário da bandeja, *né,* do refeitório de Guarulhos, e muitas vezes comíamos bolachas, coisas assim, que não suprem a necessidade de quem é atleta...

Do juvenil ao profissional

Mas é aquilo, é parte do processo, uma seleção natural que é feita em relação a quem quer mesmo chegar a ser profissional. E ali, muitos desistiram por causa das dificuldades. Quando eu subi para o adulto, tudo começou a melhorar, porque no profissional, as condições são melhores. Já no Atlético Mineiro, fui morar com quatro colegas num apartamento de dois quartos, então, a coisa foi melhorando em termos de moradia, de salário e alimentação. Ali tínhamos marmita, mas individualizada. E as coisas foram aos poucos melhorando, até que já estava tudo certinho na fase final.

A carreira e o estudo

Só abandonei os estudos quando me tornei profissional. Eu já era universitário, morava em São Paulo e estava no último ano de juvenil, hoje Sub-20. Eu saía do Sub-20 em Guarulhos para ir estudar em São Paulo. Tinha que acordar às cinco da manhã, para voltar, treinar separado da equipe, treinar de tarde e de noite, sair do treino às dez horas e acordar às cinco da manhã. E o corpo já pedindo arrego, não aguentando mais. Então, ali eu desisti do estudo, porque ganhamos o Brasileiro Sub-20 e eu fui muito bem neste torneio: além de campeão, acabei sendo escolhido o melhor atleta da competição. Ali, percebi que poderia viver só do esporte.

Enfim, a universidade!

Abandonei a faculdade, fui para a Espanha, fiz cursos de espanhol e inglês, e passei a me dedicar ao estudo de habilidades adicionais que não fosse a universidade. Tentei voltar a estudar durante a carreira, mas não conseguia por causa das faltas; a gente viajava demais e não tinha, na época, a opção de ensino à distância, que tem hoje. Aí, esperei terminar a carreira para, enfim, cursar a universidade. No meu último ano de atleta, comecei a estudar Direito e recentemente me formei. Cumpri um sonho que tive durante toda a carreira.

Orientação financeira

Isso é interessante: quando eu recebi proposta para sair de casa na adolescência, o meu pai falou comigo e com o meu irmão, assim: "Vocês querem ir jogar? Querem viver da bola?". Falamos que queríamos, sim. "*Tá*. Primeiro: vocês só vão se continuarem estudando". E nós, "tudo bem, vamos estudar"; fizemos o pedido para o clube, conseguimos bolsa de estudo e o horário do colégio teria que ser respeitado. E o meu pai: "Segundo ponto: o salário de vocês não vai ficar com vocês, porque vocês são garotos, não sabem nada sobre dinheiro, então, eu vou aplicar o dinheiro de vocês num consórcio de carro e numa linha telefônica".

Carro zero

Meu pai tinha esse gosto por consórcios. Não é o melhor investimento, mas ele queria alocar parte do nosso salário em algo que fosse um compromisso nosso e pegou oitenta por cento do salário para isso. E nós aceitamos, porque tínhamos essa confiança no meu pai. Dois anos depois, pudemos ter um carro zero por causa dele. Então, apesar de jogarmos um esporte que não rende dinheiro como o futebol de campo, essa educação que desde o início ele e minha mãe nos deram, permitiu que pudéssemos terminar a carreira e fazer uma transição pós-carreira sem desespero por questões econômicas ou por falta de um colchão para essa transição. Meus pais foram os grandes responsáveis por essa questão.

O título mais importante

O que me fez querer chegar a níveis mais altos foi o Campeonato Brasileiro Sub-20, que acabamos vencendo, em Fortaleza. Ali foi o sinal para que aquele menino lá de Cuiabá, *poxa*, podia ir mais alto. Foi o título que me impulsionou. Mas o título que mais me marcou foi o Mundial de 2008, no Rio, quando eu já tinha 30 anos. Joguei esse Mundial com meu irmão Lenísio na Seleção, e meus pais estavam na arquibancada. Minha esposa estava na Espanha, grávida, não pôde acompanhar, mas, enfim, eu já estava casado. Lá foi, então, a concretização de toda a carreira, desde criança jogando com meu irmão na rua, e nós dois realizando o sonho juntos, com nossos pais nos assistindo. Tenho os vídeos aqui, eu *cumprimentando eles* na arquibancada. É muito bacana, me emociona muito lembrar tudo isso, por causa dessa questão familiar.

"Você sabe muito bem, Francisca, que nós ficamos fechados nessa guerra louca no Brasil, porque é uma verdadeira guerra, a vida aqui. É uma disputa por milímetro, em todos os sentidos"

Jogo no Brasil é guerra

Foi um aprendizado muito grande viver dez anos na Espanha. Devo muito em relação a tudo que eles me deram, em contratos e ensinamentos de vida. Meus filhos nasceram lá e eu aprendi a pensar o jogo e a vida de uma forma totalmente diferente. Você sabe muito bem, Francisca, que nós ficamos fechados nessa guerra louca no Brasil, porque é uma verdadeira guerra, a vida aqui. É uma disputa por milímetro, em todos os sentidos. É um leão pra matar por dia.

O aprendizado na Espanha

Quando você chega num país da Europa, onde há um conceito de bem-estar social muito maior, uma consciência coletiva maior... isso se reflete nos companheiros dos times. Quase todos os atletas estudavam na época, coisa muito diferente do Brasil. O jogo lá era entretenimento e não uma guerra, como é tratado no Brasil. Os clubes têm filosofia, eles têm um perfil, uma identidade que geralmente é o que se busca com o jogo, com a maneira de atuar, nas relações interpessoais. Então eu aprendi muito sobre isso e acabei perdendo um pouco daquela coisa voraz do Brasil, aquela coisa quase selvagem, *né*, do vencer por vencer, do ganhar pra ganhar. Hoje eu trago isso para a minha vida, de que o jogo é muito mais do que uma bola entrando no gol e acredito que esse foi o aprendizado maior que a Espanha me trouxe.

Espanha ou Rússia?

Tive uma proposta econômica importante da Rússia, para os padrões de futsal, quando eu já estava com 34 anos. Era o meu último bom contrato e eu tinha duas opções: aceitar essa proposta e depois voltar para o Brasil, ou continuar na Espanha e fixar residência — eu tinha comprado apartamento lá, muitos anos antes, e meus filhos iam começar no colégio, eles tinham perdido os dois primeiros anos de estudo.

Opção pelo Dínamo

Mas decidi ir para a Rússia, aceitando esse contrato do Dínamo, já que na Espanha eu já não tinha tanto mercado, pela idade... e o que eu iria fazer ali como ex-atleta? Então, depois resolvi voltar e joguei ainda mais alguns anos no Brasil. E já que tínhamos vindo, retornar depois para a Espanha ficou fora dos planos. Hoje, com meus filhos já grandes, não causaria problema algum. Amo o Brasil, mas hoje em dia estou com a cabeça bem mais leve para ficar ou sair, não há nenhum tipo de prendimento.

Na Rússia, quase ao parar

A hora certa de parar pra mim foi bem fácil, viu, Francisca? As muitas lesões, os problemas físicos... Tive de rescindir o contrato com os russos por causa de uma lesão no joelho. Voltei ao Brasil para me operar e ali fiz a última tentativa de voltar a jogar. Jogamos a final da Liga, fomos campeões, fui para o Mundial 2012 e ainda consegui jogar por mais dois anos, mas já em queda física. Então, decidi que não queria mais jogar. Eu sentia muitas dores no corpo, tinha muita dificuldade de treinar de manhã e de tarde, e de me recuperar de um jogo para o outro. O corpo foi pedindo essa aposentadoria, então parei de maneira leve, porque, realmente, eu não tinha mais condições de seguir no alto rendimento.

O legado

Tenho dificuldade em falar sobre o que eu gostaria de deixar, porque acredito que as pessoas que convivem comigo, ou que me conhecem, são as que poderiam falar sobre o que eu agrego, o que eu deixo de bom na vida delas. Agora, se eu tiver que falar sobre o que me deixa orgulhoso do que eu fiz no esporte, foi de ter sido capaz de viver em tantos lugares, *né,* Brasil, Espanha, Rússia, em muitas cidades, no Rio Grande do Sul, em Minas Gerais, Santa Catarina, São Paulo, e de poder ter deixado as portas abertas em todos esses lugares. De não ter me apoiado nas pessoas em derrotas, em fracassos, ou seja, eu assumi todos os meus erros, todos os meus fracassos. Acredito que isso é também uma marca positiva que eu deixo.

Motivos de orgulho

Na parte do sucesso, de títulos, acredito que isso não me subiu à cabeça, *né?* No currículo, tenho três Mundiais disputados pelo Brasil, dois Campeonatos, quatro Ligas vencidas na Espanha, cinco Ligas no Brasil, uma na Rússia e jamais pisei em ninguém. Jamais usei isso como motivo para me sentir superior aos demais. Continuei e continuo trabalhando para gerar valor na vida das pessoas. Isso é o que me deixa mais orgulhoso, e se é um legado que estou deixando, ótimo. Mas espero que as pessoas possam avaliar melhor do que eu essas questões. Faço as coisas sem me preocupar muito em deixar algo, me preocupo mais em fazer o bem, que as pessoas poderão reconhecer como legado.

Dicas para atletas

Se no teu coração toca a mensagem de que você quer viver dentro da quadra, dentro do campo, siga o teu coração, porque vale muito a pena. A vida é muito curta para a gente ficar se prendendo, meramente, a algo econômico. Eu falo disso por causa do futsal. Vale muito a pena viver do que satisfaz o nosso coração. A questão é que o futsal não vai te deixar numa situação como a do jogador de ponta do futebol de campo. Estes ganham milhões aí e têm a vida resolvida. Mas se você tiver um plano B, se você construir uma via alternativa enquanto está jogando futsal, você vai poder viver o teu sonho dentro da quadra e, quando fizer a transição, não vai ter problemas, caso pavimente bem esse plano B.

Seguir na pegada

Outra questão que eu quero destacar é que tive muitos problemas de lesão ainda muito jovem, em começo da carreira, cirurgias de ligamento cruzado antes dos 23 anos, então, os melhores momentos vividos na minha carreira ocorreram depois dos problemas físicos. Isso quer dizer que o que vale é a constância e a consistência no longo prazo. Ou seja, sigam na pegada, treinando, com o sonho intacto, com a vontade de chegar num nível alto, que vocês conseguirão passar por cima dos obstáculos. São as mensagens principais que eu passaria.

Olhando para trás

Uma coisa que me incomoda muito é a cirurgia do meu joelho, que fiz na Espanha por mesquinharia, porque os gastos seriam pagos lá pelo clube, e pela comodidade da locomoção e do trabalho com a recuperação, não vindo operar com o médico que havia operado o meu outro joelho, no Brasil. Acabei tendo problemas nesse joelho e sendo operado quatro vezes. Hoje tenho artrose, tenho problemas sérios com o joelho. Então, se eu pudesse voltar no tempo, eu não deixaria mais a comodidade me pegar. Estou sempre atento e quando tenho que ir ao médico, procuro os melhores profissionais e invisto nessas questões. Porque o preço que se paga é muito alto, quando se pode fazer e não se faz por comodidade ou mesquinharia.

Ao menino Vinícius

Valeu muito a pena abrir mão de tantas coisas, de tantos finais de semana, desde criança me dedicando ao esporte, deixando de sair com os amigos, deixando de comer e beber certas coisas e até do descanso, que era muito necessário. Depois de aposentados, fazemos com calma, até enjoar, coisas que não fizemos quando jogávamos. Se eu tivesse que voltar atrás, falaria ao menino que eu fui, que ele pode fazer tudo de novo: lá, no final, os pontos vão ser ligados e você vai entender tudo o que está acontecendo.

Inspirações de vida

Meu pai, minha mãe e meu irmão foram o começo de tudo, porque eu acredito na base, esta que alguns não têm e que é a do convívio. Se há convívio familiar, melhor, mas sabemos que muitos são adotados e acabam tendo outras pessoas responsáveis por esse suporte. As pessoas do começo são as principais ao assentamento da base. Depois, vêm o Miltinho e o Paulo César de Oliveira, o PC, treinadores que me ensinaram muito sobre o jogo e sobre a atitude no jogo. Estes são os que mais me marcaram, além do meu irmão Lenísio, que esteve do meu lado, desde criança, e que me ensinou muito. Eu absorvi demais do talento e também da ambição que ele tinha de ser o melhor.

"Eu sempre li e as leituras me ajudaram muito. Eu tinha esse hábito, primeiro, com a Bíblia, que minha mãe, muito católica, gostava de ler. Depois, na adolescência, o escritor que eu mais li foi o Paulo Coelho. Eu seguia o que diziam os livros"

Influências de leituras

Eu sempre li bastante e as leituras me ajudaram muito. Por questões familiares eu tinha esse hábito, primeiro, com a Bíblia: minha mãe, que era muito católica, gostava de ler e me passou o costume; meu pai, também. Depois, na adolescência, o escritor que eu mais li foi o Paulo Coelho. Eu seguia o que diziam os livros e, talvez por isso, quando aconteciam problemas na quadra, eu saía de lá fazendo analogia com as leituras e aquilo me acalmava o coração: mostrava de que maneira eu deveria atuar.

Os livros e o instinto

As passagens que me marcaram muito de "Os humilhados serão exaltados" (versículos bíblicos de Mateus e Lucas) estão no livro que eu escrevi, *Capitão de sua própria históri*a (2021) . São questões interessantes que acontecem, quando estamos ali no Sub-15, Sub-17: existe uma característica de bronca, de correção muito forte, então, a leitura me ajudou muito nesse sentido. Só fui entender, no final da carreira, a técnica que eu tinha. Mas, de forma instintiva, era isso o que acontecia — a leitura me mostrava a atitude que eu deveria ter, perante esses momentos de ansiedade, de tristeza, de aflição.

A pandemia

A pandemia acelerou a digitalização e o meu conteúdo é todo sobre futsal. Minhas aulas ao vivo são aulas técnicas. Ou seja, tem aula sobre gestão de carreira, sobre finanças, sobre coisas do jogo, sobre táticas, tem de tudo. E aí, subo para a plataforma. E eu sempre trago convidados, é muito legal. O segundo treinador do Barcelona Futsal, o espanhol Miguel Andrès, já esteve lá com a gente. O Zico está, o Cirilo está. É bem legal mesmo.

Futsal

O gigante do salão

Lavoisier Freire Martins, *cearense de Ocara, nascido em 27.03.1974 e chamado de "o eterno goleiro", conquistou, de 1996 a 2019, inúmeros grandes títulos, entre eles o de Hexacampeão Estadual Cearense (Sumov); Tricampeão Estadual Carioca (Tio Sam e Vasco); Tricampeão Taça Brasil (Vasco e ACBF); Tetracampeão Liga Nacional Futsal (Vasco e ACBF); Tricampeão Sul-Americano (ACBF, Montevidéu e Carlos Barbosa); Tricampeão Copa América (ACBF, Valera/Vz, Carlos Barbosa); Pentacampeão Gaúcho (ACBF); Bicampeão Mundial de Clubes FIFA/Barcelona (ACBF); Bicampeão da Superliga (Ulbra) e Bicampeão Baiano (LEM Vento em Popa). Pela Seleção Brasileira acumula, entre muitos outros, os títulos de Tetracampeão da Copa América (1995-96,1998-99); Tricampeão do Mundialito (1996, 1998, 2001); Bicampeão da Copa Rio Internacional (1998, 2000) e Bicampeão da Copa Latina (2002-03). Como gestor técnico na ACBF, foi Bicampeão da Copa Gramado (2015-16), Tricampeão da Libertadores (2017 a 2019) e campeão em outras cinco disputas. Leva também, em sua bagagem megavitoriosa, uma série de homenagens individuais como melhor atleta, melhor goleiro, melhor jogador, além de medalhas e prêmios. Formado em Gestão de Futebol, na Unisinos, e em Gestão de Esportes, Marketing e Direito Esportivo, na FGV, Lavoisier está cursando Administração e é o atual coordenador de futsal na CBF, responsável por todas as equipes.*

O sonho do avô

Vim de uma família muito simples, mas o meu avô tinha condições de dar vida digna para os filhos. Meu tataravô foi fundador do distrito em que eu nasci, no sertão do Ceará, onde a base da economia era a agricultura, principalmente feijão e milho. Eu vivia lá com os meus pais, já jogando — alguns tios e primos chegaram a jogar no Ferroviário (Atlético Clube), em Fortaleza. Meu avô, que foi o primeiro farmacêutico de toda aquela região enorme, dizia, "meu filho, eu quero que você seja o primeiro médico a ter uma letra bonita" — porque chegavam os receituários ali, naquela época, pra compra de remédio, com umas letras que ele não entendia.

Separação dos pais

Eu tinha oito anos quando meus pais se separaram e fiquei morando com o meu avô. Até então, eu tomava banho de açude e de lagoa, plantava milho, feijão, andava a cavalo, era a vida perfeita. Meu avô só me chamava de "Pulhaculhá", porque ele perguntava, "meu filho, onde está o seu pai?", e eu respondia, "por acolá", com sotaque infantil, que dá em "pulhaculhá". Depois da separação, a minha mãe voltou e eu passei a cuidar do meu irmão mais novo. Aí, passei a ter noção de que queria mesmo ser médico. Então, estudei pra isso e caprichei na letra. Mas o destino me levou a outro caminho.

O começo no futsal

Eu sempre fui inteligente, de muito observar, e como eu jogava bola no interior com traves pequenas, eu dizia, "gente, se eu for pegar numa travezinha dessas (de futsal), eles não vão fazer gol em mim!". E assim, fui jogar o meu primeiro torneio interclasse e não tinha o material. Com a separação, a minha mãe começou a criar sozinha o meu irmão e eu. Meu avô estava em declínio financeiro e minha avó então comprou o meu primeiro par de tênis, que era um Panda, e uma joelheira de feltro, porque a de futsal era muito cara. E foi na escola que comecei a ganhar os interclasses, a participar das escolinhas, das Seleções, a jogar as Copas, sempre com três categorias acima da minha, e eu era muito pequeno. Aí vieram os primeiros testes nas equipes de futsal, como foi no Sumov (Atlético Clube). O Nordeste é muito rico em talentos de futebol e era o celeiro de craques do futsal.

Agarrando as oportunidades

Como eu queria ser médico, eu estudava e lia muito. Fui aluno-padrão: da terceira à oitava série, só tirava dez nas notas. Se tirasse nove, eu chorava, pois achava que não ia dar orgulho ao meu avô. Descobri o futsal e me apaixonei, mas não deixei de estudar. Aos 15 anos, quando eu trabalhava na oficina de artes de uma escola e numa oficina mecânica com o meu pai, pedi ao amigo Idelfrânio, hoje professor de Física Quântica, pra me levar para fazer o meu primeiro teste do Sumov, na época, a maior equipe de futsal do Brasil. Idelfrânio era um autodidata e queria ser goleiro, e eu disse a ele, "eu te ensino a ser goleiro e tu me ensina a estudar" (parodiando o verso da famosa canção *Mulher rendeira*, de Virgulino Ferreira da Silva, o cangaceiro Lampião). Ele sabia que eu pegava bola mais do que ele e me levou.

O primeiro teste

Tinha dez goleiros para a minha categoria infantil quando cheguei no teste, e meu amigo Idelfrânio disse: "Professor, eu trouxe o Lavoisier pra fazer um teste". E o professor, que era baixinho, disse: "Outro Lavoisier *tu vai* me trazer?" (referindo-se, ironicamente, ao famoso químico e nobre francês). "E desse tamanho? Ele é menor que eu." "Não, ele pega muito, mas eu dou o meu lugar pra ele", respondeu o meu amigo que já estava treinando lá. E o professor me aceitou no lugar dele. Só que não me pôs pra treinar no infantil, mas no juvenil, onde os meninos eram muito grandes. E geralmente nesses testes, fica-se por último e ele começa a te irritar, pra quando você entrar em campo não ter chances, porque ele já tem os escolhidos dele.

Estratégias do atleta

Só que comigo foi diferente, porque o meu QI era um pouquinho acima da média. Eu me sentei no banco, olhei o ginásio e vi onde estava a marcação das quadras. Naquele dia, o treino era de chute a gol, que eu adorava. Observei como era a mecânica da perna de cada atleta e como eles chutavam — se cruzado, se chapado, quem chutava de bico, quem chutava rasteiro quando a bola, que era pequeninha, sobe. Comecei a mapear todos eles em detalhes e ao chegar a minha vez, não conseguiram fazer um gol em mim. E eu treinava em duas categorias acima da minha. Em dez minutos, mostrei que eu tinha capacidade e no final, o professor me pegou pelo braço, chamou o supervisor e disse, "leve ele pra casa, no seu carro, com as fichas da federação; faça a mãe dele assinar e amanhã ele já vem para o treino"! Isso foi em 1989.

Uma eternidade em três anos

Minha história foi assim, de repente, e em 1991, eu já era titular do infantojuvenil e o terceiro goleiro do adulto. Em 1992, ainda jogava em competições escolares; nem estava totalmente pronto, mas já estava na Seleção Brasileira de Novos. "Ó, tem um goleiro no Ceará que é assim, o guri é acima da média", diziam. Sempre fui muito estrategista, pensei sempre na frente, mas pra chegar assim rapidamente — e esses três anos duraram uma eternidade, em treinamentos, em observação, em resiliência —, passei a criar as minhas próprias estratégias.

A retribuição

No meu sertão, a gente brincava de mergulhar no açude pra ver quem saía mais distante, quem tinha mais fôlego. Às vezes eu quase me matava, porque não queria perder para um amigo. Se um corria muito a cavalo, eu tinha que ganhar daquele, também. Se perdesse, chorava de raiva. Eu me cobrava muito e era competitivo em relação a tudo — e aí, entra outro fator: eu não queria decepcionar a pessoa que mais apostou em mim na vida, que foi meu avô.

Bolsas e o vestibular

Eu tinha até os 19 anos pra pensar no que iria fazer da vida, porque as melhores escolas do Ceará me davam bolsas para eu estudar pra ser médico e me pagavam pra jogar na equipe. Minha mãe nunca pagou escola; eu sempre ganhei bolsas de estudo jogando. Estudei no melhor colégio, que nunca tinha ganhado as Copas, e ganhei pra eles, o Lavoisier, o único de fora. Eu chegava no ginásio cedo e tinha a humildade de aprender com o zelador do ginásio, que tinha sido goleiro. Eu pedia pra ele me ensinar a ser goleiro e ele jogava a bola pra mim. E fui me dedicando e me apaixonando, a ponto de fazer o vestibular para Educação Física e passar.

O primeiro fusca

Aos 18 anos, quando ganhei o primeiro "bicho", decidi comprar um carro. Peguei a minha BMX, que era uma bicicleta, e fui numa feira de carros usados. Eu media um 1,59m, no máximo, e pesava 54 kg, cheguei de bicicleta e dizendo que queria comprar um fusca. E o vendedor, "sai daqui, tu não tem dinheiro! Uma criança querendo comprar um fusca...". Rodei a feira toda, até que outro vendedor notou e, então, pedi a ele: "Por favor, me vende este carro, eu tenho dinheiro pra comprar... ele e quatro pneus novos".

A rejeição do avô

Quando contei ao meu avô que tinha passado no vestibular, ele me abraçou, me cheirou, era a pessoa mais feliz do mundo. E eu fiquei naquele dilema, *o que vou fazer agora?* Mas contei: "Vô, não passei pra Medicina, mas pra Educação Física". Nossa, ele ficou bravo! "O que *tu vai* fazer com essa merda? Pra que serve isso?", perguntou. "Vô, porque estou jogando assim e tal e tal, mas vou te dar tanto orgulho quanto o médico daria para o senhor". E além de competitivo, encarnei o orgulho, dizendo que queria vencer na vida, jogar no maior time de futsal do Brasil e do mundo, e que ia batalhar pra isso.

As estratégias

Comecei a criar as minhas próprias estratégias, ler muito livro e ver tudo na tevê, atento a como as pessoas se comportavam. "Primeiro preciso ter comprometimento com a disciplina pra descanso e pra treino" — e anotei numa agenda "disciplina é compromisso", mas tenho que fazer isso com prazer. Naquela época, conheci a minha esposa, hoje temos 27 anos de casados, e anotava noutra agenda as poesias que eu fazia pra ela.

A bola da conquista

Criei minha própria bola da conquista: comprometimento, disciplina, prazer, alegria, segurança e, no final, a conquista, e ia devagarzinho, seguindo aquelas estratégias. Em 1993, eu estava no adulto e consegui o meu primeiro título brasileiro juvenil, jogando contra o Fernando Diniz, que foi treinador do São Paulo, contra o Zé Elias, que jogou no Internazionale, e Gilberto, que foi da Seleção Brasileira.

Naquele ano, tinha essa safra de jogadores muito bons e fui campeão brasileiro com eles. Aí, eu disse ao meu avô que aquele era só o primeiro título, em nível Brasil, e que ia conquistar muito mais.

Primeira viagem de avião

Quando comecei a viajar de avião, meu avô sentiu que a coisa estava ficando séria. Fui pra Austrália em 1996 e conheci a Nova Zelândia, Camberra e Sidney. Quando voltei, ele disse: "Meu filho, sente aqui. Que língua eles falam lá? Qual é a moeda? Você tem foto?". Eu tirava foto de tudo. Aí, senti, *poxa, agora ele tem orgulho de mim.* "Então, vô, estou na Seleção Brasileira. E vou sair no *Esporte Espetacular*". Ele disse, "sério?". "Sério, vô!"

O primeiro grande título

Minha primeira convocação foi em 1995, na categoria adulto, antes da primeira viagem lá fora. Eu sonhava, *quando eu entrar no* Esporte Espetacular *e ouvir aquela música* (cantarola a abertura), *acho que vou chorar.* Na primeira convocação, em que estavam craques como Vander e Manoel Tobias, eu era o terceiro goleiro, mas ganhei numa disputa de par ou ímpar e fui ser o segundo, porque o Takão já tinha o goleiro dele. E o guri não foi bem na defesa. A gente estava 1x1, quando teve um pênalti para o Uruguai e eu, esperando... vai que eu entre. Eu já tinha mapeado todos os jogadores do Uruguai — mecânica da perna, como chutam, se vão mais pra ala, se puxam para o meio. No segundo tempo, foi um pênalti para o Uruguai, seria 2x1; o Takão olhou pra mim e: "Ceará, tu pega pênalti?". Aí veio aquela luz e eu: "*Ôxe*, homem, lá no Sumov, eu treino pênalti demais". Mas a verdade é que eu nunca treinei pênalti! E ele, "então vai lá e pega esse". E eu já sabia que a mecânica do número 4 era cruzada: a bola não ia rasteira, mas subia, devido ao pé dele, muito grande. Era do meio pra cima. Quando ele bateu, eu já caí agarrado com ela. Até hoje, guardo a imagem dessa bola. Vi um vídeo depois, o Clóvis de Barros Filho dizendo em cima do palco, "isso é *do caralho*". E eu joguei essa bola pra fora e saí. O Vander Iacovino fez 2x1, 3x1, e aí, outra vez o Takão, "Ceará, tu pega tiro livre também?", e eu: "Treino muito mais que pênalti, *ôxe*!". Peguei esse tiro livre e mais um e, já saindo para o outro goleiro entrar de novo — eu defendia e saía —, ele disse pra eu ficar. No outro dia, eu já era o goleiro titular.

No *Esporte Espetacular*

No final de semana, eu estava no *Esporte Espetacular.* Liguei *pro* avô e chorei. Chorei muito nessa minha primeira emoção: ganhamos de 4x1 da Argentina, na final. Em 2012, finalizei na maior equipe de estrutura de futsal e de mídia no mundo, que é a de Carlos Barbosa. E Deus ainda disse assim: *Cara, vou te dar um upzinho. Tu vai ser o gestor técnico dessa equipe.* E estou na função há sete anos...

"Sofri muita discriminação pelo meu tamanho, 1,66m. 'Ele é pequeno, nós vamos chutar no alto'. Então, minha estratégia era induzir o otário a chutar no alto. Tenho talento, mas o ambiente me levou a continuar com essa resiliência e disciplina, e me fez melhorar"

Não é documento

Sofri muita discriminação por ser magro e pelo meu tamanho, 1,66m. Pra eu vencer foi uma dificuldade maior, mesmo no Ceará, com meus próprios diretores. Em 1995, quando fui o melhor goleiro do Brasileiro, aos 21 anos, o diretor da Seleção Brasileira não queria me incluir porque eu não tinha o perfil. "Ele é pequeno e joga estranho, embaixo, muito agachado." Eu jogava assim mesmo, mas mal sabia ele que o raciocínio de todos era esse... *ele é pequeno, então vamos chutar no alto.* Mas as minhas melhores bolas eram no alto, treinei nas categorias de base pra isso. Minha estratégia era induzir o otário a chutar no alto, onde eu era melhor. Isso foi em fevereiro; em agosto, eu estava jogando na Seleção Brasileira.

Influência do sertão

Era fácil demais estar dentro do gol e fazia aquilo com um prazer tão grande, perto da dificuldade de morar no sertão, sair de manhã bem cedo pra plantar feijão e milho com enxada, ou cortando toco, o dia todo, naquele sol quente. Então, a minha saída prematura do infanto para titular do juvenil e goleiro do adulto, devo a essa disciplina e resiliência que meus pais e avós me ensinaram. Bastava me dedicar e me comprometer.

Talento e resiliência

No primeiro jogo do juvenil, eram quatro goleiros, e eu era do infanto. "Ó, o jogo agora é muito difícil, *tu é* capaz?" O juvenil estava sem ganhar há cinco jogos e com o melhor time do campeonato cearense, do Colégio Christus. *Ah, é? Então vamos lá que a gente dá um jeito.* Passei a semana toda me preparando, memorizando a estratégia, e no jogo, agarrei e ganhamos de 3x2. Tenho talento, mas o ambiente no clube em que eu jogava me fez continuar com essa resiliência, essa disciplina, e a melhorar.

Querendo mais

Comecei a ver que ganhar título era bom demais, eu queria era ganhar o título e, no gol, eu agia muito por instinto, eu tinha de pegar a bola, não importava como. Mas aprendi que ganhar muitos títulos é pura ilusão, era como se embebedar na minha época, achando que eles te dariam um *up*. E muitos jogadores caíam nisso, *ah, ganhei títulos, fui um grande jogador durante esses dois anos*. Não, eu queria mais. E foi o que passei a fazer. Eu ganhava seis títulos em um ano e além do salário, a gente ganhava o "bicho". O que eu fazia disso? *Ó, começou janeiro e vou recomeçar do zero; vou limpar a minha mente.*

O "jogo do positivo"

Quando saí do Carlos Barbosa, em 2006, pra ir jogar noutra equipe, não fui bem, porque minhas filhas não se adaptaram nesse outro lugar. Tenho boa memória, mas apaguei da minha mente coisas que aconteceram, a torcida riscando o meu carro, furando pneus, e fiquei com o que de bom aprendi lá: passei a fazer, de cada ano, um novo ano. Se neste ganhei cinco, ano que vem quero ganhar de novo, numa ambição muito grande, mas não de passar por cima de ninguém. É mais de me exigir ser o melhor. Neste mês eu fui bem? Esquece tudo o que passou e recomeça com a mesma gana. E vi, cara, que isso dá certo. Eu acordava já dizendo que não queria passar despercebido hoje, que não queria ser igual aos outros, e eu tinha que treinar muito pra isso. Se o treinador me desse um plano de treino, eu olhava, *ih, hoje estão todos ferrados comigo, vou pegar pra caramba. Hoje é coletivo, então vou ganhar o coletivo. Ah, se ele botar no time, eu, o Fininho, o Índio, o fulano, os que vão jogar contra são o sicrano, o beltrano, e eles não vão fazer gol em mim.* E comecei a não passar despercebido.

Obstinadamente responsável

Eu chegava uma hora antes, me alongava e ia *pro* treino. Quando terminava, o Índio, meu amigo que me chamava de "Batoré", dizia que eu era um exemplo, que se não fosse eu, a equipe teria perdido o coletivo. Terminava o treino e eu continuava treinando. Diziam, "esse cara é louco". Não, eu sabia o que queria. Se tomasse um gol num dia, eu ligava *pro* meu treinador, que por cinco anos foi o Luciano Meneghetti, chamando pra treinarmos no dia seguinte, porque eu tinha errado no jogo. Ele dizia, "*tu tá* louco, rapaz? *Se* acalma". Eu ficava com aquilo na cabeça. Minha esposa gravava as entrevistas pós-jogo, porque eu não sabia o que tinha falado, tão focado que eu estava na quadra. "Falei besteira?" "Não, você não falou besteira", ela dizia. E não me embebedei, nunca. E na época tinha de tudo, droga, bebidas, muita festa. Porque eu não podia parar de dar alegria ao meu avô. Não podia decepcionar a minha família, que ficou no Ceará.

O legado

Do que mais me orgulho na minha história é ouvir pessoas como o Marco Bruno dizer, "puxa, você tem que falar com o Lavoisier". É o legado que você deixa, as pessoas terem visto em você um grande atleta, que sempre se dedicou ao máximo, que nunca desistiu. Há quase dez anos que parei de jogar e ainda dizem, "o Lavoisier foi um dos maiores goleiros que eu vi defender". Às vezes, recebo mensagens assim, "puxa, eu virei goleiro por sua causa". O Higuita: "Eu ia te ver jogar, estava ali no Vasco". *Pô*, que bacana, isso é um legado. E, na época, não existia preparador de goleiros, a gente tinha que colocar fita cassete e assistir ao jogo todo. Fico feliz, porque tudo isso valeu à pena, mas também, judiou bastante de mim.

As lesões

Um cara estava se formando em fisioterapia e o TCC dele era sobre lesões causadas no futsal. Eu, já com 38 anos, todo duro, no meu último ano na ACBF, tinha que chegar uma hora antes do jogo pra me alongar — e jogava com uma joelheira de ferro, porque não tenho o ligamento cruzado do joelho direito. Era todo um ritual lento. Aí, ele veio: "Falei com o seu Rudinho, o senhor responde aqui pra este meu trabalho". "Amigão, estou em cima da hora, tenho que entrar na quadra, por favor, eu não sou parâmetro pra isso." "Não, não, não", ele insistiu. Era um corpo humano desenhado e eu tinha que marcar um X em cada lugar onde tinha me fraturado. Marquei todo o corpo humano nas linhazinhas e escrevi "Lavoisier Freire Martins". Ele olhou e disse, "você está de brincadeira comigo? Estou me formando, TCC na universidade, tal e tal". Eu disse, "amigão, é muita coisa pra escrever, mas ok, vou falando e *tu escreve*, porque eu não sei o nome dos ossos: cabeça, duas concussões cerebrais; mandíbula, uma fratura; nariz, duas cirurgias; ombro direito, seis pinos; ombro esquerdo, fratura na clavícula; fratura nas costelas; duas falanges; duas cirurgias no cotovelo; mão e punho rompidos; no púbis, cinco cirurgias... e daí para baixo, você vai ter que pegar mais folhas...". Aí, ele riscou a folha e disse: "Ah, vamos deixar só com os X, você não é parâmetro mesmo, não".

O joelho lesionado

Sofri uma lesão no joelho, no Vasco, em 2000, e o Marco Bruno me levou a vários médicos; na época, não tinha cirurgia para o cruzado posterior. Os médicos diziam, "se te operarmos, não vai ficar legal, *tu vai* ter que parar de jogar". Esta lesão foi difícil, tive um início de depressão, mas um médico mais experiente, do Vasco, disse: "Lavô, dá pra jogar sem esse ligamento cruzado — que você não tem, você só tem o anterior —, mas você vai ter que trabalhar muito, ter a panturrilha e o quadríceps muito fortes, e jogar com joelheira de ferro. Vai te machucar, mas você consegue jogar normal".

Divisor de águas

De todas as minhas lesões, eu voltava muito bem, tecnicamente. Minha dedicação era tão grande que eu voltava com uma força enorme. Às vezes eu tinha que abrir o meião pra caber na minha panturrilha, de tão forte que ficou. Essa lesão foi um divisor de águas, porque eu era titular de um time muito bom, no Vasco.

"Esse goleiro passa o jogo todo aquecendo. Nenhum goleiro, de nenhuma outra equipe, se aquece durante o jogo, mas esse fica o tempo todo se aquecendo. É louco"

Determinado a vencer

Com o joelho lesionado, olhei para o time e falei com o Marco Bruno: "Tenho que arrumar um lugar nesse time, mas o treinador gosta do outro goleiro, o Leandro, que joga com os pés. Só que eu não vou te decepcionar". O Marco Bruno confiava muito em mim. Vi que a gente tomava muito gol de tiro livre e pênalti, e comecei a treinar todo dia, de manhã e de tarde. Resumindo: na Liga Nacional de 2000, peguei 12 pênaltis; tiros livres, perdi a conta. Na classificatória contra o Atlético, que era o melhor time, eu pegava tiro livre, lá em Minas; na semifinal da Liga Nacional, eu estava pegando um pênalti no Maracanãzinho e na final do Carioca, contra o Flamengo, peguei dois pênaltis, também no Maracanãzinho. Saí na foto de todos os títulos, porque eu estava no banco pra pegar pênalti. O Marcelo Rodrigues dizia, "esse goleiro passa o jogo todo se aquecendo. Nenhum goleiro, de qualquer outra equipe, se aquece durante o jogo, mas esse fica o tempo todo se aquecendo. É louco". Mas eu era só determinado, porque se surgisse um pênalti, eu estava aquecido e pronto pra pegar, entendeu?

Na falta de um psicólogo

Eu estava tão determinado a ficar bom que peguei todos os aparelhos da fisioterapia, levei para o meu apartamento e passei a fazer treinos de madrugada. Acordava e sentia essa necessidade: com o material em casa e não conseguindo dormir por causa da depressão, fazia fisioterapia, me cansava e ia dormir. *Não cheguei até aqui para uma lesão ou depressão me parar. Já estive mais longe, estou mais perto e tenho que ir mais fundo, que é jogar no maior time de futsal do Brasil*, pensei. Na época, não tinha psicólogo, éramos só eu, minha esposa e a filha recém-nascida.

Fisioterapia de madrugada

Deixei minha mulher em Fortaleza e fui para o Rio morar com três japoneses, embaixo de uma arquibancada, em 1996. Uma loucura, quando eu penso hoje. Os japoneses não falavam português, nos comunicávamos por mímica, e me acordavam às três da madrugada pra treinar. Eu acendia a luz do ginásio no Tio Sam, lá em Niterói, e ia treinar com eles. E aquilo foi ruim? Não foi, eram oportunidades, porque eles me ensinaram a ter muita disciplina.

De atleta para atletas

Hoje há muita informação para quem quer ser um grande goleiro. O talento e um ambiente propício também ajudam bastante. Mas mesmo sem, você consegue; com resiliência, não se desiste de forma alguma. E não passe despercebido. Mantenha a mente forte! Hoje, o jovem tem dificuldade de passar por uma frustração. Então, resiliência; aprenda a lidar com o "não", com a frustração. Estou hoje num cargo de confiança, quem me convidou foi o presidente do grupo Tramontina, que fatura oito bilhões de reais por ano. Ele me disse: "Guri, *tu consegue* assumir a gestão técnica do Carlos Barbosa?". Eu disse que sim, mas que precisava de um tempinho pra estudar, de forma científica, como fazer aquilo tudo na prática e estar na frente de todo mundo. Quase um ano depois assumi, e fui campeão da Liga, campeão da Taça Brasil, ganhei tudo naquele ano como gestor técnico. Ou seja, esteja preparado para as oportunidades, porque elas vão surgir.

A hora certa de parar

Dentro da bola da conquista eu tinha alegria, mas quando parei de ter prazer no que eu fazia, de entrar no vestiário, pôr aquelas joelheiras e dizer, "caramba, tenho que fazer isto de novo? O que eu estou fazendo aqui?". Eu estava em Joinville, liguei pra minha mulher e avisei que ia parar no final do ano, eu não tinha mais condições. Hoje corro de 20 a 30 quilômetros, me cuido, minha alimentação é a melhor possível, nunca estive tão em forma, poderia até jogar ainda, se eu quisesse, mas já sem prazer? Tendo conquistado tudo? Era hora de parar. Só aceitei fazer um jogo do Falcão, que eu não via há quatro anos. Mas, às vezes, vejo vídeos e me espanto de como eu era louco! Hoje estou mais tranquilo.

Maus investimentos

Tive frustrações ao parar de jogar, apesar de que parei com uma grana legal, mas investir em algo que não se conhece, não aconselho a ninguém. Foi um dos maiores erros da minha vida, mas não parei. Coloquei uma empresa de produtos licenciados, fiz *networking* com o futebol de campo, conheço todo mundo que trabalha nos clubes do Nordeste. Licenciei produtos do Fortaleza, do ABC, do América, Náutico, Sport, Remo, Paysandu e de mais cinco empresas.

Aprendizado de proativo

Foi um aprendizado, de falar, de se vender todo dia — não se vende uma caneca ou uma bola, mas você próprio —, determinante pra função de hoje no Carlos Barbosa, onde os 20 conselheiros são todos grandes empresários. Trimestralmente, mostro dados do porquê o time está ganhando ou perdendo. E estudo ainda, troquei a Educação Física por Administração e me dedico ao inglês. Sou proativo, não sei ficar parado.

Olhando para trás

O amanhã ainda me preocupa, mas bem menos. Antes, chegava agosto sem a equipe ter conseguido um contrato, era uma ansiedade exacerbada. Eu vivia muito no amanhã e, na atual função, trabalho planejando o futuro. Como eu já tinha isto em mim, agora é mais fácil. Penso o que vou fazer daqui a um mês, se uma logística, uma contratação, como o time pode chegar daqui a tantos meses. Pensar no amanhã me ajudou a ver tudo melhor.

Desafios da pandemia

A pandemia é um entrave para tudo, mas me ensinou muito. Fiz curso de Gestão do CIES, outro do Comitê Olímpico Brasileiro sobre Gestão de Esportes Olímpico e o do Felipe Ximenes. Elaborei dois *e-books* sobre gestão e planejamento do futsal e de que forma pensar. Então, a pandemia me permitiu estudar, a ter disciplina pra buscar conteúdo, a me replanejar, flexibilizar, adaptar, refletir sobre o que eu estaria pensando, se fosse o jogador. *Ah, vamos diminuir o salário, como no ano passado? Mas eu tenho que brigar pelo salário deles também.* Tenho que entender de cada departamento e também do atleta, e saber como posso cobrar. Antes se usava muito a motivação negativa e hoje só se consegue movê-los pela positiva. Aprendi a dialogar muito mais, como o Ximenes ensina. Está difícil a pandemia, mas em Carlos Barbosa, que foi colonizada por italianos, alemães, polacos, eles têm muito da disciplina europeia. Há muitos idosos e os filhos têm mais cuidado com os pais e avós.

Meus ídolos

Meu avô é meu maior ídolo. Ele foi a minha motivação, foi o cara que me mostrou caminhos, tinha um coração muito bom, ajudava todo mundo. E ele me dizia, "Pulhaculhá, meu filho, seja sempre uma pessoa boa. Podem fazer o mal que for a você, seja bom, porque a bondade sempre volta". Agora, no esporte, o ídolo, pra mim, são todos. Depois que parei de jogar, vi que os grandes ídolos não eram diferentes de mim, só mudava o esporte. Eles faziam sempre algo a mais. Quando leio a história do Djokovic, do Pete Sampras, do Oscar, o diferencial é que eles fizeram um algo a mais e tiveram muita disciplina pra chegar onde chegaram.

Os velhos amigos

O Marco Bruno é muito especial para mim. Quando fui *pro* Tio Sam, ele me tratava como filho, e no Vasco, em 1998, ficou sendo a minha família. A gente estava sempre junto e ele foi a primeira pessoa a estar comigo em Niterói, quando minha filha mais velha nasceu. O Barata, jogamos juntos no Rio. Outro da turma é o Luciano Meneghetti, meu preparador; aprendi muito com ele e ele aprendeu muito comigo. O Atílio foi outra pessoa sensacional, também. O Mancini... Nossa, quantas lembranças! São muitos amigos...

Futsal

Reflexões de um campeão mundial

Leonardo de Melo Vieira Leite, o **Leo Higuita**, *nasceu no Rio de Janeiro, em 06.06.1986. Começou a jogar aos seis anos de idade no Clube Social Ramos, e depois no CSSE, River, Flamengo, Fluminense, Vasco e Cabo Frio. De 2006 em diante, jogou profissionalmente no Cabo Frio (2006-09), Vasco (2009), MFC Tulpa (2009-10), Os Belenenses (2010), AFC Kairat (2011) e Seleção Cazaquistão (desde 2013). Por duas temporadas consecutivas, foi eleito o melhor goleiro do mundo (UEFA Futsal Champions League de 2015-16 e 2016-17) e vice-campeão na de 2018-20. Naturalizou-se em 2014 no Cazaquistão, onde foi eleito o melhor goleiro da Euro Futsal, disputada em 2018. Acumula ainda conquistas como o bicampeonato da UEFA Cup, o Mundial Interclubes e a medalha de bronze da Euro, em 2016, quando foi o principal nome da Seleção do Futsal, classificada para a Copa do Mundo. É considerado, pelo 5°. ano, o melhor goleiro de futsal do mundo.*

Atleta mirim

Toda criança quer ser atacante, fazer gols, mas cresci vendo o meu pai agarrar — ele era goleiro, mas não agarrava profissionalmente, e sim, em campeonatos de empresas e indústrias no Rio. E ele agarrava num nível legal, me inspirava muito. Eu o via tendo bastante coragem. Ele ia jogar umas peladas no Social Ramos Clube e eu, com meus seis anos de idade, ia com ele e ficava jogando bola, no campo, com uns moleques mais velhos e me atirando no chão. Certo dia, o presidente do clube me viu, perguntou minha idade, chamou meu pai e me convidou pra ir lá treinar dois dias por semana. Com seis anos de idade... foi assim que começou, como uma brincadeira, que foi ficando cada vez mais séria e me comprometendo cada vez mais.

Apoio familiar

Minha família viu que a minha alegria era jogar bola e me apoiou em todos os momentos. Sou grato demais a todos, irmãs, pai e minha mãe. Eles se desdobravam para que eu pudesse ir aos treinos. Não faltava comida, mas muitas vezes faltava dinheiro para o ônibus. Andávamos mais de doze quilômetros até o clube. Mais tarde, minha paixão por ser goleiro foi além de meu pai, eu vendo, com meus seis, sete anos, o Zetti agarrar — minha primeira referência! Meu ídolo. Eu gostava de pular e gritar "Zeeeeeettiiii!!!". E no futsal, tive o prazer de ver o Lavoisier agarrar. Meu pai não perdia um jogo sequer do Vasco. E eu joguei no Vasco, na época lendária dele, e pude acompanhar de perto os treinamentos do Lavoisier. Eu o olhava e dizia, "quero ser igual a esse cara". Zetti foi o começo e Lavoisier o empenho para a minha carreira no futsal.

Futsal ou futebol?

Com oito anos, fui chamado para jogar futsal no Vasco da Gama — quem não quer ir para o Vasco da Gama? Muitas crianças vão para esses clubes grandes quando atingem os nove, dez anos, convidadas a jogar futebol de campo, também. Então, eu joguei paralelamente o futsal e o futebol de campo, até os 14 anos... mas não cresci. Sempre fui bom no futebol de campo, muito técnico, acima da média da molecada da minha idade, mas eu não era alto, não era grande. Realmente, há preconceito com goleiros pequenos no futebol de campo e, lá no Vasco, não gostavam que a gente ficasse no futsal, queriam dedicação só ao campo.

O conselho paterno

O meu pai falou: "Não, cara, você gosta é do futsal, faz o que você quiser, o importante é você jogar aí tudo o que puder, está bom". Isso me ajudou, porque acho que eu estava prestes a ser dispensado do Vasco, já que estava sendo o quinto goleiro da minha categoria. Então, saí do futebol de campo do Vasco e fui para o futsal do Flamengo, onde fui campeão e iniciei o meu caminho. Aos 14, 15 anos, descartei o futebol de campo da minha vida.

O certo por linhas tortas

Tenho 1,81m, é uma altura boa, mas não posso ser hipócrita, *né*, porque, para futebol de campo, eu sou realmente muito baixo. Hoje em dia, os goleiros de futebol de campo são gigantes. De 1,88m pra cima. Seria difícil eu conseguir, hoje, a não ser em um clube muito pequeno. Talvez até tivesse abandonado pelo caminho. Mas Deus escreve certo por linhas tortas, então acabei indo *pro* futsal, me entregando de corpo e alma, e sendo o melhor na minha posição.

Transição e dificuldades

Quando está incorporado no profissional, com 17 anos, o moleque já ganha um dinheiro legal por mês, em clubes grandes. Eu tinha 18 anos, já era um homem de vontades, dívidas, as ambições extraquadra, e uma das coisas que pegou foram as finanças, porque o futsal no Rio não pagava muito bem. Eu praticamente tirava do bolso para estar no clube, viajar pra Cabo Frio, ir treinar todos os dias. Foi minha maior dificuldade nessa transição juvenil-adulto.

Dinheiro curto

Meus pais sempre me deixaram despreocupado pra poder seguir o sonho. Enquanto pudessem, me bancavam um dinheirinho pra semana. E era tudo sempre bem à risca; se eu fugisse da linha, ficava um ou dois dias sem comer. Muitos ficam pelo meio do caminho, porque, por exemplo, tem jogador de 18 anos já com filho. Se não está sendo bem remunerado, ele acaba indo para um emprego, não tem mais tempo de praticar e acaba abandonando o esporte. Essa é a hora dos "vamos ver", pode-se dizer assim, *né*? Mas meus pais puderam me dar esse respaldo, do contrário, talvez eu procurasse um emprego e esqueceria o futsal, como muitos fazem.

A realidade do Brasil

A gente sabe que há muitos jogadores de talento, muitos mesmo, mas que não têm o principal, que é o apoio. Se o moleque nasceu numa favela bem humilde, ele não tem apoio algum, então, alguém vai ter que *abraçar ele,* porque sozinho, vai ser difícil. A realidade do nosso povo humilde é essa. Sem apoio dos pais ou de diretores, de pessoas próximas para apadrinharem o moleque, ele fica pelo meio do caminho com um talento enorme. E outros que nem têm tanto talento, mas têm um apoio, vão conseguir.

Vacilos diante do inesperado

No final de 2004, passei no peneirão do juvenil; eu tinha 17 anos e machuquei feio o ombro, que saía do lugar a toda hora. Procurei onde ser operado e alguns médicos me disseram pra mudar de esporte, porque meu ombro nunca mais voltaria a ser o mesmo e tal. Aí, eu consegui com muita luta, um plano de saúde no Vasco e me operei com um amigo pessoal do Michael Simoni — o Dr. Douglas, um cara sensacional, da linha do Michael, desses caras bem pra frente, bem lúcidos, bem esclarecidos. Se antes de operar era difícil financeiramente, depois então...

> **"Fiquei seis meses fazendo fisioterapia, me alimentando e pagando do meu bolso. Pensei, *caramba, será que é isso aí que eu quero? Vai valer a pena esse sofrimento todo e o investimento que meus pais estão fazendo?*"**

Mas ao voltar a jogar, voltou junto a esperança, *né,* o coração batia forte, aquele frio na barriga, numa partida e tal. Mas balancei enquanto me recuperava da lesão. O dinheiro só saía. Até a minha esposa, que já estava comigo na época e trabalhava, me dava dinheiro. E eu, duro, operado e sem poder fazer nada. Então, todo mundo se mobilizou para me ajudar, porque a minha cabeça realmente chegou a dar um entrave ali, de pensar se era aquilo mesmo o que eu queria.

A psicologia para os atletas

A psicologia é muito importante, pois cada atleta tem sua forma de pensar e reagir às situações ao seu redor. Às vezes, pensamos que estamos bem e confiantes, mas não estamos e falhamos. Um acompanhamento psicológico para o atleta é fundamental, não importa a faixa etária. Ajuda a desenvolver a resiliência e o equilíbrio emocional, pois corpo e mente andam juntos, quando um não funciona, o outro também não. Sem motivação, não existe atleta que consiga vencer só com a força mental. Vontade e força mental andam lado a lado, e nisso entra a psicologia.

"Minha maior motivação é entrar em quadra e não decepcionar nenhuma das crianças que estão esperando o melhor goleiro do mundo ter uma atuação como o melhor do mundo"

A pureza das crianças

Alguns repórteres fazem perguntas parecidas, assim, "Higuita, você é cinco vezes o melhor goleiro do mundo, como você consegue se superar?". Digo que tiro das crianças a minha motivação. E é verdade. Sou um cara que acredita muito na energia positiva das crianças. Esse algo mais, essa superação, é por elas, que chegam e dizem, "pô, Higuita, você é o melhor, mas você falhou". E falam a verdade! Você sente a verdade das crianças! O que mais me motiva é entrar em quadra e não decepcionar nenhuma delas, que esperam o melhor goleiro do mundo ter uma atuação de melhor do mundo, *né*? A criança é um termômetro pra nossa vida, fala com a maior pureza, de um jeito tão inocente, na sua cara. Quando eu erro, elas mandam mensagens, me cornetando. Penso também na minha família, que está lá, sempre torcendo por mim.

Receita para ser o melhor do mundo

Dediquei minha vida inteira a esse esporte. Não tive infância, de brincar na rua, descalço, soltando pipa e tal. Eu vivia dentro dos clubes; quando não, dentro da escola. Ia da escola para o futebol de campo e daí, para o futsal; no sábado, futebol de campo; domingo, futsal. Não digo que foi uma infância perdida porque foi um investimento, mas "perdida" porque não brinquei, nem tive amigos na rua. Eram sempre os amigos do esporte. Mas valeu a pena, por tudo o que eu passei, todo mundo que participou, meus treinadores, pais de amigos que faziam o trajeto e me buscavam pra levar *pro* treino. Quando você vai juntando as peças do quebra-cabeça, vai vendo que uma coisa foi levando à outra. Eu sou o melhor por causa dessas pessoas.

Um cara realista

Sou um cara bem pé-no-chão e sei ser soberbo, quando é preciso ser. Quando me perguntam eu falo que, se fui eleito o melhor, eu me sinto o melhor. Há outros goleiros do meu nível, só que independe de mim; são as pessoas que escolhem e estou preparado pra continuar sendo o melhor. A sensação maior é que essa trajetória toda me levou a isso. Fico muito orgulhoso de mim mesmo, porque realmente eu fui bem guerreiro pra estar sempre bem no esporte e na escola, pois os meus pais sempre cobraram muito. Tenho muita força e, não sendo o melhor de prêmio, quero ser o melhor dentro de quadra, sempre. E isso que ainda tem um pouquinho de história do Higuita pela frente, antes de parar...

Obstinado desde criança

Quando pequeno, eu era muito ativo, aprendia as coisas com muita facilidade e praticava até conseguir fazer direitinho aquilo ali. Na época, eram, e ainda são, uns cinco goleiros de nove ou dez anos de idade com chute a gol, e vão cinco chutes pra cada um. Eu ficava observando os goleiros que vinham antes de mim e pensava, *se eles não tomaram gol, eu não posso tomar também, caramba, vou agarrar tudo*! E ia a milhão em todas as bolas.

Broncas dos pais

Meus pais não me cobravam competitividade, mas muita concentração no treinamento. Eles me me davam umas duras, assim, "você é criança, eu entendo, quer brincar, quer conversar, mas é só uma hora e meia por dia que você vai prestar atenção no treino, depois você vai correr, dar cambalhota, estrela, brincar de pique-esconde, o que você quiser". Então, fui me concentrando mais nas informações do treinador e nos gols que os outros goleiros tomavam e que eu não queria tomar, e fui me acostumando com essa disciplina. Porque eu sabia que ia tomar um *esporro* da minha mãe e do meu pai, eles iam de vez em quando no treino, *né?* Acho que isso me levou ao sucesso, porque sempre fui o primeiro goleiro, nunca o reserva, quando pequeno.

O divisor de águas

O "Higuita" apareceu na vitrine do mundo como um goleiro

diferente, da nova era do futsal, em 2013, quando fomos campeão da Liga dos Campeões, a Champions League. Depois daquele ano, muitas coisas mudaram no futsal, inclusive contratações de goleiros de outras equipes, com características parecidas com a minha, de fazer gol, de chegar na frente. Então, ali foi onde o mundo conheceu o Higuita e ali marcou uma nova era dos goleiros de futsal. Aquele título foi o divisor de águas da minha carreira. Depois, foi só subindo.

Trajetória no exterior

Saí em 2009 do Vasco e fui para o Tulpar, numa segunda equipe de outra cidade aqui do Cazaquistão. Fiquei uma temporada e meia nesse clube e saí. Depois, fiquei seis meses no Belenenses, em Portugal, e voltei em 2011 para o Cazaquistão, mas para o Kairat, clube em que estou até hoje. A primeira vez, fui sem a esposa. Fiquei nove meses, na cara e na coragem, pra ver se ia dar certo, e a adaptação foi difícil, por causa da língua russa. Hoje, aqui, se ouve muito o cazaque, idioma local, mas quando cheguei era pouco falado, mesmo todos sabendo. Agora, a situação é outra. Há tradutores e o cara nem faz questão de aprender a língua.

"Não foi o frio o maior empecilho, mas a língua, não poder expressar o que eu sentia, falar olho no olho, pra poder ganhar a confiança do jogador. O que mais me pegou foi mesmo a língua. Difícil demais aprender o russo"

A barreira dos idiomas

Gosto de me expressar, de falar o que estou sentindo e, como goleiro, estou vendo os jogos, os erros, vejo tudo dali de trás. Era muito difícil me entender com os moleques; eu podia truncar o sentido de uma coisa ou outra, não conhecendo a cultura, não sabendo direito o que estaria falando e acabar sendo mal interpretado. O que mais me pegou foi mesmo a língua. Difícil demais aprender o russo. E se falava pouco inglês aqui, na época; eu, também, só arranhava. Então, não foi o frio o maior empecilho, mas não poder falar olho no olho, pra poder ganhar a confiança do jogador. Você pode estudar alemão no Brasil, mas vai chegar na Alemanha e ter, na prática, enorme dificuldade de se adaptar, porque há o dialeto, o sotaque, tudo envolvido.

Importância dos estudos

A gente sabe que o esporte, quando jogado em alto nível, é difícil de se conciliar com o estudo, porque são muitos jogos, muitos treinos, e tem-se também que cuidar da mente e do corpo. Fiz três períodos de faculdade de Educação Física e, quando vim para o Cazaquistão, não consegui mais conciliar. Minha carreira foi ficando cada vez mais intensa e não pude me formar. Mas o atleta que consegue conciliar está fazendo a melhor coisa para ele. Se puder se preparar, antes de parar de jogar, melhor ainda. Eu me vejo precisando fazer cursos, me preparar de outras formas, mas quero me formar, ganhar o meu diploma universitário. É uma prioridade para logo que eu parar de jogar.

O grande orgulho

Ser pai é um orgulho, porque ter uma criança sem saber se já está preparado para educar, não é fácil. No entanto, acho que estou me virando muito bem. Estou muito orgulhoso de mim como pai e da mãe que a minha esposa é. Ainda mais porque nossa filha está num país diferente e falando o português, o russo e o inglês, com apenas oito anos de idade. Então, me vejo abrindo para ela um leque de oportunidades que muito poucos brasileiros podem ter. Ela vai levar para a vida toda esta basezinha que estou dando a ela.

Conselho a futuros atletas

Muitos adolescentes querem desistir do esporte, às vezes, porque estão na reserva. Mas o mundo dá voltas. Tive muitos amigos que sempre foram reservas e viraram profissionais de nome, estão fora do país e ganhando bem. Outros, ao contrário, eram jogadores de Seleção Brasileira de base e não se tornaram profissionais. Eu repito pra essa molecada o que todos nós, atletas, sempre dizemos: acredite no sonho e corra atrás. Comecei a ser atleta aos 20 anos, até me profissionalizar, tive muitos altos e baixos. Você pode até não se tornar profissional da modalidade que quer, mas o esporte abre portas, sabedoria, excelentes amizades, influências.

Ir ao limite

O esporte é só o bem, são pessoas boas ao seu redor. Vá ao limite, quando não der mais, beleza, você estará maduro pra ter a sua escolha. Mas tendo chances, segue firme, porque quando menos se espera, acontece. O meu pai dizia: "Leo, joga o teu jogo, leve a sério, porque tem sempre alguém olhando, que vai falar pra mais alguém". Neste mundo globalizado, então, dê o seu melhor e tenha esperança de que vai dar certo.

Mais do que talento

No futebol brasileiro, há muitos bons. Mas vários têm o dom e não perseveram, não têm a gana, acham que com talento podem tudo, *né?* Sem disciplina e fé, não se deixa outros milhões de talentosos para trás. Antes se jogava futebol com a cabeça, sendo inteligente. Mas os inteligentes, hoje, não vão conseguir nem tocar na bola dentro de campo, se não tiverem a velocidade do jogo, pelo organismo dos jogadores, a força, a explosão. O esporte está cada vez mais corporal. É uma vida bem tensa e concorrida. É preciso aquela dedicação, aquela concentração, aquele regime, aquela dieta, aquelas noites bem dormidas. Isso vale para todos os esportes.

> **"Antes, se jogava futebol com a cabeça, sendo inteligente. Mas os inteligentes, hoje, não vão conseguir nem tocar na bola dentro de campo, se não tiverem a velocidade do jogo, pelo organismo dos jogadores, a força, a explosão. O esporte está cada vez mais corporal"**

Pressão de torcidas e mídia

Os cazaques são lúcidos quanto ao esporte e valorizam por saber que o atleta é uma peça rara. No Brasil, muitos não têm essa percepção, de que se um jogador é de alto nível, não é porque caiu de paraquedas ali, mas porque sabe jogar, de fato. Aqui a pressão da torcida é menor, pois eles sabem valorizar também a equipe adversária. Com a imprensa também é tranquilo, até porque não há aquelas mesas redondas como no Brasil, onde os caras ficam conversando umas groselhas por três horas. A mídia aqui quer é arrancar uma boa matéria e não avaliar o jogador e, com isso, joga-se mais livre, sem a pressão de ter que vencer. A pressão vem de dentro da gente.

Referências na carreira

Eu já estava no Kairat quando, dois anos depois, chegou o Cacau, treinador que foi campeão comigo na primeira Liga dos Campeões. Ele apostou nesse estilo de jogo. Pôs um padrão no time pra jogar com o goleiro e deu certo. "Ó, faz o que você quiser, se errar não tem problema, a culpa é minha." Cacau, com certeza, é o maior responsável pelo meu sucesso aqui na Europa, foi o que apostou no meu estilo de jogo. Vieram as vitórias e a hegemonia do nosso clube. Ele é um cara muito marcante pra mim. Construímos um vínculo estreito de amizade, fora da quadra também. O Marco Bruno, que me achou num clube pequeno e me levou para um grande, também me foi muito importante, além de cuidar de mim, muitas vezes como um pai.

O pós-carreira

Ainda não tenho plano pós-carreira. Como eu te falei, estou me formando para o que der e vier pra mim, eu podendo estar preparado para qualquer cargo, de gestor, diretor, supervisor, preparador físico, treinador, auxiliar técnico. E vou querer crescer e ser também referência, por ser muito competitivo, jamais vou me largar, jamais. A gente sabe que tem que começar com humildade, ouvindo mais que falando, aprendendo até seguir andando com as próprias pernas, *né?* Quero continuar dentro do esporte, que é o que eu fiz a vida inteira, estou há quase 30 anos na área. Do que mais eu posso falar com propriedade? Só do esporte, mesmo. Do resto, que eu não sei, fico calado.

Olhando para trás

Acho que eu não mudaria nada se voltasse, sabia? E acho que tem fé envolvida nisso: eu posso ganhar do time favorito, posso *tampar* esse gol aqui. Fui convocado para a Seleção Brasileira e disse "não", pra poder ser cazaque. Não me arrependo. Lógico, houveram erros cruciais dentro de quadra que me marcaram. Mas, quanto a administrar a minha carreira, eu faria tudo igual.

O legado

Meu legado é a minha marca, o novo estilo de goleiro de futsal, e mostrar que o Higuita veio do Brasil, onde não era uma estrela, chegou num país que não era o *top* da Europa, seguiu num clube pequeno e hoje, aí, ó: cinco vezes o melhor goleiro do mundo. Quando eu parar de jogar e tiver a minha biografia, vão ver o que se passou na minha carreira. Realmente, tive falta de oportunidade no Brasil, mas acreditei em mim e perseverei. Hoje estou num dos melhores times da Europa como um multicampeão e, principalmente, construí a minha família.

Mãe-heroína

Minha mãe foi realmente uma heroína, porque meu pai trabalhava viajando muito e ela se desdobrava pra me levar aos treinos. Minha mãe administrou a minha infância e a adolescência com uma tal sabedoria... passamos por tantas dificuldades, ela também tendo que trabalhar longe de casa e ao mesmo tempo, estando sempre tão presente. Ela me deu estrutura, sabia dizer "não" quando tinha mesmo que dizer, aprendi com ela a dar valor às pequenas coisas. Ela foi entendendo futsal com o tempo, vendo talento em mim e dizendo: "Vou fazer de tudo pra você continuar". Então, quem salvou a minha vida foi realmente a minha mãe.

A pandemia

A pandemia afetou financeiramente os clubes, mas conseguimos ser flexíveis, porque todo mundo sofreu. E eu aproveitei a parada para me recuperar de uma lesão no púbis, muito séria, muito chata, e voltar bem na pré-temporada. Fiquei totalmente desgastado, trabalhando sem pausa, sem férias, por duas temporadas. Meu corpo ficou um caco. Preciso agora só ficar quietinho, deitadinho, vendo tevê, tomando água, fazendo um churrasquinho, para me recuperar, porque o retorno da lesão é muito intenso, você tem que trabalhar muito forte.

GUSTAVO LOBO PARADEDA

Futsal

De diversão a um negócio certeiro

O ex-goleiro **Gustavo Lobo Paradeda** *nasceu em Pelotas, Rio Grande do Sul, em 05.02.1979. Jogou, de 1997 a 2017, nos seguintes clubes: Atlético Mineiro, Internacional, Ulbra, Carlos Barbosa, Londrinense, Kairat Almaty, Dínamo Moscou e Sibiryak. Aposentou-se aos 38 anos e se tornou treinador do MFK Rostov, na Rússia, onde vive atualmente. Gustavo foi também um dos gestores que conduziu o Paulista UFPel na campanha Série Ouro da Federação Gaúcha de Futebol de Salão. Coleciona os títulos: Mundial Futsal 2016, Euro Futsal 2016, Euro Futsal 2014, Euro Futsal 2012, Mundial Futsal 2012 e o de Melhor Goleiro do Mundo.*

O sonho do menino e o dos pais

Diferentemente de alguns atletas, que precisam do futebol para o sustento futuro da família, tive um pai que nunca deixou faltar nada em casa; ele é advogado aposentado e minha mãe era dona de casa. Graças a Deus, nunca passei necessidade alguma, tive uma condição de vida que me favoreceu em tudo e de repente, me tornei jogador. Foi tudo muito rápido. Por volta dos sete anos, comecei a andar em clubes e logo passei a jogar futsal, e também no futebol de campo, mas, nessa época, eu ainda não era goleiro. Claro, meu sonho era igual ao de todo menino que queria jogar futebol de campo e um dia ir para a Seleção. E claro que o meu pai, muito sensato, como todo bom advogado, e também a minha mãe, diziam: "Você vai jogando, mas quando começar a escola, vai ser complicado". Eles sempre me apoiaram, mas até determinado limite, que não ultrapassasse o sonho deles — que era o mesmo de qualquer pai: um dia ver o filho se tornar advogado ou médico, e progredir.

Olho de mestre

Por volta dos dez anos, meu professor de Educação Física, que trabalhava num dos principais clubes da cidade, me perguntou se eu tinha interesse em jogar na categoria, e no gol — eu sempre joguei no gol. Penso que isso já era olho de professor. Até então, eu não era sócio no clube, mas fiz o teste, que geralmente demora, sei lá, uma semana, e passei no primeiro dia. Ele falou, "ó, todo mundo gostou, você vai ficar". *Como assim, vou ficar? Eu fiz um só um treino...* Mas estava tudo certo e, claro, me tornei sócio do clube, porque, até então, éramos obrigados a participar do quadro social do clube. E comecei a jogar futsal.

Chovendo na horta

No primeiro ano, já fui como goleiro e estava tudo ótimo para os meus pais, até então. Era um clube social, fechado, tudo bem cuidado, me deixavam e pegavam na porta, eles nunca me deixavam andar a pé e nem de ônibus. Sabe aquele filhinho da mamãe? Era o próprio. E tinha tudo pra dar errado, a carreira de jogador de futebol, mas não deu. Fomos campeões estaduais na categoria infantil e eu fui eleito o melhor goleiro. Daí, a diversão passou a se tornar um negócio, porque comecei a ser profissional e eu não só estava gostando, como estava tudo dando certo.

Campeão mundial aos 17 anos

Minha mãe foi o carro-chefe da família. Ela ia em todo jogo e em toda viagem comigo, sempre me dando muito apoio. O pai me apoiava, mas não era um cara que ia comigo ou ia assistir aos meus jogos. Era mais quieto, mais na dele. Bem, terminar os estudos é o sonho de toda mãe e pai para o filho, e aconteceu que, justo no dia do meu aniversário de 17 anos, acabava o meu curso na escola e eu tinha um teste no futebol de campo. Dois dias antes desse teste, me liga o diretor do Internacional de Porto Alegre, que na época era o Inter/Ulbra, o atual campeão da Liga de Futsal; eles tinham uns seis jogadores de seleções. O diretor, então, me fez uma proposta financeira e me deu, inclusive, a oportunidade de estudar na Ulbra, que naquela época, era a universidade patrocinadora.

"Com 17 anos, qualquer coisa era lucro pra mim, mas meu pai vetou na hora, 'não, tu é muito novo'. Já a minha mãe, viu uma chance de estudo"

"Só jogar não, *tu vai* continuar estudando, meu filho". Cheguei no Internacional com 17 anos; em um mês e meio, teve um campeonato mundial — o primeiro organizado pela FIFA em Porto Alegre. Na final, jogamos contra o Barcelona e acabamos sendo os campeões. Quer dizer, aos 17, eu já era campeão mundial de futsal. A carreira então deslanchou e eu não tinha mais como voltar atrás.

Começo do profissional

Morando em outra cidade, longe dos meus pais, eu era, até então, tranquilo. Nunca fui um cara que gostava de sair muito, ao contrário. Gostava de ficar em casa, vendo tevê e cuidando das minhas coisas. Dos 16 aos 19 anos, joguei sempre no mesmo time, que me dava os estudos. Aos 20 anos, recebi proposta de ir para outro time, noutra cidade. Mas, por causa dos estudos, só fui no ano seguinte. Nessa época, eu já era financeiramente independente, há cinco anos morava sozinho e estava com o Lavoisier, na ACBF. Nós tínhamos sido campeões da Liga Nacional e me chamaram para renovar o contrato. E eu recusei. Eu queria ir embora, pra investir mais em mim, porque, até por ser muito novo, eu nunca era o primeiro goleiro em todo lugar que eu jogava. "Ah, não? Como que *tu quer* ir embora?" E fui. De lá, fui para o Paraná, jogar no Londrina, por um ano e meio. Com 23 anos, surgiu a proposta de eu ir para o Cazaquistão, ninguém conhecia nada ainda do Cazaquistão, era uma equipe nova e com grandes planos.

"Joguei em Porto Alegre, em Canoas, depois no Carlos Barbosa e no Londrina, fui indo aos poucos, cada vez mais, para longe de casa. Mas dali para o Cazaquistão, era uma epopeia, um negócio muito maior... ninguém acreditava"

O vai-não-vai para o Cazaquistão

A primeira pessoa que consultei foi o meu pai, que, além de advogado, foi professor universitário de História, e ele começou a me explicar a situação. "Filho, é a antiga União Soviética. Lá, a vida é diferente." Ele ficou meio com medo porque, mesmo com quase 24 anos, queira ou não, *tu tem* um filho pra ainda ficar controlando debaixo da asa. Eu joguei em Porto Alegre, em Canoas, depois no Carlos Barbosa e no Londrina, fui indo aos poucos, cada vez mais, para longe de casa. Mas dali para o Cazaquistão, era uma epopeia, um negócio muito maior... ninguém acreditava.

A recusa dos pais

E meu pai disse "não" à minha ida para o Cazaquistão. Eu entendia a preocupação dele, mas a proposta financeiramente era muito boa; eu não tinha como recusar. Minha mãe, naquele choro, aquele desespero de mãe, "não, meu filho, é muito longe", aquele drama. Mas eu vim para o Cazaquistão, na época, para o Kairat, numa equipe que estava recém-começando, e joguei cinco temporadas. Na minha segunda temporada de clube, conheci minha esposa, me casei e o meu primeiro filho nasceu em Almaty, que é onde mora o Higuita hoje. Em cinco anos no Cazaquistão, ganhamos tudo; jogamos até a Copa UEFA.

Na Sibéria

Quando surgiu a proposta de ir para a Rússia, eu disse pra minha mulher, "ah, vamos pra lá". Porque a Liga do Cazaquistão, em nível mundial, é a mais fraca e a Liga da Rússia é uma das mais fortes, financeira e competitivamente. Acabou o meu contrato e fomos para a Sibéria, onde eu joguei por quatro anos e onde nasceu o Leonardo, meu segundo filho. Lá, no segundo ano, eu me tornei russo porque minha mulher e meu primogênito, sendo naturais do Cazaquistão, e meu segundo filho da Sibéria, era mais fácil conseguir o passaporte. Os colegas do clube me propuseram e, claro, foi tudo feito. O dono do time era filho do governador da Sibéria e isso facilitou demais. Logo as portas se abriram: o treinador da Seleção me chamou e a partir daí, joguei sete anos seguidos pela Seleção da Rússia.

O melhor lugar do mundo

No quarto ano, ainda na Sibéria, recebi proposta de ir para o Dínamo Moscou, com contrato de cinco anos. Eu estava com 32 anos. O Dínamo Moscou, esse clube que eu estava na Liga Russa, sempre foi o *top* dos times. Na época do Kairat, a gente jogava no campeonato europeu contra eles, e era um time que sempre teve muitos brasileiros; o Cirilo jogou lá por muito tempo, também. E o último contrato já era caminho para aposentadoria, e aí, fomos morar em Moscou. Se eu tivesse dinheiro sobrando, eu morava para o resto da vida em Moscou, que é a melhor cidade do mundo pra se viver. Ficamos cinco anos lá.

"Se eu tivesse dinheiro sobrando, eu morava para o resto da vida em Moscou, que é a melhor cidade do mundo pra se viver. Ficamos cinco anos lá"

A hora de parar

Parei de jogar com 38 anos, mas, antes, eu já notava que a minha cabeça não era mais de jogador, eu conseguia ver o outro lado das coisas, era mais simples. Vi que a carreira estava chegando ao fim. E eu não queria terminar por baixo, porque sempre fui muito exigente comigo mesmo, sempre quis estar entre os primeiros e passei praticamente sete anos entre os melhores: fui eleito o melhor do mundo, em 2013. Eu não podia acabar a minha carreira jogando, sei lá, num time da segunda divisão, recebendo dois mil reais por mês e tomando cinco frangos por jogo. Eu falo para os meus filhos, que jogam futebol — atrás da camiseta de vocês tem um sobrenome e custa muito caro fazer, vocês têm que respeitar esse nome, têm que ter muita vontade pra jogar.

Reserva, não!

Quando eu decidi parar, pensei, *preciso parar bem*. E parei no ano em que tive lesão de joelho, de ombro e de cotovelo... vi que alguma coisa estava me levando a parar. O dia a dia já estava cansando, as viagens, a questão de hotel, o treino — e eu sempre fui louco por treino —, e eu estava no clube em que eu queria terminar a minha carreira, juntou tudo numa coisa só. Conversei com a minha esposa que, se eu continuasse a jogar, correria o risco de logo não conseguir mais manter o mesmo nível e ser reserva, o que eu nunca aceitaria. Fui um goleiro não acostumado à reserva.

Dando adeus

No meu último campeonato mundial, quando perdemos a final para a Argentina e a Rússia foi vice-campeã, eu já via o treinador inclinado para a possibilidade de eu não jogar, porque eu estava com uma lesão. Fiz um esforço absurdo, contratei um fisioterapeuta, fiz de tudo pra chegar no mundial. Eu disse, "vou jogar o mundial no final do ano e deu". E lá, me despedi da Seleção. Fizeram também uma despedida pra mim, muito legal, agradeci muito e disse, "*tá* na hora". Porque ser atleta de alto nível, não é simples.

> **"Se depois de sete anos sendo o primeiro goleiro da Seleção da Rússia, que não é o seu país, você vier a fazer qualquer erro, você será julgado 20 vezes mais do que se fosse um russo no seu lugar"**

É uma carga muito grande sobre os ombros da gente. Então, você chega no limite e se toca: *deu, já está ótimo.* Ali, conversei com a minha esposa que já era hora de voltarmos para o Brasil. Tínhamos nossa vida na Rússia, apartamento, carro, essas coisas, mas simplesmente largamos tudo e voltamos de mala e cuia para o Brasil. E ali, terminou minha carreira de atleta.

A guinada na pandemia

No Brasil, fiz parte de um projeto de futsal na minha cidade e logo no primeiro ano fomos vice-campeões estaduais Sub-20. O projeto estava indo bem até chegar a pandemia e dar aquela parada. Nesse meio-tempo, surgiu uma proposta da Rússia para eu voltar como treinador, que nunca imaginei que aconteceria. Pedi a opinião do professor Felipe Ximenes e ele disse, "Gustavo, estamos no meio de uma pandemia. As oportunidades surgem. Não está escrito em livros que você vai se tornar treinador, mas se a chance veio, não pense muito. A decisão tem que ser tomada". Em três dias, eu tinha que dar a resposta. E o

Ximenes continuou: "Então, meu amigo, não pense no futuro, pense no hoje. Vale a pena? Veja com a sua família os prós e os contras".

Decisão em cinco minutos

Minha esposa concordou com o Ximenes: "*Tu está* há dois anos no Brasil, o projeto foi *tu que fez, tu correu* atrás, ninguém te chamou para um time, até porque a tua história foi construída na Rússia. E você não vai aceitar um convite desses, e de alguém como o presidente da Federação Russa de Futsal?!". Sim, quem me ligou primeiramente não foi o clube, mas o presidente. Uma honra para mim. E é claro que aí entra também aquela história, a minha esposa e meus filhos são russos, todos estavam com saudades daqui. Em cinco minutos, tomei a decisão. O destino me chamou de novo, largamos tudo no Brasil, voltamos e estamos aqui até hoje, felizes.

Gols do treinador

Eu pensei, fui gestor por dois anos do projeto no Brasil e foi ótimo, tranquilo. A vida toda estive no meio da questão técnica e como goleiro, você vê tudo de frente. Em questão de treinamento, não há grandes dificuldades pra mim, eu gosto, eu curto, eu vejo. Cheguei aqui e o meu time, entre 14 equipes, estava em décimo-terceiro colocado no campeonato. Mas quando assisti, vi que ele tinha qualidade e que teria mais a crescer. De início, o objetivo era classificá-lo entre os oito dos *playoffs* — eram duas chaves de 14 times em cada conferência — e nos classificamos em oitavo lugar, dentro da nossa conferência. Enfrentamos o primeiro colocado, ganhamos deles e os eliminamos do campeonato. Fomos para as semifinais. Quando fomos jogar a decisão do terceiro e quarto lugares, meu time já estava praticamente destroçado. Ganhamos em casa, mas, infelizmente, não aguentamos e perdemos fora. No entanto, para o primeiro ano, entre 28 equipes, nós terminamos em quarto colocado.

Receios e insegurança

No Cazaquistão, foi tudo tranquilo. Consegui jogar, demonstrar, crescer na carreira. Já na Rússia, há um limite para estrangeiros e, na época, éramos quatro brasileiros e só três poderiam jogar. Eu sabia que tinha perspectiva, mas não sabia quando sairia o passaporte. Fiquei praticamente seis meses do campeonato sem pegar lista pra jogar. O treinador priorizava um goleiro russo e três jogadores brasileiros de linha... este foi um momento crucial pra mim. Pensei muito se não valia a pena voltar para o Brasil. Mas, com o passaporte, tudo ficou mais fácil por eu ser goleiro, pois na Rússia não há muitos. Eu sabia que teria emprego, pelo resto da carreira eu teria time pra jogar, então, não me preocupei mais com isso.

"Liguei para o meu pai para contar que estava pensando seriamente em parar. Duas lesões na cabeça? Vai que é um sinal do Homem lá de cima..."

O drama das lesões

Tive a primeira lesão na Sibéria. Consegui quebrar o osso frontal da cabeça, que dizem ser um dos ossos mais fortes do corpo humano. Perdi a memória e fiquei em observação, caso estivesse com algum sangramento craniano. Foram três semanas de hospital e os médicos fizeram de tudo. Voltei depois para a revisão e o doutor falou: "Gustavo, você vai ter que se acostumar com o seu reflexo. Seu tempo de reação vai ser outro. Aquelas bolas que *tu pegava, tu não vai* conseguir pegar mais. Você vai ter que se cuidar, presta atenção nisso, porque vai ser diferente e você vai notar". Saí dali arrasado! Essa lesão na cabeça te deixa meio devagar.

Outra lesão na cabeça

Um dia eu estava num supermercado e passou uma pessoa ao lado com um carrinho. Levei um susto, só que o carrinho já estava lá na frente! Aí, pensei, *meu Deus, será que esse doutor tem razão?* Mas segui jogando e usando a proteção na cabeça indicada pelos médicos para não ter outra lesão nesse osso frontal nos seis meses seguintes e nada me aconteceu. Nesse meio tempo, troquei de clube, vim para o Dínamo de Moscou e tive outra lesão na cabeça. Como já tinham se passado os seis meses de recuperação, tirei a proteção e caí de novo. O cara bateu, eu virei, caí de cabeça pra trás e apaguei por meia hora na quadra. Acordei no hospital. Pus a mão na cabeça e senti um ovo... era gigantesco! Na hora, me apavorei. *Meu Deus do céu, de novo, a cabeça!* Só que estava tudo bem, que alívio.

Sinal do "Homem"??

A minha esposa estava na casa de uma irmã, na Alemanha. Ao saber pelas mulheres dos outros jogadores, ela pegou um avião, chegou em Moscou e ao me ver, disse, "você nunca mais vai jogar sem esse capacete". Juro, eu pensei muito. Liguei para o meu pai para contar que estava pensando seriamente em parar. Duas lesões na cabeça? Vai que é um sinal do "Homem" lá de cima... E ele, que fala pouco mas é certeiro, disse: "Meu filho, sabe o Michael Schumacher, que corria pra lá e pra cá a 350 km/h naquele carrinho e nunca aconteceu nada, mas foi andar de esqui, bateu e até hoje sofre as consequências? Você acha que parando, a carreira te livrará dos riscos? Segue com a carreira, filho". E assim eu fiz...

Sem arrependimentos

Conheci a minha esposa, conheci países, culturas, línguas, falo hoje russo fluentemente, tudo pelo futebol. Claro que sempre sonhei jogar futebol de campo, mas pode ser que o campo não me daria o que o futsal me deu. Então, eu não mudaria absolutamente nada, se eu voltasse atrás. Sonhei muito grande como atleta e tive várias vezes pra conquistar uma Copa UEFA de futsal, tanto de seleções como de clubes — fui quatro vezes vice-campeão, duas vezes de seleções, duas de clubes. Quando me surgiu a proposta de ser treinador, determinei que voltaria para a Rússia pra concluir aquele processo, agora como treinador. Se como atleta não deu pra ganhar muito, eu recomeço com a motivação de, um dia, chegar a isso que faltou na minha carreira como jogador.

Adaptação a outra cultura

Quando a pessoa chega noutro país, ela não pode querer que todo mundo se adapte a ela, é o contrário. Hoje eu treino dois brasileiros no time e vejo um que tenta se adaptar às coisas locais e o outro que simplesmente diz que a vida aqui tinha que ser como no Brasil. Mas nunca vai ser. Você tem que saber o básico da língua russa, procurar comer da culinária local para saber o que gosta e o que não gosta, porque não vai ter arroz com feijão, claro. A questão do frio: quando eu cheguei no Cazaquistão, até não era tão frio, mas tinha neve. Eu sou gaúcho e o frio que se sente dentro de casa, no Rio Grande do Sul, a gente não sente aqui, porque tem calefação em todo lugar. Mas a língua é o principal. Nos primeiros seis meses, era praticamente zero, depois, aos poucos, fui me interessando e procurando aprender. Claro que depois de conhecer a minha companheira, já era mesmo por necessidade.

Dicas de treinador para atletas

No primeiro dia que cheguei como treinador, eu simplesmente proibi a palavra "cansaço". Perguntei ao presidente em que lugar estava o nosso time. E estávamos em penúltimo. Então, tinha alguma coisa errada, estavam treinando de menos, que é a primeira coisa que se vai atrás, tínhamos que trabalhar sem cansaço e sem reclamar. Quando me falam que eu fui o melhor goleiro, respondo que nunca fui, nem o da minha geração, ou da minha cidade e do meu estado. Mas uma coisa eu sempre fui: comprometido. Eu era o primeiro que chegava, o último que saía, o que cobrava, e sempre fui correto e continuo sendo.

Jogo é guerra

Eu passo também para os meus atletas que você treina como joga, e você joga como se estivesse numa guerra. E eles entendem, porque muitos tiveram avôs que morreram na guerra. Eles trazem isso na pele e compreendem mais do que se eu falar o mesmo para um brasileiro. Eu digo, "os jogos, que são de cinquenta minutos, são o teu pão, é a tua vida que está aí dentro e a sua família depende disso aí". É o reflexo do teu futuro. Digo também que hoje, com a internet, o Telegram, o *Wi-Fi* etc., vir pra cá ficou muito fácil; já no meu tempo, a comunicação era outra história, bem mais complicada. Eu trabalho assim com as novas gerações.

Apoio psicológico

Aqui na Rússia não existe um apoio psicológico para os atletas. Hoje há mais abertura, mas antigamente o treinador fazia de tudo, até mesmo o papel de psicólogo do time. Agora, ele já tem o seu preparador físico, algumas equipes têm até treinador de goleiro, que é coisa nova por aqui. Todas as equipes têm médicos, mas de fisioterapeutas, alguns não gostam; mesmo o médico, às vezes, é contra ter fisioterapeuta. Coisa de achar que pode passar por cima dele... Há muitas questões aqui na Rússia, então, até chegar no apoio psicológico, é complicado.

Gestor faz-tudo

Hoje, consigo entender melhor e trabalhar muito bem com eles a questão de o gestor ter de fazer quase tudo. Eu cheguei e o time estava lá embaixo, e muitas das coisas que eles tinham, eram por uma barreira psicológica. Por exemplo, em todo jogo, a gente fazia três ou quatro gols e no final, perdíamos ou empatávamos. E aconteceu de eu escutar deles próprios, "*pô*, é sempre assim". Falei, então, que a gente tinha que fazer diferente. "Vocês treinam todos os dias, das sete às nove horas, para ganhar, e não pra chegar no sábado e falar que é *sempre assim*. Isso não tem explicação. Então, é melhor nem vir no sábado, se já sabem que é sempre o mesmo". Eles refletiram e mudaram a postura na hora. O treinador anterior exigia muito deles e sem explicar, sem um reconhecimento, sem passar confiança, sem tratar bem.

Liderança assumida

No dia em que cheguei, eles não sabiam quem seria o treinador, porque o anterior não deixou vazar a informação. Aí, começou a história, "vai ser fulano, vai ser sicrano, vai ser um ex-jogador da Seleção", só especulavam. O presidente me levou para o ginásio uma hora antes do treino e me escondeu, até que eles me viram e ficaram de boca aberta. Quando vi o vídeo e a expressão deles, pensei, *alguma coisa de bom isso deve ter...* Em conversa com eles, eu disse que, dali em diante, seria minha a responsabilidade por tudo o que acontecesse, se seguissem as minhas orientações. Eu responderia por tudo. Isso tirou um peso das costas deles, porque era uma equipe nova, eles ainda estavam no primeiro ano. E ainda hoje eu repito: "Se perdemos, a culpa é minha, não tem problema".

"Meu pai dizia, 'filho, sempre que você precisar pisar um degrau acima, veja se não tem ninguém ali. Se tiver, pule dois. Não tire ninguém por demérito, só por mérito seu'"

O legado

Certo dia, um garoto do nosso time me perguntou, "treinador, como é ser o melhor do mundo?". Respondi: "Sabe que até hoje eu não sei?". Não tenho a resposta exata, porque não se tem essa percepção. Então, acho que o legado não é de dentro da quadra, mas de fora. E o legado é dos nossos filhos, assim como eu tive o exemplo do meu pai, como profissional, um cara que sempre foi político, também. A vida de político não é simples e ninguém nunca falou mal dele. Ele me dizia, "filho, sempre que você precisar pisar um degrau acima, veja se não tem ninguém ali. Se tiver, pula dois. Não tire ninguém por demérito, só por mérito seu". Acho que meus filhos têm esse exemplo em casa. Se um dia eles forem jogadores, eles vão dizer para os filhos deles serem os melhores do mundo, como foi o avô deles. Isso vale mais que qualquer coisa que *tu fez* na vida. Medalhas, troféus... eu fiz em casa a minha galeria, que era o meu sonho. Ao terminar de construir, chamei os dois e falei, "não é minha, mas de vocês. Cuidem disso daqui pra frente, porque é a maior joia que o pai vai deixar pra vocês". Graças a Deus, até hoje eu tenho porta aberta em todos os times em que joguei.

Os heróis

Os da minha família são os meus heróis. Minha mãe, que está com quase 80 anos, mas é uma espoleta, não pára quieta, me deu muita força no início da carreira e até hoje cuida dos meus negócios no Brasil, inclusive do meu cachorro. O meu pai, que é preciso ouvir quando fala, porque está falando alguma coisa profunda. E a minha esposa, aguentando todos esses anos de concentração, cuidando dos filhos. Em véspera de campeonato, eu dormia num quarto separado e ela falava, "o teu corpo é a nossa vida, cuida dele; temos que cuidar de você e você da gente, e não se preocupe com as crianças, eu cuido". Estas foram as pessoas que me ajudaram a construir a minha vitoriosa carreira.

CAPÍTULO III

Sem saúde, não existe alta performance

Por DR. MICHAEL SIMONI

Ter saúde é o princípio básico para que se possam executar atividades físicas e esportes. Para o esporte de alta performance, isso fica ainda mais relevante, porque estes atletas demandam muito mais do seu corpo do que os demais. Há um escalonamento de quem pratica pouca atividade física ao atleta de alta performance. À medida que essa escala vai subindo, a pessoa precisa ter mais saúde, mais reserva energética e maior demanda aeróbica e anaeróbica para poder executar o esporte em alta performance.

Se compararmos o futebol da Copa do Mundo na Alemanha, de 1974, com o de hoje, parece um jogo em *slow motion* (câmera lenta). Os movimentos eram muito mais vagarosos. À medida que a performance foi aumentando, o vigor, o rigor e a atividade foram sendo mais extenuantes e o atleta teve que construir sua saúde.

Um recente e claro exemplo do que é saúde plena: o Fluminense jogou contra o River Plate da Argentina e ganhou de 3x1. Praticamente todo o time do River Plate tinha contraído Covid na semana anterior e os jogadores tinham sido liberados três dias antes do treino para jogar. Era perceptível que eles estavam muito aquém da demanda física, que não tinham como suportar um jogo, que acabou sendo muito atípico. Não desmerecendo o Fluminense, mas quem vê futebol sabe que o outro time estava fisicamente inferiorizado e, pela deficiência física naquele momento, o time de fora venceu. Então, sem saúde, não existe alta performance.

O futebol é um esporte de choque, um esporte de trauma, a máquina é o esqueleto. Esse esqueleto se mexe com altíssima velocidade, demandando alta força e sujeito a traumas de todas as espécies. A ortopedia, nas origens, era a especialidade da maioria dos médicos do futebol, porque no dia a dia consistia em tratar de contusões, entorses, lesões musculares, púbis etc. Hoje, o conceito é de equipe. O chefe do departamento médico é, antes de tudo, um gestor. Além de evidentemente saber tratar as lesões, ele tem que fazer a gestão do grupo, devendo, portanto, existir pessoas habilitadas para tanto.

Nós, que trabalhamos com futebol, temos, também, além da ortopédica, uma demanda clínica de atletas com dores de cabeça, quadros respiratórios e, mais recentemente, Covid. Devemos lembrar que, antes de tudo, eles são seres humanos sujeitos a ter essa série de problemas. Antes de entrar na parte ortopédica, eu tratei de muitos atletas com mal-estar: desidratação em jogos no verão; atletas com apendicite demandando cirurgia; alguns com doenças venéreas, doenças autoimunes, doenças reumáticas e todos os tipos de patologia que nós temos que reconhecer, e se não estivermos aptos por não ser a nossa especialidade, direcioná-los para um profissional de confiança.

Lesões no universo de alta performance

As lesões mais comuns são as contusões que são os traumas locais, é o choque: o atleta leva uma pancada na perna que gera dor, edema, e muitas vezes ele continua jogando. No futebol, são muito comuns as lesões musculares chamadas *estiramentos musculares*: quando a musculatura é solicitada de uma determinada forma, rompem-se algumas fibras e há o estiramento de grau um, dois e três, que são a mensuração dessa lesão.

Ao ser rompida uma fibra muscular, há uma reação inflamatória que pode gerar hematoma intramuscular, aliado a uma série de alterações que normalmente afastam esse atleta dos campos, levando-o a voltar de cinco dias a cinco meses, dependendo do tamanho da rotura e da reação inflamatória. Depende também muito da cabeça do paciente.

Atletas de visão mais catastrófica das coisas, em geral, são mais lentos para voltar ao campo; atletas mais simples, voltam mais rápido.

Outra lesão muito comum no futebol são as entorses de tornozelo e é compreensível que sejam muito comuns: a chuteira tem trava, é um pouco mais alta, e na maioria das vezes não estabiliza o tornozelo. É por isso que a grande maioria dos jogadores usa uma contenção — que pode ser artesanal, se em lugares que não têm verba, ou podem ser as faixas elásticas mais específicas, que firmam um pouco o tornozelo, diminuindo a incidência da gravidade do quadro.

Temos depois as lesões no joelho — entorses e traumas — também bastante frequentes. Há lesões que são crônicas, como a pubalgia, a chamada doença do púbis, que compreende alterações causadas não mais por um trauma, mas por movimentos repetitivos. A pubalgia é um problema por, também, ter a tendência de afastar o jogador por muito tempo do futebol.

Estatísticas apontam que em torno de dezesseis por cento dos jogadores de futebol são acometidos de lesões nos membros superiores, que também podem afastar os atletas das suas atividades. São lesões mais incomuns nessa modalidade esportiva, mas não menos significativas. Há deslocamento do ombro em que o atleta volta a jogar na mesma hora e há outros em que eles não conseguem. Ou seja, entram aí o tamanho do trauma e o aspecto pessoal. Na Copa do Mundo de 2002, o Emerson (Ferreira da Rosa), volante, foi cortado da Seleção por ter deslocado o ombro poucos dias antes da estreia e o Dr. José Luiz Runco teve que retirá-lo da competição.

Existem também dores nas costas (dorsalgias) e outras que fazem parte do dia a dia do ser humano, que o atleta também está sujeito a sentir. Goleiros sofrem fraturas nos dedos, lesões ligamentares. Mas as contusões, lesões musculares e entorses de tornozelo, estas três, são as que dominam o espectro de lesões no futebol.

Tratamento

O tratamento de lesões depende sempre da estrutura que o clube oferece. A estrutura ideal tem um departamento de saúde, que o Felipe Ximenes chama de "Ciência do Esporte", onde há médicos em número também de acordo com as possibilidades do clube e da metodologia empregada. Tem os fisioterapeutas; tem os profissionais de Educação Física que, muitas vezes, fazem não só a preparação física, mas a chamada transição entre o departamento médico e o campo; e tem o fisiologista. Este grupo faz parte da cadeia que vai levar o atleta à cura de uma lesão, dependendo de sua gravidade.

O atleta leva uma pancada, faz um hematoma e vai ser tratado agudamente com gelo, repouso, uma medicação. Se for um estiramento muscular, ele vai para o departamento médico, onde será examinado, podendo ser solicitado um exame de imagem — na maioria das vezes, ressonância magnética ou ultrassonografia, mas é mais comum a ressonância, pela facilidade de leitura em detrimento da ultrassonografia, que depende muito da experiência de quem a está fazendo.

Ao ter a graduação dessa lesão, começa-se a ter uma perspectiva de tempo de retorno, ainda, aproximada. O fisioterapeuta, que está no dia a dia, inicia o tratamento intensivo, feito em diversas fases: a inicial consiste em melhorar a dor e a inflamação; em seguida, oxigenar a musculatura por meio de exercícios aeróbicos, como bicicleta; depois, vêm o alongamento e o fortalecimento. Após o fortalecimento, o fisioterapeuta o leva ao campo para fazer um trabalho chamado de *proprioceptivo*, ou de movimentação, ou seja: é a hora do atleta ir para a transição. Muitas vezes, ele está parado há três semanas, fazendo tratamento, clinicamente bem, mas sem poder ir para uma partida de futebol.

Transição

Alguns clubes têm um especialista para a fase de transição, normalmente um fisioterapeuta ou um profissional de Educação Física, que começa a fazer um trabalho de movimentações específicas, mais intensivo e progressivo, até o atleta ser, na terceira fase, integrado ao grupo, sob responsabilidade do preparador físico. Então essa cadeia passa, desde o momento do trauma, por avaliação inicial, diagnóstico clínico, diagnóstico por imagem, início de tratamento, fases de tratamento, transição e preparação física, até que o atleta demonstra estar apto a jogar.

E transpondo isso para o joelho, o cenário pode ser, inclusive, cirúrgico. Um atleta torce o joelho num jogo e sai chorando, com dor. É examinado e se o seu joelho está instável, é feita uma ressonância magnética, que detecta, por exemplo, uma lesão do ligamento cruzado anterior, muito comum em atletas de futebol. Esta é uma lesão que deve ser operada e ele, um atleta, em geral, vai ficar afastado dos campos por mais de seis meses para se recuperar da cirurgia.

Existe uma especificidade de tratamento para cada tipo de lesão, só que a cadeia de tratamento passa sempre pela mesma sequência: avaliação do médico; diagnóstico clínico; diagnóstico por imagem, quando necessário; e cirurgia em alguns casos, que é outro cenário — ou então, fisioterapia-fisioterapia-fisioterapia: a pessoa vai galgando as etapas e respondendo a elas, enquanto, paralelamente, está havendo a cura biológica.

Há dois conceitos de cura: biológica e funcional. A biológica tem biologia, cicatrizou; a funcional demonstra função. As duas devem andar paralelamente.

Osteoartrose

O termo osteoartrite é mais comumente conhecido no Brasil como *osteoartrose*. Mas a diferença de artrite para artrose é que o termo "ite" normalmente sugere um processo inflamatório. Então, se você tiver uma doença reumática, vai ter uma *artrite*. E o termo artrose sugere um processo de desgaste, degenerativo. E esse processo degenerativo acompanha a alta performance e a especificidade de cada esporte.

Como a demanda é muito intensa e desde muito cedo as articulações e as cartilagens são sobrecarregadas (cartilagens são as camadas que revestem os ossos na área de movimento e que permitem um deslizamento suave e sem atrito), essas estruturas lesionadas não se regeneram e vão sendo gastas, como o pneu de um carro que vai ficando careca.

Um atleta de futebol que começa na base aos dez anos e que vai jogar até os seus 35 de idade terá, durante 25 anos de vida, um impacto nos joelhos, nos tornozelos, várias vezes por dia. Diferente, por exemplo, de uma pessoa que faz atividade física, mas não gasta essa cartilagem com a mesma velocidade, os atletas de futebol sofrem precocemente, porque a cartilagem foi gasta por repetição ou porque eles tiveram algum trauma.

É difícil ver um atleta que não teve pelo menos uma entorse de joelho durante a carreira, ainda que não grave. É comum ver atletas de 30 a 40 anos com problemas no joelho que, no caso da artrose, é a mais acometida no futebol. Muitas vezes essas artroses são única e exclusivamente causadas por eles terem jogado com muita intensidade. A mesma analogia serve para um lutador, que ficou durante 20 a 30 anos, dando socos.

Ombros

Em geral, quando examinamos os ombros desses lutadores, eles já têm uma artrose no ombro. O amigo Vitor Belfort (lutador de artes marciais mistas) que, em 2009, ainda em carreira, tive a oportunidade de operar, já tinha um grau avançado de desgaste na junta. Porque são horas por dia dando socos com impacto e um impacto no ombro é diferente de um impacto no chão.

Em geral, atletas de alta performance evoluem com osteoartrose precoce, porque submeteram suas articulações a traumas muito mais intensos do que, eventualmente, essa cartilagem estava preparada para suportar durante a vida. Há aí também uma questão de especificidade. Não se veem muitos atletas de 20 anos com osteoartrose, ou osteoartrite, porque elas são mais comuns naqueles acima de 30 anos. Estes podem apresentar graus severos, que não apresentariam se não fossem atletas de futebol.

Deslocamentos

Os casos de ombros que se deslocam são relativamente comuns acontecer. Alexandre Pato (atacante, hoje no Orlando City), Kleberson (Martins de Souza, ex-jogador do Flamengo) e outros tantos atletas tiveram esse problema em determinado momento na sua carreira profissional. Do ponto de vista da lesão em si, o ombro não foi feito para sair do lugar. Cada vez que ele sai do lugar é um trauma, alguma coisa se lesiona. O correto é entender que atletas jovens devem ser operados, se não há outra forma disso parar de acontecer. E o outro cenário é o quanto isso interfere em sua vida profissional.

Para alguém que não é atleta, pode-se falar "você vai operar do ombro e ficar até cinco meses sem jogar uma pelada, sem brincar"; ele ficará chateado, mas vai assimilar. Mas um atleta em ascensão na carreira ou que está sendo observado pelo treinador do time ou da Seleção Brasileira, dificilmente se consegue convencê-lo a parar. Ele não quer parar. Consegue jogar e vai entrar na divisão dos dois tipos de atleta que desloca o ombro: aquele que sai de campo por um mês para melhorar e aquele que vai à beira do campo, ele mesmo põe o ombro no lugar e volta a jogar.

Eu operei os dois ombros do Kleberson, que foi da Seleção Brasileira e jogou inclusive na Alemanha, porque, cada vez que eles se deslocavam, ele ficava seis semanas sem poder jogar, então compreendeu que isso não podia continuar por acarretar prejuízo à sua carreira. Preferiu parar por quatro meses, tempo exigido após a cirurgia, mas voltar com o problema resolvido.

Outro quadro: o Alexandre Pato jogava no Milan e muito perto de uma convocação da Seleção Brasileira, ele teve um deslocamento, ficou com dor durante quase uma semana e o Runco (médico ortopedista José Luiz Runco) me pediu que o avaliasse para dizer se o treinador poderia convocá-lo ou não. Esse é um atleta que, ao ser examinado, você diz: "Vou te operar", e ele: "Não. Vou ser convocado na semana que vem, depois eu vejo isso".

Então, o que define é o quanto aquilo está atrapalhando a sua vida profissional. Se a operação vai melhorá-la, ele topa; se vai levar a um prejuízo de carreira, ou até financeiro, ele não aceita. É muito difícil parar um atleta para operar um ombro em meio de temporada, se ele está conseguindo jogar. Diferente do paciente que não tem essa mesma demanda. Então, é assim: você não trata o ombro, você trata o ser humano. Temos que olhar o ser humano como um todo.

Na medicina atual, é difícil uma lesão interromper a carreira de um atleta jovem. Um atleta de 33 anos, que já vem pensando em largar a carreira, diz, "bom, já que eu tive isso, não vou voltar". Já os jovens com lesões gravíssimas demoram um ano para voltar, mas voltam. A fisioterapia e os métodos hoje são tão avançados que permitem recuperar grande parte desses atletas, mesmo com lesões muito graves, e recolocá-los nos campos.

Futebol não aceita mais desaforo na saúde. Ou você é genial ou é um caso raro, como foi o Romário, na sua carreira. Ele tinha um cuidado razoável e talvez, também, não fosse o mais intenso, mas era um cara privilegiado, que pôde jogar até os 39 anos.

Atletas e longevidade

A maioria das pessoas que vão ter longevidade no futebol mantiveram hábitos alimentares adequados, com controle de peso, rotina de dormir bem e não usavam o álcool de forma constante. Nada impede que um atleta, no lazer dele, tome um chope com os amigos, ele é um ser humano; fumar evidentemente está fora de questão, mas, por incrível que pareça, ainda temos atletas que fumam escondido.

Então, se ele tiver foco e treinamento, cuidados com a saúde física e emocional, também uma saúde bucal adequada, não somente pela limpeza, mas pela própria autoestima, e se sabe lidar com os problemas do dia a dia, ele terá possibilidade de levar sua carreira mais longe. O Nenê, do Fluminense (Anderson Luiz de Carvalho), está com 40 anos e corre muito. Magno Alves, que foi do Fluminense, tem 45 anos e joga até hoje.

O atleta bem cuidado chega bem aos 35 anos. A partir daí, estando com essas artroses, depende muito de sua vontade em persistir. Se jogar futebol virou dor pra ele, ou se já se cansou desse mundo de ficar se concentrando, é uma decisão pessoal.

Problemas cardiológicos

É preciso saber distinguir se o atleta não se cuidou ou se era portador de uma doença cardiológica prévia. Avaliar a função cardíaca faz parte do exame de um atleta, desde quando admitido em um clube até as pré-temporadas anuais. Algumas doenças do coração, se detectadas, são indicativas do encerramento da carreira do atleta, pelo alto índice de possibilidade de ter uma parada cardiorrespiratória em campo, o que normalmente não está ligado aos cuidados que ele tem.

As doenças que param os atletas cedo são as da bomba do coração e elas, infelizmente, são de ordem genética e não ligadas a seus costumes. Ao ir se aproximando dos 40 anos, já há um vínculo com a alimentação.

Se você é um atleta contratado por um clube, vá fazer uma revisão anual do seu coração. Detectado algo errado com o órgão, o clube vai lhe dar assistência e orientá-lo da melhor forma. Já o atleta sem clube, sem contrato, vai teoricamente ter que buscar o seu caminho para ser tratado.

E levando-se em conta que nem toda doença permite retorno ao futebol — em geral, para não submeter o jogador ao trauma de encerrar sua carreira, esperam-se alguns meses, repetem-se todos os exames, deixando-o fora do futebol —, se confirmada a doença, é preciso, infelizmente, comunicá-lo do encerramento da carreira, porque o risco de ele morrer em campo é relativamente elevado.

Temos como exemplos casos como o do Serginho (Paulo Sérgio Oliveira da Silva), zagueiro que foi do São Caetano, e de outros tantos que faleceram em campo, de doenças que poderiam ter sido previamente detectadas. Óbvio que se enfrenta resistência muito grande também por parte da família, mas, como responsável, tem-se que ser incisivo e não autorizar o atleta, por saber que ele pode perder a vida ainda muito jovem.

Se for a primeira vez, eles não aceitam, o que é normal, humanamente compreensível; vão buscar outras opiniões, o que também é normal e humanamente compreensível, é legítimo, claro. E se buscam outras opiniões sérias, serão convencidos depois de ouvirem três ou quatro pessoas confirmando o diagnóstico. Já aconteceu de, no meio desse caminho, aparecer alguém contradizendo, ou afirmando que o atleta podia jogar. Houve um caso assim no Recife; o jogador foi vetado por três clubes; no quarto clube o deixaram passar e ele veio a óbito durante uma partida de futebol.

Cirurgias e o *doping*

Em relação a eventuais cirurgias, hoje o mundo é repleto de bons especialistas. Em geral, os clubes têm os seus especialistas muito bem recomendados, mas eu recomendo a atletas que não estiverem em um clube, aos que tiverem dúvidas ou que têm um relacionamento não tão ameno, que busquem especialistas. É muito fácil hoje saber quem é quem. Sempre há alguém de confiança que pode sugerir nomes de pessoas com muita experiência em fazer aquilo. Afinal de contas, está se falando da continuidade da carreira deles.

Meu outro conselho diz respeito ao *doping*, que muitos atletas tiveram problemas na carreira. Não preciso fazer apologia para jogador de futebol não se drogar, é óbvio. Lembrando que a maconha demora a ser eliminada, então, você pode cair no *doping* não pelo efeito, mas pela demora em metabolizar. O *doping* foi desenhado por dois motivos: um, pra gerar igualdade de competição entre as pessoas; outro, para proteger a saúde do atleta.

Nunca — jamais! — usar medicação alguma sem consultar o seu médico do clube, nem pomada, nem creme, nem remédio para resfriado. Você sempre deve ligar para o médico do seu clube, eles normalmente estão totalmente disponíveis para saber se o que você quer usar pode prejudicar a sua carreira.

Muito cuidado – os clubes, também – com os suplementos alimentares, que devem ser de credibilidade. Em geral, nutricionistas, fisiologistas e preparadores sabem aonde eles solicitam.

O jogador de futebol não deve ficar tomando remédio que amigo deu, suplemento que o outro disse que é maravilhoso, porque podem estar adulterados com anabolizantes esteróides e isso pode criar uma mancha em suas carreiras. Se você estiver num bar que tenha muita gente, evite também deixar a bebida sozinha sobre a mesa; nunca se sabe... É melhor o excesso de precaução do que, depois, ter que remediar o mal.

Estrutura dos clubes hoje

Vamos pegar como exemplo o Flamengo de hoje, que é o clube, digamos, mais rico e mais bem estruturado. Eu tive a oportunidade, a convite do Marcos Braz (vice-presidente do Flamengo), de conhecer o Ninho do Urubu, e foi uma visita muito interessante. Eles me mostraram tudo. Estão muito bem aparelhados, do ponto de vista de qualidade de profissionais, de equipamentos — mas também não adianta ter equipamentos bons se não tem quem saiba operar bem esses equipamentos —, de espaço, de piscina, de caixa de areia, de tudo o que demanda para a modernidade da recuperação funcional.

Agora, não se pode imaginar, por exemplo, na estrutura do Olaria, ou na dos times que jogaram este ano na primeira divisão, como o Macaé, que tenham uma estrutura assim. Eles não têm profissionais com a mesma experiência, até porque não têm como remunerá-los — e os profissionais do futebol, da saúde, são hoje mais bem remunerados do que eram no passado.

Tive a oportunidade, quando estive fora do Fluminense, em 2006, de trabalhar no América Futebol Clube e a realidade já era completamente outra; era um outro mundo. Então, já existe uma grande disparidade em relação a clubes como Flamengo, Palmeiras, Corinthians, São Paulo — ponho o Fluminense chegando perto, porque o seu centro de treinamento é hoje bastante avançado e poderá ser melhor ainda.

Voltando a 1998, quando o futebol já dava claros sinais de modernidade, a estrutura do Fluminense em Laranjeiras era um buraco de rato. Não tinha absolutamente nada. O Flamengo já investia pesado em modernidade e não havia investimento no Fluminense, que nesse espaço de 20 anos, teve de se reconstruir.

Isso acontece porque clubes como Vasco, Palmeiras, Cruzeiro, Fluminense têm muita torcida, têm interesse, são marcas fortes, têm patrocínio, gente que se interessa. Mas os de menor investimento, o Fluminense de Feira de Santana, o do nosso amigo Omar, da turma no CSA, têm uma boa estrutura, mas não se pode comparar com a estrutura que tem o Flamengo. São degraus diferentes, muito ligados a um investimento que se faz.

Dr. Michael Simoni *formou-se em Ortopedia pela UERJ, em 1987, e especializou-se em cirurgia do ombro e traumatologia do esporte. Membro da American Shoulder and Elbow Surgeons, entre outras entidades, presidiu as Sociedades brasileiras de Cirurgia do Ombro e Cotovelo, e Sociedade Brasileira de Artroscopia e Traumatologia do Esporte. No futebol, foi chefe do Departamento Médico do Fluminense Football Club entre 2000-2004 e 2007-2010. Foi o VMO (Venue Medical Officer, RJ) da FIFA/COL para as Copas das Confederações 2013 e Copa do Mundo 2014. Em 2019, foi o médico oficial para a Copa América, sede do Rio de Janeiro. Vive em St. Gallen, Suíça.* Contato: michaelsimoni1964@gmail.com.

YURI NAVES ROBERTO

Futebol

Mente sã em corpo são

Yuri Naves Roberto *nasceu em Rio Negro, no Paraná, em 7.10.1989. Foi revelado nas categorias de base e atuou no elenco profissional do Atlético Mineiro em 2008 e 2009. Passou por diversos outros clubes como Marítimo (Portugal), em 2010-2011; Boa (MG), em 2011; Náutico (PR), em 2014; Caldense (MG), em 2015; Joinville (SC), também em 2015; Remo (PA), em 2016; CRB (AL), em 2017; Sampaio Corrêa (MA), em 2018; Botafogo (SP), em 2018; Mirassol (SP), em 2019; Caxias (RS), em 2020; Vila Nova (GO), em 2020 e 2021; e Floresta (CE), em 2021. Yuri participou da conquista de títulos como Torneio de Gradisca 2008, Torneio de Terborg e Torneio de Ennepetal, Campeonato Alagoano 2017, Campeonato Paraense 2019 e Taça Coronel Ewaldo Poeta 2020.*

O futsal antes do futebol

É uma longa carreira: são 18 anos de futebol, com 13 anos de profissional, mais cinco de categoria de base. Eu cresci em São Bento do Sul, Santa Catarina. Aos sete anos, já jogava futsal. Meus tios e meu pai também sempre gostaram de jogar futebol. Tive a sorte de crescer em uma cidade pequena, e a gente jogava futebol desde a hora do recreio, na escola, até a hora de dormir, era incrível isso — fazendo um paralelo da diferença da nossa geração para a do meu filho, de passar muito tempo jogando futebol de rua ou nas escolinhas. Até os 12 anos, fiquei entre o futsal e o futebol de campo.

Apoio do tio

Aos 12 anos, fui morar com meu tio Beto em Bariri, interior de São Paulo, onde ingressei no XV de Jaú. No começo, meu tio me deu um bom suporte, arcou com as passagens, morei na casa dele por um tempo. Eu pegava ônibus de uma cidade para outra, treinava e voltava. Com 13 anos, fui morar no XV de Jaú. Meu tio foi uma pessoa muito importante no começo. Foi como um pai, que ainda tenho, não só no futebol, mas na vida também, e é meu padrinho de casamento. É um cara que me ajudou muito. Meus pais não tinham essa condição de me ajudar, mas a gente sempre teve o básico, sempre conseguiu ter o mínimo para uma vida razoável.

Descoberto aos 14 anos

Um observador técnico do Atlético Mineiro me viu jogar em 2003 e no ano seguinte, eu já estava indo para lá. Aí, começou a carreira num clube grande e as portas foram se abrindo. A maioria tinha 16, 17 anos. Só eu tinha 14 anos, então ficar longe da família, foi um período difícil. Você tem que ter bem claro o que quer. Hoje, fazendo um paralelo com meus primos de 12, 13 anos, vejo que era uma criança que saiu de casa. Eram mil quilômetros de distância e não tinha esse contato que a gente tem hoje por WhatsApp, por videoconferência. Eu lembro que era cartão telefônico e logo acabavam as unidades, então, você tinha que falar rápido. Hoje, a conexão ajuda muito as crianças e os adolescentes que querem iniciar esse processo.

"Eu era uma criança e já jogava contra Flamengo, Vasco e Cruzeiro. Isso, querendo ou não, te dá lastro, te dá um repertório maior. E é difícil controlar as emoções, quando você é uma criança"

As primeiras dificuldades

O começo no Atlético Mineiro foi difícil para mim, porque era outro mundo. Os atletas estavam muito mais preparados do que eu, física e mentalmente, tinham jogado muito mais partidas em competições de nível nacional. Eu era uma criança e já jogava contra Flamengo, Vasco e Cruzeiro. Isso, querendo ou não, te dá lastro, te dá um repertório maior. E é difícil controlar as emoções quando você é uma criança. Pega um menino saindo de São Bento do Sul, onde tem 70 mil pessoas, indo para Belo Horizonte, uma cidade gigante, e morando num quarto com mais 18 garotos. Eram dez beliches em um quarto gigantesco. E vinha gente de fora, dormia lá e ia embora. Eu dormia com amigos no quarto e acordava sem eles, que já tinham ido embora. Foi um período difícil, mas que me fortaleceu muito.

Uma grande família

Esse quarto no Atlético Mineiro era progressivo: infantil, juvenil e júnior. Quanto mais você escalava, melhor ia ficando. Eu era do infantil e meu quarto tinha 18 crianças. Com o tempo, fomos ficando muito amigos, muito companheiros, muito parceiros. Às vezes, algum pai ou outro familiar tinha dificuldade para pagar a conta de luz, algo assim. A gente, com 15 anos, já tinha afinidade e fazia uma vaquinha, mesmo ganhando pouco. Acaba que você vai se identificando com as pessoas, nos momentos de dificuldade. Eu fiquei naquele quarto no primeiro ano. Se você abrisse um pacote de bolachas, dava meia bolacha para cada um.

Saudades de casa

A minha família passava por dificuldades naquele momento, mas conseguimos superar. Liguei uma vez para minha mãe dizendo que eu queria voltar para casa, que estava com saudades e ela me deu suporte. Muito depois, ela me contou que sempre que eu ia para casa e voltava, ela chorava, mas sem me deixar ver. Aquela foi a única vez que eu liguei para ela, emocionado, chorando, não me lembro se eu não tinha jogado bem, falando que queria ir embora, que estava com saudade de casa e tal. E ela: "Não, agora que você chegou aí, tem que continuar".

Capitão do time

Naquele ano, 2004, não conseguimos ser um time forte no infantil Sub-15, e a cobrança, a exigência em cima da gente, já era muito grande. Eu não cheguei muito bem, mas, rapidamente, em dois ou três meses, virei capitão do time. Esse respaldo que o treinador Ângelo me deu, isso me fortaleceu. Ele já faleceu. Dali para a frente, as coisas foram caminhando melhor. Já tinha uma ajuda de custo que não dava para muita coisa, mas pelo menos dava para o básico de higiene pessoal e, às vezes, para um lanche. A gente ganhava chuteira do clube. Na época, não tinha tantos empresários como hoje. A gente ia se virando com o que dava e no fim das contas, isso nos fortaleceu muito.

Gratidão ao Atlético

O Atlético Mineiro me deu muito mais do que eu poderia ter em casa. Eu tinha psicólogo, nutricionista, preparação física, tinha esporte, tinha pedagoga, tinha aula de inglês e televisão no quarto! Então, o Atlético me deu uma vida boa, um salário bom, e me deu oportunidade de ver tudo com outros olhos. Sou muito grato por tudo isso.

Transição para o profissional

A transição foi o momento mais complicado da minha carreira até hoje. Acho que é complicado para todo atleta, ainda mais num clube grande, onde a exigência e a expectativa são muito altas. Eu sempre fui muito bem tratado no Atlético, então minha referência eram as categorias de base. Eu não tinha noção do que realmente é a vida dentro de um clube grande como o Atlético Mineiro. Cresci dentro de uma bolha. Quando você passa para o profissional, até o jogo é diferente, você joga de maneira diferente. Tinha uma psicóloga no Atlético que me ajudou muito com exercícios. A religião também me ajudou naquele momento, a fé — a gente vai se apegando.

O peso das expectativas

Talvez eu tenha subido antes da hora, muito novo. Tinha 18 anos, acho que eu deveria ter ficado um ano a mais na base. Havia uma expectativa sobre mim e às vezes eles não tinham aquela paciência, foi tudo muito rápido. Você sobe com 18 anos, joga mal um ou dois jogos, e eles não te dão tempo para se recuperar. E isso sozinho, porque a recepção dos atletas do profissional também não foi muito calorosa. O clube estava brigando para não cair para a segunda divisão, era um momento conturbado e eu tomei decisões erradas fora do campo, fiz algumas escolhas equivocadas.

Fase dolorosa

Fui me estabelecer no profissional aos 22 anos. Nesse meio tempo, eu rodei alguns clubes. Não conseguia jogar. Foi uma fase dolorosa, porque a expectativa sobre mim não se cumpriu. Eu ficava confuso com o que estava acontecendo, não rendia nos jogos, mas consegui dar a volta por cima e me estabelecer em uma carreira de muitos jogos, muitas conquistas. Converso muito com atletas que estão iniciando, porque o futebol de base e o profissional são completamente diferentes, e é preciso ter maturidade nesse momento.

Críticas e derrotas

Quando eu subi da base para o profissional, eu ia para o treino de ônibus e o cobrador, o motorista, me reconheciam, as pessoas falavam comigo. Eu estava na capa do jornal e aquilo me deslumbrou um pouco. Eu não estava preparado, e nem para as críticas que vieram. Aquele início foi difícil, mas superei e comecei a fazer um bom campeonato. Daí, me deslumbrei, as críticas vieram mais fortes e aquilo mexeu muito comigo porque, realmente, naqueles três anos, me deslumbrei um pouco. Depois fui para Portugal, juntei um bom dinheiro e vim de férias para o Brasil. Comprei um carro, levei minha família para as praias. Olhando para trás, foi uma loucura, mas a gente não tem preparo, então, vai desbravando o caminho e se descobrindo.

Comportamento autodestrutivo

Eu tive dois momentos em que estava muito bem, fui até pré-convocado para a Seleção Sub-18 na época e estava feliz, jogando muito. Com 17 anos, eu estava jogando no Sub-20 e fui para a França. Fiz um campeonato muito bom: o Saint-Étienne queria me comprar. Aí, voltei para o Atlético Mineiro e me apresentei no profissional. Naquele momento, eu estava vivendo uma vida que não ia de acordo com os meus valores. Fiz amizade e saía com alguns jogadores mais reconhecidos do que eu, que levavam uma vida de extravagância, principalmente *na noite*. Eu, com 18 anos, ganhando um salário razoável, sozinho...

Fuga da realidade

A gente realmente perde um pouco a cabeça, vai na onda de alguns...

não é que se arrepende: faz coisas que poderia ter feito de outra forma, poderia ter me apegado a outros exemplos. Mas faz parte, também: muito novo, sem ninguém para ajudar, realmente a gente se alimenta mal, dorme pouco. Foi, com certeza, uma das coisas que atrapalharam, mas também era uma fuga daquelas expectativas que não se cumpriam. A gente acaba buscando a bebida como fuga. Na realidade, eu queria fugir do que estava interiormente doendo. Não queria pensar naquilo tudo que estava acontecendo.

Fortalecimento da mente

Eu sempre gostei muito de ler, desde criança, e pegava indicações de livros com os treinadores. Essas leituras me ajudaram muito, principalmente de autoajuda. Um livro que me marcou foi *Transformando Suor em Ouro*, do Bernardinho. Também dele, *Cartas a um Jovem Atleta* foi um livro ao qual me apeguei muito. Outro que me ajudou foi a autobiografia do Andre Agassi, porque ele fala muito sobre essa guerra mental contra você mesmo. Esse livro me ajudou a superar as críticas, porque algumas pessoas falavam coisas duras para mim. Hoje, penso, *pô, como é que o cara teve coragem de falar isso comigo?*

"Descobri a meditação, o *mindfulness*, que me ajudou bastante. As afirmações que comecei a fazer também foram fortalecendo o meu espírito. A psicologia me ajudou muito e consegui ser uma pessoa mais segura"

Fui tentando diminuir a ansiedade de ter que provar diariamente quem eu era. Fui aproveitando e melhorando um dia de cada vez, um treino de cada vez. Descobri a meditação, o *mindfulness*, que me ajudou bastante. As afirmações que comecei a fazer também foram fortalecendo o meu espírito. A psicologia me ajudou muito e consegui ser uma pessoa mais segura. Consegui voltar a jogar com confiança, mas precisei realmente buscar forças.

Da euforia ao foco

Hoje, eu teria buscado mais cedo por ajuda psicológica, terapia, que foi o que mudou minha vida completamente. O casamento também foi outro alicerce que mudou a minha vida, foi superimportante para mim. Acho que eu estaria mais focado, como estou hoje, em termos de alimentação, descanso, treino. É uma linha muito tênue entre estar eufórico e estar focado. Às vezes, você acha que é invencível e aos poucos, vai se conhecendo.

Dentro do jogo

Com 18 anos é complicado se autoconhecer, você acha que é super-herói, tem personalidade forte e acha que toda hora vai resolver, e não é assim dentro do jogo. Eu teria estudado mais o jogo, conhecido mais as minhas qualidades e os meus defeitos. Com 18 anos, você tem medo dos seus defeitos, mas é preciso reconhecê-los. Se eu soubesse disso, teria saído menos, me concentrado e treinado mais. Eu sempre treinei bastante, mas na angústia, vacilei nesses quesitos de treino, alimentação, descanso, autoconfiança.

Reconhecimento aos treinadores

Eu tive a sorte de ter grandes treinadores, grandes homens me liderando. Como eu saí de casa muito jovem, com 12 anos, a figura paterna não foi assídua na minha vida e acabou que os treinadores tiveram essa autoridade. Nunca tive problema com treinador, muito pelo contrário. Eles somaram muito na minha vida, me abraçaram com carinho e cuidados. O treinador é um herói, principalmente no Brasil. Outro dia, mandei mensagem para a maioria deles, agradecendo por tudo.

> **"Há treinadores que oferecem bons treinos, conseguem colocar o time para jogar bem, mas se esquecem da parte que, para mim, é a fundamental: o espírito do atleta, que precisa estar em equilíbrio"**

Em 2012, tive uma grande oportunidade com o treinador que era da base do Goiás. Ele me levou e me deu a chance, me deu suporte, me deu treino num nível melhor, foi muito importante para mim. Tive um treinador em Portugal, Pedro Martins, que também foi muito importante, porque resgatou a minha confiança e muito do meu futebol. Ele, hoje, está na Grécia. O treinador às vezes desconhece a força que tem sobre o atleta. Há aqueles que oferecem bons treinos, conseguem colocar o time para jogar bem, mas se esquecem da parte que, para mim, é a fundamental: o espírito do atleta, que precisa estar em equilíbrio.

O título mais especial

Tive a oportunidade de disputar alguns campeonatos fora do país, nas categorias de base do Atlético, e isso para mim foi uma mudança enorme. Ir com 16 anos para a Itália, França, Alemanha, Holanda, é uma coisa inimaginável. Em alguns torneios fui eleito o melhor, o campeão, jogando contra Real Madrid, Boca Juniors, Chelsea, então, foi uma experiência incrível. Mas dois títulos muito especiais para mim vieram em 2015, pela Caldense: campeão no interior de Minas Gerais e vice-campeão mineiro. Perdemos para o Atlético na final, com um gol impedido. Fizemos um grande jogo e fui eleito o melhor meio-campista do campeonato. Acho que, ali, eu consegui resgatar a essência do futebol, que para mim, é a da amizade, do companheirismo, da luta, da capacidade de ajudar. A gente montou um elenco muito forte, de jogadores comprometidos com os objetivos para, realmente, dar um passo acima no degrau esportivo. Depois desse título, as coisas começaram a caminhar muito bem para mim. Foi um título especial.

Enfrentando lesões

Eu só tive uma lesão no púbis. Foi logo depois da Caldense, até terminei o campeonato jogando meio com dor. Foram três ou quatro meses até me recuperar, mas ali eu já estava fortalecido mentalmente, tinha feito as pazes comigo mesmo e consegui superar em pouco tempo. As outras lesões foram coisas rápidas, que acontecem mesmo, não tem jeito. Tive poucas, mas convivi com atletas que tiveram que parar por causa de inúmeras delas. Imagino que seja muito difícil.

"Meu recado ao jovem atleta é: não deixe de se divertir quando estiver jogando futebol, você é muito novo para carregar o peso de ser jogador profissional"

Conselho aos jovens atletas

Eu pretendo, mais para a frente, ajudar atletas adolescentes, pré-adolescentes, crianças e pais desses atletas. O pai pode ser um propulsor ou um peso na vida da criança. Meu recado ao jovem atleta é: não deixe de se divertir quando estiver jogando futebol, você é muito novo para carregar um peso de ser jogador profissional. Você com 12, 13 anos, tem que brincar de jogar futebol, tem que estar alegre, tem que ir para a escola. É isso que eu diria a essas crianças, porque às vezes você acha que com 12 anos já é jogador profissional.

Venda de sonhos

Às vezes eu entro no Instagram de crianças e está escrito "jogador de futebol". E fico imaginando, *poxa, você tem um caminho muito grande pela frente ainda, não adianta se enganar*. Tenho amigos com quem às vezes tenho conversas difíceis e eu falo, "*pô*, cara, você está vivendo uma vida que não existe, você está jogando futebol com 30 anos no interior do Brasil para ganhar mil e quinhentos ou dois mil reais, para não receber, para deixar tua família em casa". Às vezes, estão acreditando num sonho que não existe. Esse sonho tem que ser algo palpável. Tem que sonhar, mas esse sonho tem que acontecer. Há muitos talentos, mas também há uma venda de sonhos muito grande no Brasil. Então eu digo, não se deixe enganar, se divirta, as oportunidades vão aparecer no seu caminho, não desista se perder a primeira, a segunda chance. Jogue bola todo dia, brinque com a bola todo dia. Não existe fórmula mágica.

Mais conselhos à rapaziada

Meu irmão, que tem 17 anos, sempre me pergunta: "Que treino que eu faço, que suplemento eu tomo, o que eu faço?", eu falo, "cara, é o básico do básico, é acordar cedo, é treinar, é jogar" — quanto mais jogos você conseguir jogar, melhor. Não se frustre quando jogar mal, não se frustre quando for criticado pelo teu pai ou pelo teu treinador, é você ter a consciência de que jogar futebol é brincar com a bola, viver com a bola. Acho que a maioria dos jogadores que eu conheço cresceu com a bola do lado. A bola tem que ser sua amiga, não sua inimiga. Acho que esse é o conselho que eu daria para os jovens: um dia de cada vez, brincando com a bola.

"Subi muito cedo para o profissional. Quando a gente é jovem, tem a mentalidade de que não precisa estudar, que é bom demais, que futebol é tudo e, na realidade, não é assim"

O valor do estudo

Antes era difícil conciliar o esporte e o estudo, mas hoje ficou muito mais fácil, porque tem a educação a distância, tem curso *on-line*. Antes, a gente tinha que ir para a escola. Eu treinava de manhã e à tarde, eu tinha que ir para a escola. Além disso, a gente viajava muito. Foi complicado e acabei não conseguindo terminar o Segundo Grau (atual Ensino Médio). Só depois fiz o "terceirão" no modo supletivo. Quando a gente é jovem, tem a mentalidade de que não precisa estudar, que futebol é tudo e, na realidade, não é assim. Minha cabeça mudou e hoje eu busco conhecimento, no futebol e noutras áreas também. Quero fazer os cursos da CBF (Confederação Brasileira de Futebol) e talvez estudar Administração, para me fortalecer nas coisas que tenho e nas que estou buscando.

Transição de carreira

Já me vejo nessa transição para parar. Jogo desde os 12 anos e vou fazer 32, foi um tempo longo de futebol. Só fiz isso na vida. A única coisa que eu fiz, que sei e conheço, é o futebol. É uma hora complicada, porque a maioria dos jogadores para sem dinheiro, apesar de ter ganhado muito, e sem estrutura familiar. Existem estudos que dizem que, depois que o jogador para, em cinco anos entra em depressão, perde dinheiro, engorda, vira aquele alcoólico silencioso, é uma fuga, e se separa da esposa, perde a estrutura. Então, é preciso acompanhamento psicológico, terapêutico, financeiro também, para conseguir parar e não ficar refém de outras pessoas, de ter que fazer coisas que não quer para pagar as contas. Aos 25 anos, o atleta já tem que começar a pensar no que vai ser depois que parar.

O futuro fora dos campos

Eu vejo que a maioria que joga futebol não quer continuar no futebol. É um ambiente de muito estresse, de muita cobrança, mas para mim, é minha vida. Apesar de ter outros negócios, pretendo continuar na área como treinador, gestor, algo nesta direção. A transição realmente machuca, independentemente de você ter ganhado dinheiro. São dificuldades diferentes, por isso tem-se que se preparar de várias formas. O suporte que a esposa dá traz muita segurança, ter um casamento sólido, ter as pessoas do seu lado. Eu preciso pensar também nos meus filhos, porque é doloroso estar sempre mudando, mudar de cidade a cada dois anos, mudar escola, mudar isso, mudar aquilo.

Pouco valor ao atleta no Brasil

Na Europa, o desgaste nos campeonatos é menor pelo tamanho dos países. Alguns países não têm viagem de avião, você praticamente só anda de ônibus. No Brasil, a quantidade de jogos é muito grande, os meses sem receber interferem bastante, o respeito ao atleta também não é como na Europa. Na maioria dos clubes, sempre fica algum salário para trás. O ano tem 12 meses, mas você recebe por oito ou nove. Esta é a maior dificuldade no futebol brasileiro: atraso de salários.

"E o jogador no Brasil é facilmente descartado, você é o melhor na segunda e é o pior na quinta, é o melhor no domingo e é o pior na terça. Esse desgaste interfere na saúde mental e física, por isso os atletas param mais cedo"

Existe também um apelo ao atleta jovem no Brasil, porque os clubes precisam de dinheiro, então os atletas são lançados cada vez mais cedo e, às vezes, sem preparo nenhum. Muitos ficam pelo caminho, na transição dos 17 aos 22, porque você não está preparado com 18, mas aos 23, vai ser craque. Realmente, o atleta com 33 anos é considerado veterano no Brasil.

O legado

Por onde passar, a gente precisa sempre deixar os clubes e as pessoas melhores do que quando chegou. E precisa ser lembrado também como vencedor, é importante vencer, mas a amizade, o companheirismo, isso é mais importante do que a vitória. Uma coisa leva à outra. Em todos os clubes por onde eu passei, tenho as portas abertas, fiz grandes amigos. Costumam dizer que no futebol há muita traição, muito esquema, tem máfia; futebol para mim é sagrado, é religioso, é espiritual, é companheirismo. E eu quero deixar esse legado, principalmente para os meus filhos, para a minha família.

Vitória não é tudo

Vitória é importante, mas não é tudo. Às vezes, a sua vitória pessoal não vem do resultado do jogo e sim do processo, de se transformar em uma pessoa melhor. Eu me vejo com 18 anos, querendo ganhar todos os jogos, todas as bolas, e vejo hoje o homem em que me transformei, o marido em que me transformei, o pai em que eu venho me transformando. Não sou eu que deixo legado para o futebol, o futebol que deixa um legado pra mim. E a minha jornada foi incrível.

Os heróis

Meu tio Beto foi meu herói, ele foi incrível na minha vida. Minha esposa é minha heroína: me ajuda no dia a dia, cuida de nossos filhos e da nossa casa, está sempre preparada para viajar e para mudanças. E o meu grande herói é o futebol, que me deu tudo o que eu consegui ter, de patrimônio, principalmente de autoconhecimento, e pessoas incríveis. Postei no *Twitter*: se não fosse pelo futebol, eu jamais conheceria tantas pessoas incríveis. Empresários, donos de negócios, esses que têm sucesso fora, mas vêm para o futebol, é porque dentro deles ainda há um vazio que precisa ser preenchido. O futebol preenche as pessoas, do mais pobre ao mais rico, até políticos, presidentes de países são preenchidos por esse espírito. Daí que realmente o futebol é o meu herói.

Futebol

Um gaúcho obstinado

Régis Amarante de Lima Quadros *nasceu em Porto Alegre, Rio Grande do Sul, em 03.06.1976. Começou a carreira em sua terra natal, defendendo as cores do Internacional, em 1996. Em 2000, se transferiu para o Fluminense. No Tricolor das Laranjeiras, viveu um dos seus melhores momentos, ajudando a equipe a realizar boas campanhas e conquistando o título de Campeão Estadual em 2002, ano do centenário do clube. No meio daquele ano, foi para o São Paulo F.C. Depois atuou por diversas equipes, incluindo o Esporte Clube Juventude. Seus maiores clubes foram São Paulo F.C., o dinamarquês Viborg FF, Coritiba F.C., Cruzeiro E.C., Fluminense F.C., Associação Atlética Ponte Preta, Esporte Clube Juventude, S.C. Internacional, Brasiliense Futebol Clube, o russo FC Saturn Ramenskoye, Paysandu, Figueirense e Vila Nova. Ganhou o Campeonato Gaúcho em 1997 e o Campeonato Carioca em 2002.*

Fanáticos pelo Grêmio

Fui um menino que sempre sonhou em jogar futebol, porque na minha família, a gente respira futebol. O meu pai é um cara apaixonado pelo futebol, sabe tudo, acompanha há muito tempo, desde que morava no interior do Rio Grande do Sul, em Dom Pedrito, na fronteira com o Uruguai, perto de Rivera. Ele ligava na *Rádio Globo* e escutava os jogos do Flamengo, do Vasco. Meu pai torce para dois times: Grêmio e Flamengo. É gremista fanático, a gente sempre foi gremista na minha casa. Meu tio, o zagueiro Luís Eduardo, jogou dez anos no Grêmio, no profissional, depois foi pra Espanha, e jogou no Atlético Mineiro.

Ironia colorada

Vermelho não entrava lá em casa. Era azul, era preto, era branco... menos vermelho. Meu pai era antivermelho. Uma vez, o irmão dele, que era colorado, me vestiu com uma roupa vermelha e saiu comigo. Meu pai, quando viu, tirou a minha roupa e botou fora, no lixo, porque no Rio Grande do Sul, a gente respira muito aquela coisa do Grêmio e Inter. Então, a história da minha vida profissional foi se mostrando, as coisas vão se abrindo e *tu vai* indo. E eu falo, não adianta *tu querer* fazer rápido, é no tempo de Deus, não tem jeito. Entrei com nove anos na escolinha do Grêmio e depois fui parar no Inter.

A importância dos pais

Fui criado pelos meus pais, que foram pessoas importantíssimas na minha vida, porque nunca deixaram de me apoiar, principalmente nos momentos em que mais precisei. Quando fui mandado embora dos clubes, eles sempre estiveram do meu lado. Na realidade, meu pai foi o meu primeiro treinador de futebol. Ele ia lavar o carro, levava uma bola e ficava me ensinando: "Ó, bate assim na bola". Foi o meu primeiro patrocinador também, porque me dava o dinheiro das passagens pra eu poder ir treinar. Se não fosse o meu pai, eu não poderia ir. A maioria dos atletas vem de uma situação financeira precária, com um monte de irmãos. Ou o pai e a mãe são separados, ou saem pra trabalhar e ficam o dia todo fora, e os meninos ficam dentro de casa. E isso é a maior dificuldade que se encontra no Brasil, porque não ter um alicerce dentro de casa pra te dizer "não faz, *tu vai* estudar ou fazer qualquer outra coisa, menos isso", é onde os meninos se perdem.

> **"A gente sabe que a maioria, infelizmente, fica no meio do caminho pelo dinheiro fácil. Ou vai pra droga, ou vai *pro* samba, ou vai *pro* futebol"**

Desigualdade social

Não tem muitas opções para pessoas com poder financeiro menor. Tem pessoas boas, que conseguem estudar, se formar, entrar no mercado de trabalho, mas a gente sabe que a maioria, infelizmente, fica no meio do caminho. Por quê? Pelo dinheiro fácil. Ou vai pra droga, ou vai *pro* samba, ou vai *pro* futebol. Agora, sim, o pessoal começou a pensar nisso. Tem a instituição do Neymar, que eu acho um negócio sensacional, que dá assistência pra criançada, que pode virar um alento e abrir os olhos dos meninos para outra realidade, mesmo sendo difícil.

Trabalho ou passatempo?

A carreira de atleta é totalmente diferente das outras. O atleta já começa a trabalhar muito cedo, mas o pessoal olha como diversão. Com nove anos, *tu já começa* a jogar e já começa com aquela coisa de trabalhar em grupo, daí já selecionam os melhores, que começam a treinar na semana. *Ah, tem treino terça e quinta, às seis horas.* Então aquilo ali já é um trabalho duro na infância. Eu mesmo, com nove anos, já pensava em jogar futebol. E não era uma dúvida pra mim, eu queria jogar, eu nem tinha um plano B. Eu sempre tive, na minha cabeça, que queria ser um atleta.

À espera de uma chance

Para mim, jogar não era uma pressão. Se eu errava um lance, pensava, *não, na próxima, eu vou fazer bem.* Eu nunca fui um cara de ficar me pressionando, mas sempre busquei excelência. Até porque, na infância, eu joguei muito pouco. Eu mais treinei. Por exemplo, eu nunca ia pra um jogo, só treinava. Treinador nunca falou, "vamos levar o Régis, pelo menos uma vez, só pra ele ver como é". Com 13 anos, eu treinava terça e quinta no Grêmio, ia olhar a convocação na parede e sabia que meu nome não estava lá. E ia embora pra casa. Nunca reclamei para os meus pais. Mas eu treinava, entendeu? No limite de uma criança de 13 anos, claro.

Força e cabeça boa

Determinante para a formação da minha personalidade foi o meu pai, porque ele sempre foi durão. E pra mim, isso foi importante, porque no momento de dificuldade, que eu não conseguia ir *pro* jogo, era sempre reserva, meu pai me passou aquela coisa da seriedade, sabe?

"Espera aí, *tu quer* trabalhar nisso? *Tu quer* ser isso? Então *tu tem* que ser assim, tem que ser forte e ter a cabeça boa sempre, tem que estar preparado *pros* bons momentos e *pros* ruins." Ele não me falava, mas me passava isso e com a cara sempre séria. Ele sempre foi o maior alicerce da minha vida, me passou isso de ser durão também, que foi importante na formação da minha personalidade. E me falava coisas que foram determinantes: "Ó, eu não quero te ver fumando cigarro, não quero *tu mexendo* com droga".

A separação dos pais

Quando meus pais se separaram, minha personalidade já estava formada. Mas, para mim, foi bem difícil lidar com a separação. Eu estava com 13 anos, hoje estou com 44, mas me lembro que senti bastante. Eu sempre fui bom no colégio, mas, depois que o meu pai e a minha mãe se separaram, dei uma desandada, me desinteressei. Acabei perdendo um pouco do interesse pelos estudos, na época. Foi a primeira vez que eu rodei, na sexta série. Mas meu pai nunca deixou de me apoiar e minha mãe, também. Sempre falaram que eu tinha que estudar, porque na carreira de atleta profissional, *tu não sabe* se vai jogar, e dos 13 até os 20 anos, pode acontecer muita coisa: quebrar perna, lesionar joelho, tornozelo ou bater com a cabeça, porque o futebol é um jogo forte, de contato.

Vontade de desistir

Eu estava com 19 anos e não havia tido chance de jogar no profissional do Inter. Aí, o treinador do profissional pediu um quarto zagueiro. Eu estava do lado do meu técnico no juniores, que falou: "Então aqui está ele, ó". Treinei a semana toda no profissional e a gente ia viajar *pro* interior do Paraná, pra fazer um amistoso com o time B do Inter, o Sub-23. Eu treinei de segunda a quinta; na sexta-feira, olhei a lista e o meu nome estava lá. Fui ao vestiário dos juniores pegar não sei o quê. Quando voltei, o meu nome já não estava mais. Aquilo me deixou furioso. E colocaram outro zagueiro que jogava comigo nos juniores. Claro, ele não tinha culpa. Isso foi coisa da diretoria.

Sabedoria materna

Naquele dia, eu fiquei muito bravo mesmo e quando eu fui pra casa, eu decidi, *bah, não vou mais*. Deu vontade de parar a carreira e eu já estava com 19 anos. Lá no Inter, eu não tinha perspectiva de subir *pro* profissional, nenhuma, porque todos os meninos já tinham um contrato profissional na minha idade, eu era o único sem. Então, *pô*, isso aí já está te mostrando... peraí, tem 20 jogadores aqui, 18 estão contratados *pro* profissional e aqueles dois, não. Ah, então quer dizer que aqueles dois não estão nos planos. Aí, entrou a minha mãe.

"Eu falei que ia largar, que não queria mais. 'Não, já está perto de estar no profissional, mais um ano *tu está* no profissional', minha mãe falou"

Todo dia, quando ia *pro* trabalho, minha mãe me ligava, tipo sete e pouco. Naquele dia, ela me ligou e falou: "Ah, não saiu de casa ainda?". "Não. Não vou mais." "Como assim não vai mais?" "Fizeram sacanagem pra mim, assim, assim." E ela disse: "Não, *tu vai. Tu já está* com 19 anos, já acabou o Segundo Grau, *tu vai te* arrumar e vai treinar, mais um ano *tu está* no profissional". Eu disse que só se fosse no interior, porque não tinha previsão, ainda mais depois de me tirarem no último momento da viagem. Daí, ela bem assim: "Mas *tu tem* que mostrar pra eles que *tu é* melhor, em todos os sentidos. Não só dentro de campo, mas fora do campo também. *Tu te arruma*, pega o ônibus e vai treinar. *Tu tem* que saber absorver também as dificuldades, é coisa normal".

O apoio do treinador

E aquilo ali me deu força, sabe? Aí eu peguei e fui. Cheguei no vestiário, o treinador dos juniores me disse: "Realmente foi sacanagem, eu concordo contigo e vou ser o primeiro a te ajudar. Se os caras não gostam de ti aqui, tudo bem, mas eu vou te indicar lá no Coritiba. Continua trabalhando que, se não acontecer aqui, vai acontecer em outro lugar". E continuei trabalhando. E a minha mãe foi importantíssima. Por isso que eu falo, a base familiar é tudo.

Sempre preparado

Eu estou em casa, de férias, e meu pai me liga. "Ó, Régis, é pra *ti te apresentar* lá no Inter". Eu me apresento no Inter, nunca nem tinha treinado com o time profissional, treinei naquela semana, não ia jogar. Aí, quando apareceu a oportunidade, eu estreei no profissional e no meu primeiro jogo fui o melhor em campo, então, ali eu dei o meu cartão de visita. Então, quem trabalha com futebol... *tu está* em casa, te chamam e *tu tem* que estar preparado pra aproveitar a oportunidade, *tu não pode* fraquejar; se fraquejar, está fora. É que nem aquela coisa de falar que o mercado te engole se *tu não estiver* pronto.

"A minha carreira na base foi difícil. No profissional, as coisas começaram a acontecer. Eu só precisava jogar e quando eu consegui, fui mostrando trabalho, mostrando potencial, e as coisas foram acontecendo"

Ascensão no profissional

Eu sempre fui obediente e muito disciplinado. Um dos primeiros caras a chegar e a puxar o treinamento físico. Não é à toa que nos juniores eu era capitão e quando fui *pro* profissional, depois que saí do Inter, fui capitão de outras equipes também. Pra mim, foi muito gratificante. Na realidade, se eu juntar tudo, tive mais dificuldade quando novo do que quando fui *pro* profissional. No profissional, as coisas foram acontecendo rápido. Subi em junho e em setembro, já era titular do Inter. Com 20 anos, eu já era titular do time do Inter e fazia dupla de zaga com o Gamarra.

A vida dura da base

Hoje mudou bastante, mas, no meu tempo, na base, a gente sofria. A gente treinava num campo ruim, as condições de material de trabalho não eram boas — por exemplo, camisas rasgadas. Eu ainda tive o meu tio. Como ele era atleta, me dava chuteira e tal. A minha carreira na base foi difícil. No profissional, ficou tudo mais fácil. Eu só precisava jogar e, quando eu consegui, fui mostrando trabalho, mostrando potencial, e aí, as coisas foram acontecendo.

Saúde de atleta

Nunca estive envolvido com coisa errada, nunca fui pra festa, não bebo até hoje, não sou de bebida alcoólica. Sempre fui um cara tranquilo. E eu sabia que nós precisamos do físico. Sabia também que, como profissional, a gente tem que se cuidar, dormir bem, se alimentar bem, pra estar apto, pra poder fazer bons jogos e ter sucesso na carreira.

Sem ajuda psicológica

Nunca teve ajuda psicológica. Agora, com a internet, *tu consegue* falar com o pessoal que jogou contigo no juvenil, nos juniores. E a gente sempre fala que os psicólogos éramos nós mesmos, dando opinião, mostrando o erro de outro, aconselhando a não desistir. Um dizia que não continuaria porque não tinha dinheiro e os outros, "espera aí, vamos dar um jeito, vamos lá falar com o diretor e tal". Não tínhamos psicólogo na minha época. Eu subi *pro* profissional em 1996 e em 97, começou a entrar o pessoal da Psicologia do Esporte, mas muito pouco.

Psicologia desde cedo

Eu vejo essa parte da psicologia como muito importante dentro do futebol, mas tem que ser cedo. Na minha época, o cara te dava uma ajuda de custo, um saquinho de fichinha pra *tu pegar* os ônibus, te dava cinquenta reais. Então, naquela época, *tu conseguiria* trabalhar com a cabeça de um menino de 18 anos, porque ele ainda não estava ganhando dinheiro. Trabalhava com meninos de 13, 14 anos, acho importante a psicologia, mas *tu pega* um de 16 anos, já apto *pro* profissional, aí é muito difícil trabalhar a cabeça de um menino desses.

No *start*, sim

Imagina, o menino sai da favela ou do subúrbio, de uma condição financeira menor e quando vê, está ganhando 50, 60 mil. É muito dinheiro pra um adolescente de 16 anos. Não tem como uma psicóloga conversar com um menino de 17 já ganhando 200 ou 300 mil, ele não vai querer te escutar. A partir do momento em que ele bate a porta do consultório... *Ah, não! Vou fazer o que eu quero, o dinheiro é meu, posso ir pra tal lugar, posso comprar carro, comprar aquilo.* Por isso que a psicologia é importante no *start*, quando ele não tem nada, quando está com o sonho de construir um patrimônio, juntar dinheiro, tirar o pai e a mãe de onde moram e poder dar uma condição melhor pra eles.

Fama, dinheiro e más influências

E é assim: ele abre o coração pra ti, fala o que fez errado, mas quando sai dali, fecha a porta e toca o telefone... o telefone é *pro* bem ou *pro* mal, não é? As pessoas do mal já começam (simula estar digitando). Porque, nessa hora, as amizades são aquelas, "vamos lá no barzinho tomar uma. Vamos comer um churrasco, vamos lá na festa tal". Estas não são as amizades que te diriam, "vamos pra casa, você precisa dormir, precisa se concentrar, estar apto pra treinar, pra poder jogar bem". Eles vão falar, "não esquenta a cabeça, eu vou virar a noite, depois vou treinar virado mesmo".

Nunca desistir

Claro que tem o talento, mas o determinante é trabalhar, não desistir. Hoje, as pessoas desistem muito facilmente e, na realidade, não tem nada simples. O atleta precisa trabalhar duas coisas em si: uma é a parte mental, porque *tu precisa* saber absorver o que acontece. Daí que o meu pai foi importante pra mim, porque eu soube absorver as coisas ruins e transformar em boas. E a outra é o que o meu pai sempre me falou: "Cara, *tu quer* ser um atleta? *Tu tem* que treinar". Tem que treinar, ter disciplina e tem que se regrar.

"Em dezembro de 2020, fez três anos que estou nos EUA. Eu trabalho com futebol, com a adolescência, os meninos mais novos. Alguns têm o sonho de querer jogar. Eu sempre falo pros meninos aqui: Não é importante *tu driblar*, mas é importante, sim, *tu entender* o jogo"

Porque em nem todas as posições, *tu precisa* driblar: o zagueiro, o lateral, o volante, não precisam driblar... em alguns momentos, talvez. Se ele tiver uma boa parte de desarme e souber dar um passe, já fez o trabalho dele. São detalhes que eu sempre falo *pros* meninos, que não precisa ser o cara que vai toda hora, que faz gol, que vai acontecer. E eu falo, "é trabalho, tem que estar sempre trabalhando, ter persistência, não desistir. Daqui a pouco, *tu vai* escutar um 'não', mas tudo bem, vida que segue, não pode desistir".

Valor da educação básica

Os meus pais sempre me falaram: "*Tu vai* terminar o Segundo Grau, porque se não acontecer de ser atleta ou não tiver êxito pra jogar em grandes clubes e conquistar alguma coisa, *tu pode* fazer uma faculdade". Graças a Deus, eu pude fazer o que eu sempre quis e imaginava, quando criança, que era ter uma casa, uma piscina, o meu cachorro. Mas a gente sabe que, no futebol, é a minoria que ganha dinheiro. Não foi à toa eu ter estudado. Depois que parei de jogar, e eu tinha 34 anos, fiz um pouco da faculdade de Educação Física.

O momento de parar

Bah, essa hora é difícil. Não foi muito pra mim, mas pra maioria, eu vejo que é. Eu fui *pro* Vila Nova de Goiás, me mandaram embora e voltei pra casa. Um dia, um amigo meu me ligou: "Ó, Régis, tem um clube de São Paulo que quer te trazer pra cá. Não quer vir? *Tu tem* que morar na concentração e te pagam dois mil reais". Falei que não dava. Foi uma das coisas que me desmotivaram. *Pô,* eu com a minha história, joguei em grandes times, foi até falta de respeito comigo. Eu já estava com 34 anos... Aí, acabei parando.

Na Rússia

Joguei na Rússia por um ano e cinco meses. Foi uma boa experiência, mas me assustei, no início. É que eu estava no começo e eles, começando a levar estrangeiros para a Liga, não estavam totalmente preparados pra isso. Eu, acostumado ao Brasil que, quando te transferem pra outro clube, te botam num hotel, mas na Rússia não tinha hotel. "Tá, mas onde eu vou ficar?" Aí o cara: "*Tu fica* aqui nesse prédio"... que parecia mal-assombrado. Aí, me assustei muito. Acabei ficando na casa de outro brasileiro até alugarem uma casa pra mim. A gente treinava na parte da manhã, dificilmente à tarde. Fui me acostumando, só que tive uma infelicidade lá: rompi o meu tendão do adutor e fiquei uns quatro meses sem poder jogar.

A imagem do jogador brasileiro

Alguns brasileiros pagam pelos outros que vão pra Europa: o cara pega o dinheiro, chega lá e não quer treinar; começa *na noitada*, começa a se lesionar, fala que quer voltar *pro* Brasil. Acabei pagando por isso, porque fiquei alguns meses lesionado, não consegui voltar. Quando fui *pro* Brasil pra me tratar, os caras achavam que eu estava enrolando eles, que eu não estava lesionado. Depois disso, não consegui voltar mais, porque acharam que eu estava me divertindo no Brasil. E eu, preocupado em voltar logo pra poder jogar. O atleta brasileiro tem uma imagem ruim lá fora. Ele se acha o tal. Não quer se enquadrar no sistema. Tem que esperar um pouco, treinar, trabalhar, ver como funciona. Não são os caras que têm que se enquadrar no sistema dele, é o contrário, tem que se enquadrar no país, no clube, no sistema do técnico, que é diferente. Não é um técnico brasileiro, é um técnico italiano, dinamarquês, alemão.

Tratando a própria lesão

Na Rússia, foi difícil quando me lesionei. Porque eu me tratava sozinho. Não tinha fisioterapia no clube. Por isso que eu falo que, naquele momento, eles não estavam preparados pra receber atletas de outro país, sabe? Não tinha fisioterapia, não tinha uma parte de reabilitação, como no Brasil, como em todos os lugares. Aí, o que aconteceu: eu não consegui me tratar, porque eu não sou fisioterapeuta, *né*, então, fiquei um bom tempo lá, lesionado. Depois, voltei ao Brasil para me tratar.

Mudança de planos

O que eu tinha em mente era encerrar a minha carreira lá na Rússia. *Ah, estou aqui já, vou jogar uns dois anos bem aqui, de repente já pego uma transferência pra outro clube aqui dentro mesmo.* Esse era o meu objetivo, e acabou acontecendo tudo errado. Por isso que eu falo, essa coisa da programação, *vou fazer isso, vou por aqui, vou por ali,* de vez em quando, Deus te encurta o caminho e *tu tem* que ter uma saída. Eu tive a infelicidade de me lesionar, que acabou encurtando o meu caminho. O projeto que eu tinha, de jogar lá na Rússia por uns seis, oito anos, acabou virando um ano e cinco meses.

"Eu vim pros Estados Unidos trabalhar com futebol, com o objetivo de abrir uma escola no meu nome. Eu não conhecia ninguém aqui, mas *tu vai* aos lugares e Deus vai te abrindo as portas. Depois, vai depender de ti"

Paciência

Quando a gente é jovem, não gosta de esperar. Realmente, a paciência é uma das coisas que adquiri com o tempo. Eu sempre falo: "Cara, não adianta. *Tu quer* assim, mas as coisas não estão acontecendo. Tem que esperar. Mas tem que trabalhar, Deus não vai te dar de mão beijada; mas, se *tu trabalhar*, mostrar que tem potencial, que está interessado e focado naquilo, as coisas vão acontecer". Só que tem um tempo. É mais ou menos assim: eu parei de jogar, fiz curso de treinador e tal. Fiquei pensando, *vou ficar esperando 20 anos pra poder treinar um time profissional, do jeito que eu quero — um Inter, um São Paulo, um Fluminense ou um Cruzeiro?*

Plano B

Então, a gente tem que ter plano B. Vim *pros* Estados Unidos trabalhar com futebol, com o objetivo de abrir uma escola no meu nome. Eu não conhecia ninguém aqui, mas *tu vai* aos lugares e Deus vai te abrindo as portas e os caminhos, os mais fáceis e os mais difíceis, e *tu vai* pelo que acha melhor. Então, eu penso muito, *não adianta. Se o "Homem" lá em cima não der o amém, não botar a mão em cima de ti e falar "vai, filho", a coisa não acontece, não tem jeito.*

Brasil vs Estados Unidos

Aqui, nos Estados Unidos, tem pouco clube pra muita gente. No Brasil, tem muita gente e inúmeros clubes. Os clubes menores estão todos agindo, porque no Brasil, o pensamento é descobrir alguém pra ganhar um dinheiro. Ainda mais agora, com esse negócio do Clube Formador, que tem a transferência do atleta e *tu ganha* cinco por cento. No Brasil, é mais difícil abrir uma escola, porque o poder econômico não é tão forte e nos bairros mais chiques, o pessoal não tem aquele interesse pelo futebol. O interesse está mais na periferia. Aqui se trabalha muito forte essa parte de preparar os meninos, do colégio, do *high school*. Nem todos querem ser atletas profissionais, mas se preparar pra poder pegar uma bolsa. Porque o estudo aqui é muito caro, tanto em colégio privado como em faculdade. Então, são coisas que os pais têm em mente.

O legado

Quando tocam no meu nome e falam que eu sou um cara bacana, isso é o meu maior legado. Se eu ligar pra um Dunga, se eu ligar pra um Jorginho, que foi lateral direito da seleção do tetra, caras que jogaram comigo... fazia tempo que eu não falava com o Kaká, e joguei com ele no São Paulo, liguei, ele atendeu e falou comigo, sabe? Acho que esse é o meu maior legado: a credibilidade que eu deixei por onde eu passei. Eu ter trabalhado com o Dunga, pra mim, foi uma coisa de outro mundo. Eu tinha 23 anos, o cara já era campeão do mundo, tinha disputado três Copas do Mundo, tinha sido capitão em duas, foi capitão do tetra. Pra mim, foi um sonho jogar contra Romário, contra Edmundo. Jogar contra o Edmundo já era... mas enfrentar os dois juntos, pra mim, foi gratificante demais.

Os heróis

Meus grandes heróis foram os meus pais, na minha carreira, na minha vida pessoal, muito importantes, sempre atuantes, sempre em volta de mim. Eu vejo a história de meninos que jogaram comigo, que tiveram só o pai ou só a mãe, ou senão o pai só aparece depois que o menino está no profissional, ganhando dinheiro e com a mídia em volta. Mas os meus sempre estiveram comigo. Quando eu falo neles, até me emociono.

THIAGO GENTIL

Futebol

Nenhuma oportunidade desperdiçada

Thiago Gentil é um *ex-futebolista nascido em São Paulo, em 08.04. 1980. Foi revelado pelo Palmeiras em 1997 e conquistou, pelo clube, vários títulos importantes como a Copa do Brasil e a Copa Mercosul em 1998, a Copa Libertadores em 1999, o Campeonato Brasileiro Série B em 2003 e o Troféu 90 Anos do Esporte Clube Taubaté, em 2004. Pelo Náutico, conquistou, em 2001 e 2002, o Campeonato Pernambucano. Thiago passou por vários clubes, como os pernambucanos Santa Cruz e Náutico, o saudita Al-Ittihad, o sul-coreano Daegu, o espanhol Deportivo Alavés, o catarinense Figueirense, o grego Aris Salônica, o paranaense Coritiba, o português Nacional e os paulistas Grêmio Barueri e Guarani. Hoje trabalha como secretário de Esportes, Cultura e Turismo da cidade de Nova Odessa, no interior de São Paulo.*

Pequeno artilheiro

Eu comecei bem pequeno. Minha mãe era professora, se tornou diretora de escola e supervisora de ensino, e hoje está aposentada. Meu pai era treinador de futsal e sempre me apoiou muito, desde o início. Com seis anos, as pessoas já viam que eu tinha talento, uma técnica, um dom que Deus me deu, e fui para o futsal. Meu primeiro campeonato, naquela época, se chamava "chupetinha", o Sub-6 do futsal. Fizemos a final contra o Corinthians, que já era o Campeonato Metropolitano de São Paulo, e foi difícil. Lembro que meu pai falava:

"'Ó, pega a bola, os goleiros são pequenos, bate embaixo dela que você faz os gols'. Fiz 38 gols no campeonato, fui artilheiro, fomos campeões em cima do Corinthians e aí, tudo começou"

Nos anos seguintes, fui ganhando prêmios no futsal. Com 13 anos, tive a proposta de jogar futebol de campo. Eu não queria, eu amava o futsal e também sempre levei muito a sério os meus estudos. Minha mãe sempre me cobrou muito, então meu pai falava: "Vou te apoiar no futebol, mas se você não tirar nota boa, sua mãe não vai deixar você jogar".

Despedida do futsal

Com 13 anos, fui para o Palmeiras e jogava futsal e futebol de campo, e ia à escola. Eu saía de casa às seis da manhã e voltava à meia-noite, todos os dias. Foi muito árduo, mas eu era apaixonado. Eu sabia que estava nos momentos bons, ganhando prêmios, mas não pensava, *eu tenho o sonho de me tornar profissional.* Não era o meu maior foco. Eu amava todo esse trabalho e fazia com o maior prazer. Dos 14 aos 17, foi tudo muito rápido, e em três anos, eu estava estreando no profissional de futebol de campo.

O dedo do Felipão

Quando o Felipão me subiu para o profissional, tive que largar o futsal. Eu cheguei no Reinaldo Simões, que é o presidente da seleção de futsal hoje, e falei para ele, chorando muito, que eu teria que largar o futsal porque eu estava tendo a oportunidade de me tornar profissional do campo. Ele me abraçou e disse: "Vai lá, garoto, segue o seu caminho. Boa sorte". É engraçado que eu encontrei o Reinaldo muitos anos depois. Fiz oito anos de carreira na Europa e na Ásia, a gente se encontrou e ele me falou: "Eu lembro disso, disso, disso". Foram tantos jogadores que passaram na vida dele, e ele se lembrava de detalhes sobre mim! É muito emocionante recordar essas histórias. Foi isso tudo que me fez tornar o que me tornei.

Por amor ao esporte

Os primeiros campeonatos foram muito importantes, mas eu jogava porque amava o que eu fazia. Jogadores de base, hoje, têm salário alto, mas a gente ganhava pouco. Eu pegava ônibus, pegava trem, ia treinar superfeliz por ter a oportunidade. Mas, é claro que, com as vitórias, os títulos, você sente algo diferente, é uma coisa inexplicável. Futebol tem um poder incrível, de te provocar emoções, de altos e baixos, de você aprender a lidar em grupo, lidar com seres humanos, cada um no seu estilo de vida, então você aprende muito.

O ego do atleta do futebol

Quando estreei no profissional, com 17 anos, tudo mudou na minha vida. Meus pais sempre me apoiaram muito, mas é aquela coisa de jovem, de não estar preparado. Eu não estava preparado para viver aquilo, mesmo tendo uma base familiar. Com 17 anos, fiz o contrato e logo já estava começando a aparecer jogando na televisão. A imprensa ia até a faculdade fazer matéria comigo. Então, o ego do atleta sobe à cabeça. E o ego do atleta é muito grande. Eu consegui me curar, em termos, porque acho que o ego do atleta é um problema no futebol. Mas a minha carreira caminhou sem manchas. Se você procurar na internet algum problema como atleta... como jogador, não, mas como pessoa, o que eu tenho mais orgulho de levar, é o meu nome.

"Eu não estava preparado para viver aquilo, mesmo tendo uma base familiar. Com 17 anos fiz o contrato e logo já estava começando a aparecer jogando na televisão. A imprensa ia até a faculdade fazer matéria comigo. Então, aquele ego do atleta sobe à cabeça"

Amizades de verdade

Você começa a ver que muita gente se aproxima por você ser famoso, porque você hoje tem uma posição diferente. Mas eu sempre tive meus verdadeiros amigos. Como eu sou da Lapa, em São Paulo, muito perto do Palmeiras, a maioria dos meus amigos era palmeirense. Eu treinava no Palmeiras e, para ir e vir, meus amigos me apoiavam em todos os sentidos. Quando você nasce em bairro humilde, sempre tem as coisas ruins dos jovens, e meus amigos falavam: "Não, o Thiago é um atleta, vamos cuidar dele". "Vamos ajudar o Thiago porque ele é um atleta, vamos ficar do lado dele." Sempre foi assim. Os amigos que sempre estiveram do meu lado, nos momentos bons e nos ruins, e meus pais, principalmente, são a base de tudo.

O primeiro susto

Eu tive que passar pela primeira cirurgia no joelho aos 19 anos, em 1999. Foi difícil, tive que operar o cruzado anterior e fiquei seis meses parado, fazendo fisioterapia. Aí, sumiram muitos que eu acreditava que eram amigos, porque saí do foco, saí da fama por alguns meses. E a gente começa a valorizar e a entender a vida nesse lado, começa a pôr na balança os prós e os contras, e vai se vacinando durante o tempo quanto a isso. Antigamente diziam que não ficava bom o resultado da cirurgia de cruzado, então, tive medo de não me recuperar e de tudo acabar ali, por causa de uma lesão. Mas o Palmeiras me levou ao melhor médico-cirurgião de joelho cruzado, na época, e tudo caminhou muito bem.

Um passo para trás

Há momentos que a gente nunca vai esquecer. Com muita força de vontade, com trabalho, dois períodos de fisioterapia durante seis meses, consegui retornar e dar sequência à minha carreira. E acho que passar por isso foi importante. Aquele ego, aquele time que você achava que estava do seu lado, no momento ruim desaparece e você fica mais fragilizado. Então, comecei a pensar diferente, a olhar mais para meus sentimentos. Você vê também que o futebol te ensina muitas coisas mais cedo do que você quer.

As lições do futebol

Eu aprendi muito com o futebol. Tive oportunidade de estudar, mas no dia a dia do futebol, você aprende muitas coisas que nem os estudos te dão. Você poder aprender a viver em grupo, poder conduzir o seu trabalho dentro de críticas internas, externas, da imprensa, dos próprios companheiros — um fala mal do outro, não são todos, peguei grupos maravilhosos, mas sempre tem. Então, nesse momento, eu dei um passo para trás e tudo recomeçou diferente.

Emprestado ao Santa Cruz

Logo depois que fiz a cirurgia, o Palmeiras também não sabia como eu voltaria e me ofereceu um empréstimo para um clube. Perguntaram se eu gostaria de ir e eu, naquela empolgação de jovem, falei: "Eu aceito, onde vai ser?". Fui para o Santa Cruz, em Recife. Era o Campeonato Pernambucano e eu jogaria a Copa João Havelange. Naquela época, era o Campeonato Brasileiro, estava na Série A. Eu queria muito jogar. No Palmeiras eram caras maravilhosos, um elenco que já tinha sido campeão da Copa do Brasil, Mercosul e Libertadores. Então, eu já tinha trabalhado com feras, caras *tops* de Seleção Brasileira na época, o que também me ajudou quando eu saí.

De volta com tudo

Eu achava que todos os clubes seriam como o Palmeiras. Fui super bem recebido lá e eu sabia que, se eu fosse bem, eu conseguiria voltar para o Palmeiras. Os times de Recife são clubes grandes, mas o Palmeiras é gigante, o maior campeão do país, e eu tive a felicidade de ir, jogar bem e depois retornar, jogar o Campeonato Brasileiro pelo Palmeiras. Aí, foi o meu primeiro ano jogando com sequência, como titular, em bastantes jogos.

Profissionalismo

Eu sempre procurei ser profissional em relação a horários, nunca ter problema de faltar a treino, sempre treinar. Claro que, pela minha característica de meia, tem uns que acham que você treina menos, outros que você treina mais, mas isso é de cada atleta. Nunca deixei de cumprir com meus compromissos, sempre fui muito profissional com isso. Tudo que vivi serviu de experiência na minha carreira, pra eu poder ter conseguido viver 16 anos no futebol profissional de alto nível.

Entrando na faculdade

Quando me tornei profissional, fiz o contrato e minha mãe falou: "Você vai fazer faculdade". Eu falei, "mãe, chegou meu momento, aquilo que eu sempre sonhei, preciso focar no futebol". Ela disse: "Você vai fazer, eu vou falar com o seu empresário, a gente vai ao Palmeiras e eles vão apoiar você, e você vai fazer faculdade". Então, agradeço muito a Deus e também à minha mãe por essa oportunidade. É um orgulho falar disso, porque a faculdade abriu a minha mente e o leque para fazer relacionamentos, conhecer pessoas.

"Meus amigos brincavam: 'Pô, você não anda mais com os brasileiros?'. Eu procurava conhecer outras culturas e pessoas, então, comecei a fazer amizade com espanhol, italiano, africano, todos os atletas estrangeiros que estavam na equipe"

Fora do Brasil

Quando vai morar fora do país, a maioria dos brasileiros fica mais fechada porque não fala o idioma. Aí, futebol, treino, casa, fica-se com as pessoas mais próximas. Eu me deixei abrir. Já estava com a minha esposa e a gente se relacionava com muita gente. Meus amigos brincavam: "*Pô,* você não anda mais com os brasileiros?". Eu procurava conhecer outras culturas, outras pessoas, então, comecei a fazer amizade com espanhol, com italiano, com africano, todos os atletas estrangeiros que estavam na equipe, porque eu precisava aproveitar a oportunidade. A faculdade me deu essa base, com certeza, de não ter medo de enfrentar esses desafios, porque a gente sabe que é difícil chegar noutro país sem conhecer ninguém. Você acaba vivendo no seu mundo. Hoje tenho amigos em todos os países e me orgulho muito disso.

Jovens devem estudar

Eu tenho um filho de 17 anos que também está nos caminhos do futebol. Pego muito no estudo com ele, igual minha mãe fez comigo, mas ele me dá uma super resposta. É um menino que estuda, é inteligente, mas também trabalha muito, é focado no treino pra chegar ao profissional. O que eu falo para os jovens que estão nos lendo aqui: o estudo te leva a outro nível; você pode dar preferência ao jogo, mas termina a escola para depois poder fazer uma faculdade, ter um plano B. E digo para o meu filho: "Você está num bom nível de estudo e também num bom nível de futebol. Se as coisas não acontecerem como a gente imagina no futebol, você tem o caminho para ir para os Estados Unidos, ganhar uma bolsa e jogar pela faculdade lá".

Dica para todos

Meu filho já está jogando os campeonatos nacionais, Campeonato Paulista, está no caminho, então, acho que a gente pode dar uma segurada, mas não vou deixá-lo parar de estudar. Até porque hoje têm as aulas *on-line*. Então, essa é a dica que eu deixo: não largar os estudos, porque não se sabe o dia de amanhã. Você pode ser um talento, mas as lesões, as oportunidades em clubes, os treinadores que vão optar por outros... A gente tem que estar preparado para uma segunda etapa da vida.

Ênfase no plano B

Tenho amizades até hoje com jogadores da base, que não se tornaram profissionais no futebol, mas que se tornaram profissionais em outras áreas. Vai ficando muita gente boa pelo caminho, porque realmente é uma peneira, poucos acabam chegando ao nível de elite. Por isso que eu enfatizo tanto o plano B, de ter um segundo caminho na vida. A pessoa tem que estar aberta, e não só focada em uma coisa. Às vezes se forma e abre um restaurante, um espaço de estética, um salão de treinamento de educação física, qualquer coisa. No futebol é muito mais difícil se tornar atleta de alto rendimento. A concorrência é muito grande.

Saber lidar com frustrações

O que a gente mais vê, quando toma um "não" no futebol, é que o jogador se abate muito. Às vezes, você espera ser titular num jogo porque jogou bem, mas no outro não jogou bem, e o treinador te tira e nem te coloca para jogar. Isso vai desmotivando o atleta, que faz cara feia, o treinador não gosta, te encosta, e as coisas vão só piorando. Às vezes, você acaba não tendo mais oportunidades em outros lugares. Outro time pede informação sobre você e vem: "Olha, esse moleque é até bom jogador, mas é ruim de grupo, faz cara feia quando não joga". Então o futebol requer muito trabalho, muito treinamento, físico e mental. A gente tem de saber lidar com situações frustrantes.

Sem cara feia

Na minha época, eu ouvia muito, "você tem que fazer política". Eu perguntava: "O que é fazer política no futebol?". "É engolir sapos, quando o treinador te tira, você dá um sorriso." "Mas eu não sou assim, não consigo ser." "Eu também não era e me prejudiquei muito, até aprender a ter paciência, aguentar frustrações." O atleta que está do seu lado está tentando igual, está fazendo o mesmo trabalho que você, está esperando essa oportunidade, que é merecida para ele também. Achamos que só nós temos que jogar, porque estávamos melhor, porque merecíamos. Perseverança, humildade de reconhecer quando o treinador te tira, ficar caladinho, continuar trabalhando. A oportunidade uma hora vai vir, não fique resmungando, entendeu?

> **"Ainda que o outro seja pior que você tecnicamente, ele pode ter alguns méritos que vão superar aqueles méritos que você tem e vai ser melhor que você em algumas coisas, vai se tornar um atleta mais bem-sucedido. Só ser jogador de futebol, ser bom, não adianta."**

Percepção fora das quatro linhas

Parece simples, mas é muito difícil, porque o jogador sempre quer jogar. Ainda que o outro seja pior tecnicamente, ele pode ter méritos que vão superar os que você tem e vai se tornar um atleta mais bem-sucedido. Só ser jogador de futebol, ser bom, não adianta. Tem que ter algo mais, tem que ter essa percepção fora das quatro linhas, o trabalho, o entendimento de jogo. Eu falo para o meu filho, "a tomada de decisão conta muito mais do que o talento". Às vezes, um jogador tem uma tomada de decisão melhor do que aquele que é bom, que quer dar um drible na hora que não é para dar.

Momentos marcantes

Tem coisas que me ficaram marcadas, como a minha primeira convocação para a Seleção Brasileira de base, estar entre os melhores da sua idade do seu país. Sempre que eu falo isso, até me arrepio. Naquela seleção tinha o Ronaldinho Gaúcho, tinha muitos craques. Depois, me tornar profissional e ganhar o primeiro título. E eu ganhei um título também em Recife jogando pelo Náutico, um clube pelo qual eu tenho muito carinho. Eu tinha 20 anos, logo depois que saí do Palmeiras, fazer o gol do título é uma emoção que não tem preço. Ficou marcado na história do clube, foi um título que a gente ganhou no centenário, já faz 20 anos.

Companheira de estrada

Devo muito à minha família, especialmente à minha esposa. Estou há quase 20 anos casado. Acho que uma pessoa do seu lado faz uma diferença tremenda, quando você tem alguém que caminha com você, e minha esposa sempre caminhou comigo, os meus filhos sempre estiveram do meu lado. Joguei em cinco países diferentes, fiquei oito anos fora. Não é fácil para um atleta estar se mudando e, se você não tem alguém do seu lado, fica mais difícil.

O legado

Quando ligo para um cara que jogou comigo, que é treinador, diretor de futebol, ou para alguém que não conheço, sou super bem atendido. Ter tido uma vida limpa no futebol, sempre ter sido um cara de grupo, de índole e caráter, me orgulha. Costumo falar que meu papo não faz curva, que sou um cara reto. É isso o que eu levo, o meu nome não como atleta, mas como ser humano. O legado que eu deixei no futebol foi o relacionamento interpessoal por onde passei. Os títulos ficam na parede, ficam para o clube, para a história; o dinheiro você ganha, gasta, pode ter, pode não ter. Mas o que fica, para mim, é o que eu fiz como ser humano.

Conexão com Deus

Eu frequentei a Igreja Católica, fiz comunhão, mas não tinha ligação com Deus. Depois de me casar, com uns 26 ou 27 anos, pude conhecer o verdadeiro Deus, os caminhos, e minha vida só melhorou. Relacionamento, casamento, futebol... você começa a entender que a justiça vem do alto. Não sou um cara que tem religião, mas amo a Deus e acredito na mão d'Ele na minha vida. Nunca imaginei trabalhar onde eu trabalho hoje, ter a família que eu tenho hoje. Acho que foi tudo Deus que sustentou.

Hora certa de parar

Comecei a me preparar para parar. Passei a ter muita dor no joelho, fiz a primeira cirurgia com 19 anos e com 33 já tinha feito outra, por causa do desgaste da cartilagem. Eu jogava e doía. Voltei de Portugal com 32 anos, já pensando em dar um *stop*. Estava cansado de concentração, de viagem. E, no final da carreira, você já começa a planejar o pós. Do dia a dia do futebol, a gente sente falta, claro, mas meu corpo estava cansado e eu queria tempo para cuidar dos meus filhos.

De volta

Voltei para o Brasil, estava jogando o Campeonato Paulista pelo Guarani e meu joelho já doía muito. Cada vez mais eu fazia ressonância, tinha que tomar injeção para jogar, mas ainda fazia bons jogos, fiz alguns gols no campeonato. O treinador era o Branco, que acabou de ser curado da Covid-19, fiquei tão feliz, nosso tetra, lateral esquerdo Branco, e ele falava pra eu me cuidar para poder jogar, porque tecnicamente, eu ia ajudar muito a equipe. Só que eu não conseguia mais render no dia a dia. Então, parar foi mais "tranquilo".

"*O que eu vou fazer da minha vida?* Aí começa a dor, você sente falta da rotina, do dia a dia do treinamento, porque o seu corpo foi modelado para treinar todos os dias da sua vida"

E agora?

Falei com meu filho que ia parar, ele chorou, na época era pequeno. Aí se passam seis meses, você olha para a parede, olha para o lado — eu tinha algumas coisas em que havia investido. Eu pensava, *o que eu vou fazer da minha vida?* Aí começa a dor, você sente falta da rotina, do dia a dia do treinamento, porque o seu corpo foi modelado para treinar todos os dias da sua vida. Um, dois meses que passam, beleza, é como se fossem férias. Depois você fala, "*meu*, eu preciso fazer alguma coisa da minha vida".

Morrer duas vezes

Começa a ficar um vazio, você acha que está muito na sua casa, que está incomodando a sua esposa. Eu sempre fui muito acelerado, sempre gostei de fazer as coisas, então comecei a me sentir uma pessoa inválida. Parar de jogar não é fácil. A gente morre duas vezes, *né*? Falam que a gente morre quando para de jogar futebol e quando morre realmente. Na verdade, eu meio que me preparei para isso, mas vai passando o tempo, a gente sente muita falta. Não conseguia ficar sem fazer nada e comecei a estudar de novo.

Buscando o caminho

Aí, entrei no futebol outra vez e comecei a negociar. Os relacionamentos que eu tinha feito quando eu jogava, fui telefonando e comecei a encaixar alguns jogadores, mas é complicado o mundo empresarial, porque há muitos jogadores que falam uma coisa e fazem outra. Aí, estudei Gestão Esportiva, virei diretor de futebol, fiquei alguns meses também, mas é difícil você *pegar embaixo*, sem dinheiro. Em clubes pequenos, é muito difícil você ter verba para conseguir os contratos. Os calendários são muito curtos. Você faz um contrato com um menino que tem um campeonato de meio ano e aí ele arrebenta, você não consegue segurar e acaba perdendo o jogador. É complicado, mas é uma coisa pela qual eu sou apaixonado.

Gestor público

Hoje eu faço algumas coisas com o futebol também, mas não diretamente ligadas ao futebol: sou Secretário de Esportes de Nova Odessa. Fui aprendendo cada vez mais a gestão e acabei recebendo a proposta, depois de me formar. Minha vida acabou pendendo para esse lado, entrei para a política. Na verdade, eu trabalho na política, mas não sou político. Tudo que eu sou e que me tornei foi graças ao esporte, e Deus está me dando a oportunidade de poder devolver isso com projetos sociais, dentro da cidade. Estamos numa pandemia, mas tenho captado verba para fazer novos complexos esportivos, para apoiar todas as modalidades.

Desafios da pandemia

Tem sido muito difícil. As praças e todas as áreas esportivas, eu tive que fechar. Isso me dói no coração, porque a coisa que eu mais amo é ver gente fazendo esporte. Mas temos que entender que a vida é muito mais importante. Às vezes o cara fala, "é, você está aí, fechando tudo e esporte é saúde". Eu também acredito nisso, mas são ordens que a gente tem que respeitar. Estão indo embora muitas vidas no nosso país e isso nos entristece muito. Tenho perdido amigos e também conhecidos, a gente tem que se cuidar e dar um passo para trás. Vidas importam mais do que tudo. O que eu tenho feito na área de esporte, agora, é a parte estrutural da cidade.

Os ídolos

Quando jovem, eu tinha o Romário como ídolo. Na copa de 1994, eu tinha 14 anos, então, ele sempre foi minha inspiração. Já como profissional, comecei a jogar com caras como Zinho, César Sampaio, Evair, esses caras que tinham sido campeões em 1993, 1994. Depois fui jogar com eles no Palmeiras, que em 1999 se tornou campeão da Libertadores; em 1998, foi campeão da Copa do Brasil. E aí eu conheci um ser humano que se chama Crizam, que é o Zinho, nosso tetracampeão mundial, um cara espetacular. Além de admirar muito ele, eu gostava de ficar do lado dele no vestiário para aprender. Ele e o César Sampaio, pessoa especial no futebol.

Bambas no caminho

A gente fala muito dos jogadores como atletas, mas como pessoa, foi superimportante eu ter me encontrado com esses caras. Eu procurava escutá-los. O Júnior Baiano também era um cara que falava pra mim: "Ó, garoto, você tem talento, se tiver a cabeça no lugar...". São pessoas que eu sei que Deus colocou no meu caminho para me ajudar. Ronaldo Fenômeno também foi dos melhores que eu vi jogar. Tive oportunidade de jogar contra ele e depois, também, contra o Romário, meu primeiro ídolo. Grandes jogadores e grandes pessoas.

Este livro

Obrigado por fazer parte deste livro, adorei o convite, Francisca. Quero parabenizar você por estar fazendo esse trabalho. É muito gostoso a gente relembrar, falar das histórias dos ex-atletas. Com certeza, quero te desejar também bastante sucesso.

CAPÍTULO IV

A atuação do fisioterapeuta no esporte

Por HELDER NANI RICARDO

A Fisioterapia é uma profissão cada vez mais reconhecida e valorizada, principalmente no meio esportivo. O profissional fisioterapeuta tornou-se parte integrante da maioria das equipes multidisciplinares que dão suporte para o bom desempenho esportivo do atleta, seja amador ou profissional. Sabemos que é de fundamental importância a interação entre todos os profissionais envolvidos — médico, preparador físico, fisiologista, psicólogo, nutricionista, treinador, entre outros.

No caso do fisioterapeuta, pela ampla convivência diária com o atleta, seu trabalho permite identificar diversos aspectos que possam estar interferindo em seu desempenho esportivo, podendo assim direcioná-lo ao profissional competente. Para isso, é necessário que este profissional tenha formação que permita uma boa atuação em sua área específica, além de entendimento e interação com a atividade exercida pelos outros profissionais também responsáveis pela preparação e pela saúde do atleta.

O fisioterapeuta esportivo tem a capacidade de atuar em diversos níveis de atenção ao atleta, não só no que tange à reabilitação propriamente dita, mas também na prevenção de possíveis lesões. Seu trabalho pode combinar diversas estratégias e modalidades terapêuticas, sejam elas voltadas para o controle da dor e inflamação, regeneração tecidual e cicatrização, ganho de força e potência musculares, mobilidade e flexibilidade, equilíbrio, propriocepção e desempenho cardiovascular, entre outros.

A Fisioterapia Esportiva visa a reabilitação, manutenção e o aumento da performance esportiva, respeitando a individualidade de cada atleta e a especificidade do esporte ao qual se dedica. O objetivo fundamental do fisioterapeuta esportivo é "cuidar do atleta", e em sentido ainda mais amplo do que implica a parte técnica propriamente dita.

Em se tratando de prevenção, por meio de diversas formas específicas de avaliação, o fisioterapeuta é capaz de identificar diversas alterações posturais e biomecânicas que podem interferir no bom desempenho do atleta. Sua *expertise* no tratamento de lesões, aplicando exercícios funcionais específicos e recursos eletrotermofototerápicos (correntes analgésicas, correntes estimulantes musculares, laserterapia, ultrassom terapêutico, entre outros), auxilia na redução do tempo de tratamento e na consequente inatividade do atleta, possibilitando um retorno mais rápido à prática esportiva e até mesmo o aumento de sua performance.

Mas o que difere o fisioterapeuta brasileiro dos profissionais estrangeiros da área é certamente a manualidade, ou seja, sua capacidade de utilizar recursos manuais (Fisioterapia Manual ou Manipulativa), que não são tão presentes no arsenal terapêutico de outros países.

Podemos citar aqui não só as manobras de liberação miofascial amplamente utilizadas no *recovery* (recuperação muscular), mas principalmente as diversas técnicas ajustivas ou manipulativas articulares (dentro de várias linhas de pensamento), que ajudam muito na correção das alterações biomecânicas. Enfim, o fisioterapeuta conta com um verdadeiro arsenal de recursos terapêuticos para ajudar o atleta na reabilitação e no seu desempenho esportivo.

Cada modalidade esportiva exige uma atenção especial do fisioterapeuta para identificar as principais lesões associadas a determinado esporte, possibilitando apresentar estratégias de prevenção e reabilitação adequadas. É de grande importância, para o sucesso da reabilitação ou para o desenvolvimento e a manutenção de um atleta profissional em alto nível, entender os diversos aspectos a serem trabalhados — o socioeconômico, o familiar, o nutricional, o desenvolvimento físico e emocional. Alguns autores destacam que muitos destes aspectos podem prejudicar o desenvolvimento completo de um atleta.

Sabemos que aspectos emocionais podem exercer forte influência na predisposição a lesões, no tempo do tratamento e no retorno às atividades normais, e o fisioterapeuta acaba se tornando uma peça fundamental para o atleta poder superar a fase de inatividade que o subjuga.

É cada vez mais evidente que o estado mental do atleta influencia o seu rendimento, assim como o seu retorno às atividades. Entender como monitorar e empregar a influência da mente como aliada é um grande desafio para toda a equipe de suporte, seja a médica, seja a da comissão técnica.

Todo atleta deveria ter acesso aos diferentes recursos disponíveis para ajudá-los a superar desafios e dificuldades em busca dos seus resultados. Profissionais especializados devem estar sempre atentos às suas necessidades, mas, infelizmente, esta não é a realidade da maioria dos clubes brasileiros.

Sabemos que dedicação aos treinos, boa alimentação, qualidade do sono e uso de recursos tecnológicos são de extrema importância para o aumento do rendimento e de conquistas do atleta. Mas, cada vez mais, valorizam-se o treinamento da mente, a vontade, a capacidade de concentração, o controle da ansiedade e muito mais.

Em esportes competitivos, as cobranças e exigências dos clubes ou de patrocinadores quanto a resultados (sem esquecer as exigências pessoais) e o aumento das cargas de treino e a frequência de jogos e competições levam o atleta a exceder, em muitas situações, os seus limites físicos e emocionais, o que tem influenciado bastante no aumento da prevalência de lesões.

Não é fácil para um atleta de competição enfrentar uma cirurgia e a reabilitação pós-cirúrgica por tempo prolongado, dependendo da gravidade da lesão. O afastamento de treinos e competições pode influenciar a sua vida profissional e também a social, em função da limitação física, causando alterações de humor, sentimentos de angústia, ansiedade, raiva, podendo gerar confusão mental e até depressão.

Portanto, é de suma importância que o fisioterapeuta e toda a equipe de suporte saibam identificar estas e outras condições do atleta, a fim de poder orientá-lo e direcioná-lo às melhores intervenções disponíveis, independentemente de sua área de atuação profissional.

Como já citado, o fisioterapeuta esportivo, na maioria das vezes, passa longos períodos diários com seus atletas. Na equipe, talvez ele seja o profissional de maior contato com o desportista pela convivência, mas também em se tratando do toque físico. Assim sendo, a orientação em conversas cotidianas e principalmente o poder do toque (terapia manual) durante o tratamento criam um vínculo entre as partes, na maioria das vezes, também de amizade, companheirismo e cumplicidade, muito importante para a superação de crises.

É comum vermos atletas, em momentos de conquista, externarem gratidão à equipe médica de suporte, mas em especial aos fisioterapeutas, justamente por serem os profissionais que passam o maior tempo com eles, auxiliando-os durante o difícil período de inatividade e tratamento.

Em minha experiência na área da saúde ao longo de mais de duas décadas, tendo participado direta ou indiretamente da reabilitação de diversos atletas em âmbito clínico ambulatorial, e em competições esportivas nacionais e internacionais, observei que a criação desse vínculo entre atleta e fisioterapeuta constitui-se em um diferencial nos processos de reabilitação no Brasil.

Na maioria das vezes, o atleta brasileiro costuma ter notável capacidade de superação e resiliência, o que o leva a alcançar muitos de seus objetivos, mesmo sem ter o suporte mínimo necessário. Aliado a isto, nos fisioterapeutas esportivos brasileiros, encontra-se uma capacidade de entrega e dedicação, de entendimento e de resolução de todo o processo, que os torna internacionalmente reconhecidos.

Ao longo dos anos, a Fisioterapia Esportiva Brasileira vem se tornando referência para outros países. Há cada vez mais fisioterapeutas especializados trabalhando em comissões técnicas de outros países. Estas constatações podem ser confirmadas por diversos atletas brasileiros, pois muitos preferem retornar ao Brasil para tratar as suas lesões, pela confiança devotada ao fisioterapeuta brasileiro — além de outros fatores que podem, naturalmente, influir positivamente para a sua reabilitação de sucesso, como uma maior convivência familiar.

Helder Nani Ricardo, *fisioterapeuta, é mestre em Ciências da Saúde (Unincor-MG) e pós-graduado em Fisioterapia Ortopédica e Traumatológica (UCB-RJ). Especialista profissional em Quiropraxia (Coffito) e Osteopatia (Coffito), atuou como quiropraxista nos Jogos Olímpicos Rio 2016.* Instagram: @helder_ctcvertebral.

Voleibol

No esporte desde o berço

Marcelo Freitas, *o* ***Dentinho****, nasceu no Rio de Janeiro, em 1960. Jogou profissionalmente de 1980 a 1994 por vários clubes do Brasil, e na Seleção Brasileira de 1989. Atuou como treinador e supervisor técnico de voleibol certificado pelo Conselho Federal de Educação Física. Participou de Voleibol Indoor e Beach Volley em Campeonato Mundial, Copa Continental, Liga Mundial, Tour Mundial, Campeonato Sul-Americano e Liga Brasileira. Foi o treinador da dupla Mônica Rodrigues/Adriana Samuel, da Seleção Brasileira Feminina de Vôlei de Praia, nos Jogos Olímpicos de Atlanta 1996 (Medalha de Prata) e na Seleção Feminina de Vôlei de Praia para a Olimpíada de Sydney 2000 (Medalha de Bronze). Com a equipe masculina de vôlei de praia, conquistou o 5º lugar em Londres 2012. Foi instrutor da FIVB e da Confederação Sul-Americana de Voleibol, e hoje é supervisor do Voleibol Adulto Feminino no Fluminense Football Club.*

As origens

Meu pai trabalhava com turismo, ele é da Ilha da Madeira, veio para o Brasil, conheceu a minha mãe, mineira, no Rio de Janeiro, se casaram e tiveram três filhos; minha mãe já tinha uma filha do primeiro casamento, que foi morar com os avós paternos. Somos muito ligados à mãe e fomos criados numa família boa, num bairro bom, e meu avô e meu pai trabalhavam juntos. A irmã estudou idiomas, violão, balé; hoje é bailarina e mora em Nova Iorque, e nós, os outros irmãos, fomos para o esporte. Um deles é o comentarista oficial de voleibol do *SporTV*, o Marco Freitas, que é muito bom no que faz, ele é um ídolo meu — e não é porque é meu irmão. E eu e o caçula também fomos envolvidos com o vôlei desde crianças.

Trauma em família

Perdemos esse irmão menor, em 2013 — já conversei isso com você, Francisca —, ele se envolveu com drogas e faleceu. Ficamos eu e o outro irmão ainda mais próximos do que já éramos, depois da morte do mais novo. Foi um trauma para todos na familia, até hoje nos deixa triste. Bem, era assim: a mãe deixava a gente no clube depois da aula; fazíamos os deveres no clube, almoçávamos no clube e a gente ficava o dia inteiro lá, fazendo tudo o que era esporte. Eu fiz ginástica olímpica, natação, judô, jiu-jitsu e vôlei, que foi o que me fascinou... talvez pelo biotipo: eu era magrinho, mais alto e tal. E me pegou também pelo gosto, porque não adianta o técnico da modalidade querer que você faça um esporte que você não tem aptidão nem gosto por ele. O meu irmão e eu, então, fomos federados pelo Flamengo.

Só bambas

Tínhamos uma prima que jogava no Botafogo e a gente acompanhava os jogos dela no adulto. Víamos muito aquele *métier* dos jogos mais pesados, mais interessantes, e fomos cada vez gostando mais e galgando espaços dentro do vôlei. Meu irmão parou de jogar com 17 anos e logo virou técnico. Ele é considerado o técnico mais novo a dirigir uma equipe profissional aqui no Brasil; com 18 para 19 anos, ele foi técnico do Bernard (Rajzman) na equipe do Flamengo — o Bernard já em final de carreira e ele, com 19 anos...

A prata da casa

Eu fui aquele que, na família, foi mais fundo na carreira de atleta. Comecei no CBI, o Clube Israelita Brasileiro, um clube forte, formador do Rio, jogando, estudando e treinando, federado pelo Flamengo. O CIB acabou e todos os atletas foram com o técnico de lá para o Botafogo. Em 1984, fui jogar pelo Fluminense e treinar com o melhor técnico da época, que era o Leão, e que, pra mim, ele poderia me fazer decolar na carreira. E não deu outra: naquele ano, nós fomos campeões de tudo e foi a minha primeira convocação para a Seleção Brasileira Infantojuvenil.

"Comecei a treinar com o adulto, que era a Geração de Prata – Bernard, Renan, Xandó, Amauri – enquanto eu ainda jogava na categoria inferior. Fui dali convocado também para a Seleção Brasileira Juvenil e a partir daí, comecei a decolar"

Capitão da Seleção

Fui capitão daquela equipe da Seleção Brasileira e fomos campeões sul-americanos em 1985, ano em que fui do Fluminense para o Bradesco Atlântica, o primeiro time-empresa, aqui do Rio, que tinha do mirim ao adulto. Lá, eu jogava no infantojuvenil. Comecei a treinar com a Geração de Prata — Bernard, Renan, Xandó, Amauri — enquanto eu ainda jogava na categoria inferior. Fui dali convocado também para a Seleção Brasileira Juvenil e a partir daí, comecei a decolar.

Na equipe do Bradesco

Joguei em 1985-86 no Bradesco; no ano seguinte, fiz o meu primeiro contrato profissional pra jogar na Sadia, clube-empresa de Santa Catarina, em Concórdia, cidade onde fica a fábrica da Sadia até hoje, que trabalhava muito forte com handebol e futebol de salão — inclusive, o Atílio (Dias, técnico) conhece bem. Eu, com 18 anos, já era reserva do time principal. Ali também tinha muitos *convocáveis* para a seleção adulta e para os campeonatos adultos, em que eu também jogava, mesmo sendo juvenil.

Subindo às estrelas

Dali do Sadia, joguei em 1987 no Bahrein, o Mundial Juvenil, onde surgiu o Maurício (Lima); eu era reserva do Maurício naquela seleção e me levaram para eu me preparar para o mundial da minha idade, que seria só em 1989. Então, eu joguei dois mundiais juvenis: um como reserva, em 1987, no Bahrein, em que ficamos em sexto lugar; e joguei o Sul-Americano e o Mundial como titular; eu era o capitão da equipe e ficamos em terceiro lugar. Nesse mundial, tinha o Marcelo Negrão, o Tande, o Giovane, o Douglas, que viraram técnicos. O Tande foi pra outro lado, o de comentarista e de negócios pessoais dele.

No time do Banespa

Joguei no Sadia, em 87, e em 88-89, pelo Banespa. O Maurício foi em 89 para o Banespa e ninguém jogava à frente do Maurício naquela época. Então, em 89, tentei sair do Banespa pra ir jogar no Banco do Brasil, de Brasília — o Radamés Lattari, atual vice-presidente da Confederação Brasileira de Vôlei, era o técnico na época e tentou me levar, mas fui impossibilitado de me transferir; daí, fiquei uma Superliga inteira como reserva do Maurício. Tinha também o Paulo Coco, que hoje é o assistente do Zé Roberto (Guimarães), na Seleção Feminina; éramos nós três os levantadores.

Hora de parar

O Maurício era o melhor levantador do mundo naquela época. E eu tentei, no melhor momento da minha carreira, voltando de um Mundial Juvenil, jogar em um clube que me desse a possibilidade de jogar mais, porque há o momento que você precisa jogar pra aparecer, mas não deu certo. Então, em 88-89, fomos campeões brasileiros pelo Banespa, mas eu, sem jogar. Em 90-91, fui para o Telesp; joguei, foi legal, depois me desestimulei muito e resolvi parar.

A medalha de ouro em 1992

O Giovane Gávio é hoje o meu grande parceiro nos projetos, estávamos juntos até agora, também no Sesc, e fizemos ali uma bela seleção. Naquele momento, estava havendo uma transição e o Bebeto (de Freitas), hoje falecido, junto com o Jorjão (Jorge Barros de Araújo), ainda por aí com todos nós, foram os responsáveis por aquela medalha de ouro em 1992, quando o técnico era o Zé Roberto. E em 89, após o Mundial Juvenil, estes quatro principais foram convocados para a seleção adulta; e eu não fui convocado. Na época, até entendi: o Maurício é só um ano mais velho do que eu e já estava lá, e tinha um outro levantador mais velho, convocado; então, ele precisava realmente dos atacantes naquela geração. Ele convocou todo mundo e eles se juntaram ao Carlão (Antonio Carlos Gouveia), ao Paulão (Paulo Jukoski), e foi aquele fenômeno: todo mundo campeão olímpico em 92, com 19 anos. Mas me desmotivei e parei de jogar.

Recomeço no vôlei de praia

O meu irmão trabalhava na época com vôlei de praia, ele era o técnico da Adriana e da Sandra, ainda antes da Olimpíada de 96, então, fiquei trabalhando com ele no vôlei de praia e estudando um pouco. Depois disso, fui assistente técnico dele na Olimpíada, quando só um viajava... então, só ele pôde viajar e eu fiquei muito chateado com isso, também. A gente fazia todo o trabalho e não ia para a competição mais importante. Então, resolvi voltar a jogar.

Retorno com Tande

Quando o (Carlos Arthur) Nuzman era o presidente da Confederação do Vôlei e quis repatriar os atletas que estavam jogando fora do país — o Maurício, o Tande, o Carlão e o Giovane estavam na Itália — e, de fato, ele trouxe todos de volta, pôs um em cada clube pra fazer da Superliga um campeonato com bastante atrativos, e o Tande — que era muito amigo meu, já tínhamos jogado juntos — ficou com a responsabilidade de fazer a equipe do Flamengo junto com o Marcão (Marcos Johnson de Assis), ex-campeão olímpico, como assistente. Eu estava trabalhando em uma loja e o Tande foi lá, saímos pra almoçar e ele me convidou: "Dentinho, *vambora*, cara. Volta a jogar, você vai se motivar de novo, eu quero você lá". E eu: "*Pô*, Tande, estou em outra". Depois o Marcão me ligou e eu acabei voltando a jogar. E foram as minhas últimas três temporadas.

Lesões e novos rumos

Na última temporada — na época não se chamava Superliga, mas Liga Nacional —, tive duas lesões muito sérias, por repetição de gestos, que me levaram a fazer, numa mesma cirurgia, uma acromioplastia no ombro direito e uma limpeza, e uma artroscopia no joelho esquerdo. Ainda tentei voltar a jogar, mas aquecer ficou mais difícil. Como eu já trabalhava com o meu irmão, também na praia, comecei a olhar e gostar muito do lado técnico, apesar de jovem. Fui estudar Educação Física, me casei e nasceu a minha filha.

Suando pra dar conta

Eu já era técnico do Infantojuvenil do Fluminense, ajudava na quadra o Radamés na Olimpíada de Sidney, em 2000, e também o meu irmão com a Adriana, Mônica e Sandra, no alto rendimento no vôlei de praia, às seis da manhã, antes do meu batente... Era uma loucura a minha vida e ainda comecei a estudar anatomia às sete da noite. E eu saía do Fluminense às sete, num trânsito infernal, pra chegar na Barra, onde era a minha faculdade. Nem de jato eu chegaria lá. Ia trocando de roupa, botando branco pra entrar na sala de aula de anatomia, comendo no carro, estudando pra prova. E com as viagens, minhas provas eram adiadas. Então, os amigos faziam os trabalhos pra mim e eu *ajudava eles* em outras coisas. Uma loucura. Também, naquele momento, eu dava aula de escolinha para o Ivan, um grande amigo, que até hoje tem a mesma escolinha em dois condomínios, aqui no Novo Leblon e no Nova Ipanema. E ao mesmo tempo, filha que nasceu, casamento... Mas as coisas, eu sabia que seriam assim, no início, com muito sacrifício.

Valeu a pena

E depois de todo esse sacrifício, fui chamado pelo Marco Aurélio (Motta) pra ser o auxiliar técnico da Seleção Brasileira Feminina de quadra. O Bernardinho (Rezende) estava saindo depois de duas medalhas de bronze olímpicas e deixando um legado muito grande lá. Ele transformou o voleibol feminino. Eu tenho amizade com ele desde cedo, porque ele gostava da minha família e sempre nos trazia para os treinos, pra fazer um time masculino contra o time feminino. Ele adorava que as meninas tomassem boladas pra ganhar mais força. "Pode dar bolada nelas, não tem problema", dizia. Quando ele abandonou a seleção feminina, o Marco Aurélio assumiu e me chamou pra ser auxiliar técnico. Ficamos duas temporadas lá, quando teve um momento de uma grande turbulência de metodologia e logo depois acabou essa fase do Marco Aurélio na seleção.

Da Itália à Vila Velha

A partir dali, voltei ao vôlei de praia, fui morar na Itália por um ano e meio com uma dupla masculina que tentava vaga para a Olimpíada de Atenas 2004; fizemos bom trabalho, mas não o suficiente pra termos a vaga. Encerrado o meu contrato na Itália, recebi uma verba e, ao voltar para o Brasil, abri em Vila Velha, no Espírito Santo, uma loja perto da praia onde as pessoas pudessem sentar, tomar um café, comer alguma coisa. Juntei o que no Rio tem muito e em Vila Velha não tinha, e em um mês estávamos morando lá, com minha filha matriculada, tudo muito bom. Mas... daí a seis meses, recebi proposta do meu irmão pra voltar: Gisele, a irmã do Giovane, que tinha na Itália uma empresa forte com o marido, ia abrir um projeto no Brasil e *queria ele* como técnico. Desfizemos tudo em Vila Velha e voltamos ao Rio.

A volta à praia no Rio

No Rio, recomecei a trabalhar como assistente do meu irmão, e comecei a galgar os passos como técnico. Dois técnicos que, talvez, mais me ensinaram no vôlei de praia, foram: o meu irmão — medalha de prata em 1996, com Adriana e Mônica, e medalha de bronze com Sandra e Adriana, em Sidney — e a Letícia Pessoa, também duas vezes medalha olímpica de prata em Sidney, em 2004, e que hoje forma jogadoras aqui. Letícia me chamou pra trabalhar com ela, depois do projeto do meu irmão.

Com as duplas masculinas

Trabalhei também com o vôlei masculino e nas Olimpíadas de 2012, eu já estava com o Ricardo e Pedro Cunha, a segunda dupla brasileira classificada para Londres, e Letícia estava com a primeira dupla brasileira, uma das favoritas, com o Emanuel e o Alison, que ganhou no Rio, em 2016. Eu fiquei em quinto lugar, perdi nas quartas de final para a dupla alemã campeã, Brink e Reckermann. Danados esses alemães, tinham feito uma temporada incrível. Emanuel e Alison jogaram a final contra eles e perderam de 16x14, no *tie-break*; ganharam a medalha de prata. Então, Letícia é uma técnica que eu considero muito. Aprendi bastante com ela.

"Jogando contra essas feras todas, Emanuel e Alison, Ricardo e Márcio... No meu primeiro time, pude ser campeão brasileiro e ao final da temporada, fui eleito o melhor técnico do ano"

O melhor título

Em 2010, eu na praia com a dupla Pedro Cunha e Thiago, tive a oportunidade de ser campeão brasileiro, jogando contra essas feras todas, Emanuel e Alison, Ricardo e Márcio... No meu primeiro time, pude ser campeão brasileiro e ao final da temporada fui eleito o melhor técnico do ano. Então, esse é um título que eu guardo com muito carinho e a partir dali, a gente pôde chegar a uma Olimpíada. Eu tinha uma comissão técnica muito competente e comecei a vislumbrar o lado da gestão, administração e coordenação. Foi quando a Confederação Brasileira chamou o Marcão e ele a mim, pra eu ser o supervisor desse projeto, em 2013. Fui trabalhar no Flamengo como coordenador do voleibol de todo o clube; eram 150 atletas, de mirim a juvenil, feminino e masculino.

No Sesc com Giovane

O Giovane me chamou para o projeto do Sesc — fizemos lá quatro temporadas —, apresentou o Bernardo ao presidente e houve uma composição: ele capitaneando o masculino e o Bernardinho o feminino, fizeram duas equipes de alto rendimento. Na temporada da pandemia, 2019-20, o projeto do masculino acabou e ficamos um ano desempregados. Mas o feminino continua com o Bernardo até hoje. O Sesc se juntou ao Flamengo, virou Sesc-Flamengo e tem hoje uma das equipes mais fortes do Brasil. Está entre as cinco de maior orçamento, capitaneada pelo Bernardinho e sua comissão técnica de 20 anos de atuação.

Hoje, no Fluminense

Depois de trabalhar quatro meses com uma dupla de campeãs olímpicas de vôlei de praia, Mari e Paula Pequeno, fui chamado para assumir o Fluminense no alto rendimento do voleibol feminino. O presidente abraçou o voleibol, então, tivemos um orçamento antecipado para trabalhar com o mercado de contratações. Assumi recentemente como supervisor e assistente técnico da equipe. No comando está o Guilherme (Schmitz), assistente técnico da Seleção Brasileira Sub-20, um *puta* de um técnico formador. Hoje, no meu cargo no Fluminense, eu quero ser isso: um cara que possa dar à equipe que me contrata o maior número de informações, independentemente da área que estou à frente ou não, por ter tido experiência dentro delas.

Momentos marcantes

Relembrando, então, alguns momentos que marcaram a minha carreira de atleta, que foram o de campeão sul-americano com a Seleção Brasileira Infantojuvenil; campeão brasileiro na nossa Superliga, jogando pelo Banespa; e o terceiro lugar no Mundial Juvenil, como capitão de uma equipe de feras do vôlei. As pessoas lembram de mim como atleta por esses momentos. Como técnico, na praia, fui considerado o melhor treinador do Brasil; fui campeão brasileiro e participei de Olimpíadas como assistente; depois, participei da Olimpíada de 2012, em Londres, como técnico direto de uma equipe de voleibol de praia; participei também, na quadra, em 2001, como auxiliar técnico da Seleção Brasileira adulta, novo ainda, mas já estava podendo atuar e aprender.

Olhando para trás

Não consegui me formar em Educação Física porque a minha carreira não deixava: isto eu mudaria. E depois, quando o meu irmão me convidou e eu fui fazer as minhas coisas... tudo era muito louco. Fiz até o quarto período de Educação Física e quero ainda poder terminar; fiz todos os cursos da Confederação, de treinador de voleibol, para adquirir o meu CREF — Conselho Regional de Educação Física, e posso exercer em qualquer lugar, mas não paro de fazer cursos para me capacitar. Mas no lugar do meu pai, eu teria me pegado pela orelha e falado, "eu pago pra você o curso, você diminui sua carga de trabalho e termina em dois anos, é o meu presente pra você". Eu teria terminado rapidamente a Educação Física... agora, vou ter que terminar, com toda a minha correria, algum dia. Eu quero, porque é um desafio pessoal ter também esse "canudo", como falam no Brasil.

O legado

Eu sempre falo o seguinte: as atletas com as quais eu trabalhei me consideram quase um pai, gostam de falar comigo e me ligam nas horas mais difíceis. Sou sempre padrinho de casamento de amigos. Então, acho que o meu legado é fazer amigos e nunca deixar desamparado quem passa pela minha vida. E que eu continue podendo ajudar, seja com amparo pessoal, profissional ou de qualquer viés familiar.

O tom correto

A relação na minha profissão é saber falar o "não" correto, saber o tom que tem que se usar, ter uma leitura rápida e entender aquela personalidade, o que ela vai precisar de mim naquela temporada, quem é esse, como é aquele. Acho que tenho isso de bom, eu me coloco à disposição da pessoa muito rapidamente. Eu gosto de servir. Geralmente sou eu que ajeito a vida da minha mãe — eu só não ajeito a vida da minha casa, porque a minha mulher não deixa; e como deu certo há 21 anos, isso eu não preciso mudar.

Fortaleza na vida

Você, às vezes, manda uma mensagem de manhã no grupo e aquilo é tudo o que eu quero ler. Às vezes, o Barata também compartilha uma coisa bacana, o Atílio, o Eurico, o próprio João Ronaldo, e eu penso, *caramba, por que não repassar também de forma carinhosa o que eu recebi de amigos?* Muitas vezes, a minha força vem de notar o quão favorecido eu sou, em saúde, oportunidade, ferramentas, inteligência, boa visão da modalidade que escolhi pra trabalhar, a ótima relação com toda a minha família. Minha força vem também daí, da minha filha, com a admiração dela por mim, e da minha esposa, que me dão ânimo *pro* dia seguinte. Eu entrego pra elas o meu melhor. A gente não precisa de subterfúgios, não precisamos de caminhos errados, mas de traçar uma linha e acreditar nela. Não é fácil, Francisca, e em alguns dias é mais duro ainda, mas a minha família me faz levantar e fazer de novo.

"O esporte te dá senso de justiça, senso de saber esperar, senso de união, de pertencimento. Ali todos são iguais, têm os mesmos direitos e deveres. Independe se você vai passar no funil de atleta de excelência, ele vai te ajudar a ser um bom cidadão, um bom ser humano"

Dicas para atletas

O esporte não é balela. Ele transforma vidas, ainda mais neste mundo acelerado, de informações chegando em segundos. Então, eu aconselho aos jovens a praticar esporte, porque ele te tira dessa atenção toda ao computador, cuida do seu corpo, da sua mente e te dá valores que, às vezes, os pais não conseguem te dar. O esporte te dá senso de justiça, senso de saber esperar, senso de união, de pertencimento. Ali todos são iguais, têm os mesmos direitos e deveres. Independe se você vai passar no funil de atleta de excelência, que vai jogar em campeonato mundial, em Olimpíadas, ou ser convocado pra uma Seleção Brasileira, ele vai te ajudar a ser um bom cidadão, um bom ser humano.

Dicas para técnicos

Para quem quer começar carreira como técnico, eu digo: se reúna, se relacione, converse com profissionais da sua área; procure os melhores técnicos pra estar perto e entender rapidamente como é que tudo funciona; tente conversar o maior tempo possível com os seus adversários; seja forte nas derrotas, para não se achar o pior, e seja forte nas vitórias, pra não se achar o melhor. Faça a sua carreira com equilíbrio e junto com o seu grupo de trabalho.

Dicas para gestores

Uma dica que eu aprendi com o nosso mestre Ximenes: seja simples, saiba que você não é melhor que ninguém, e se capacite. Todos têm alguma coisa importante pra te falar, alguma mensagem pra te passar. Estude, leia, observe, aprenda todos os dias, porque assim como técnico, como gestor, se aprende todos os dias, independentemente de quem converse com você, do setor daquele organograma em que você trabalha, seja hoje ou amanhã. Muitas vezes você aprende mais com o roupeiro do que com o presidente do clube.

Mandela, o herói

Meu herói era, até pouco tempo atrás, uma lenda viva: o Nelson Mandela. Eu sempre amei o Nelson Mandela, porque ele tem tudo o que eu gosto: simplicidade, saber falar um "não" sorrindo, os livros dele são aprendizados pra se usar em qualquer área da vida. O que ele passou e o que ele se tornou... Pra mim, ele é um ícone, um mártir. E aconteceu uma coisa muito linda: eu estava viajando com a Seleção Brasileira de vôlei de praia e fomos jogar uma etapa em Joanesburgo. O Mandela estava doente e faleceu justo no dia seguinte ao dia em que nós chegamos lá, na África do Sul. Íamos ficar uma semana lá e o enterro dele demorou uma semana. Eu estava no país do meu grande ídolo Mandela, acompanhando tudo isso, sentindo aquela atmosfera. Coisa de Deus, *né*?

Os ídolos

Eu tenho no esporte algumas idolatrias que não são do voleibol: uma é o Ayrton Senna, por todo o legado, ele transformou para ainda maior a minha forma de ser patriota. Ele sempre nos representou no mundo com muita educação, muita elegância e muitas vitórias. E quando a gente viajava e ouvia o hino nacional em competições internacionais, aquilo me ajudou muito a amar a minha bandeira, o meu país, esse sentimento patriótico... a gente esquece os problemas e pra nós, ali, é o nosso país; ninguém pode falar mal dele, só nós. Todo ano eu faço alguma homenagem ao Senna e este ano, levei todo o meu time do Sesc ao Instituto Ayrton Senna lá em São Paulo, para eles poderem entender de perto quem foi aquele cara. Nossa, teve gente que chorou!

O surfista do saibro

Outro ídolo é o Guga. Tenho grande identificação com o jeito que ele leva as coisas, aquele surfista do saibro, aquele cabelo de surfista, um craque de bola, um cara que não tinha medo de errar, um cara que nas situações mais adversas, aí é que ele agredia. Eu passo isso aos meus atletas até hoje: "Você tem medo na hora difícil? Então bota nos *tie-breaks* do Guga, vê se ele tem medo de arriscar aquela bola". Eu tive a oportunidade de conhecer a mãe dele numa vez em que a gente estava em Florianópolis e o Giovane me apresentou a ela. Então, eu virei Avaí — sou Fluminense doente e o meu outro time é o Avaí! Porque um fisioterapeuta nosso, durante quatro anos de Sesc, era o fisioterapeuta do Avaí no futebol, e ele me fez amar o Avaí, que é o time do Guga. Nossa, ele até me deu camisa do Avaí escrito "Dentinho" atrás! Eu nunca tive a oportunidade de conhecer o Guga pessoalmente, mas ainda vou ter.

"Giovane é um amigo-irmão que a vida me deu e um ídolo no esporte. Tive muita dificuldade de andar com ele, depois que ele virou famoso, naquela época do *boom* em que ele era o galã da Seleção. Aí, fui entender onde é que o meu amigo tinha chegado"

O amigo-irmão

O Giovane é tão meu amigo quanto o admiro muito. É uma amizade de irmãos. Dividimos quarto aos 15 anos de idade — hoje tenho 51 anos e ele também. Então, não sei se vou ter tempo pra ter outro amigo que conviveu tanto comigo. Ele me conhece como a minha esposa me conhece, porque ele sabe dos meus defeitos, das minhas qualidades. E a gente passou muita coisa junto, mas muita coisa mesmo. Ele é um amigo-irmão que a vida me deu e um ídolo no esporte. Tive muita dificuldade de andar com o Giovane depois que ele virou famoso, naquela época do *boom* em que ele era o galã da Seleção, porque eu ia *pegar ele* na casa dele, como eu fazia quando a gente tinha 15 anos, e não dava mais pra ir ao shopping, sentar pra almoçar, não dava mais pra *levar ele pro* aeroporto, não dava mais pra irmos à praia e tomar uma Coca. Não dava mais. E aí, fui entender onde é que o meu amigo tinha chegado. Uma loucura assim, sabe?

Amigão, para sempre

Engraçado é que eu olho para o Giovane e não lembro que ele é esse cara tão requisitado, tão ídolo, com essa imagem tão mundial. Eu não vejo nele o que os outros veem. Eu vejo o jovem de 16 anos que dormia com a cueca rasgada, o cara que ia *pro* supermercado comigo de madrugada, quando eu não conseguia dormir e *acordava ele*, e eu fazia a compra, o dinheiro era pouco, era um *Toddy*, então o *Toddy* tinha que ser o pequeno, mas eu gostava muito de *Toddy* e ele falava, "não vai comprar do pequeno!", e eu: "*Pô*, eu não tenho dinheiro. *Pô*, dá do seu, eu dou do meu e depois te pago". Esse é o meu amigo daquela época. Um cara que eu amo e que ficará pra sempre na minha vida como um irmão.

WALLACE JANSEN DE SOUZA MARTINS

Voleibol

Mudando a vida com o esporte

Wallace Jansen de Souza **Martins** *nasceu no Rio de Janeiro, em 22.03.1983. Começou, em 2000, a jogar Voleibol no Olympikus, pela Seleção Brasileira. Foi campeão Sul-americano Infantojuvenil em 2000 e campeão Mundial Infantojuvenil em 2001. Conquistou a Medalha de Ouro nos Jogos Pan-Americanos em 2011 e a Medalha de Prata na Liga Mundial, também em 2011. Wallace foi campeão da Superliga 2010-11 pelo SESI e jogou em vários clubes e países como: Lupi Santa Croce (Itália), Personal Bolívar (Argentina), Suntory Sunbirds, Vôlei Renata e Osaka Sakai (Japão) e Sporting (Portugal). Foi também campeão Sul-Americano, premiado como melhor atacante. Tem, no Rio, um projeto de vôlei para adolescentes e participação em academias de fitness.*

Quem é quem?

O meu pai, uma vez, me ligou: "*Pô*, parabéns, *tu foi* convocado pra Seleção" — o que gerou uma confusão danada, porque era o outro Wallace: um dos nossos sobrenomes é igual, que é o "de Souza", e jogamos na mesma posição. Eu estava fora do país e não sabia o que estava acontecendo, até mandei mensagem para o Bruninho (Bruno Mossa de Rezende, colega, jogador de vôlei, filho de Bernardinho e Vera Mossa), para ele me confirmar e ele respondeu: "Não é você, é o outro". Então, a coincidência confunde muita gente, mesmo. Até pessoas que são do mesmo bairro onde eu moro também se confundem e me dizem: "Pô, você tinha barba, não sei o quê, e nunca te vi sem barba...". E eu falo:

"Não, quem tem barba continua com barba, eu nunca tive barba. Ele é um, eu sou outro". Então, é normal essa confusão. Mas nós dois somos amigos, jogamos o Pan-Americano juntos, ele é uma pessoa fantástica.

Válvula de escape

Sou de um bairro chamado Parque Colúmbia, da Zona Norte, vizinho de São João de Meriti, que já é município do Rio. Sou o primeiro filho do meu pai e o segundo filho da minha mãe. Meus pais, quando se juntaram, já tinham o meu irmão mais velho, do casamento anterior dela. E depois que se separaram, ganhei outro irmão por parte de pai, que é o mais novo. Então somos três, porém, sou o único filho dos dois, pai e mãe.

Passando fome

Nós, brasileiros, temos o esporte como válvula de escape. A minha geração não conviveu com a tecnologia, o máximo que tínhamos de tecnologia era um Atari, aquele videogame de dois botões e uma manivela. Só que eu nunca fui ligado nisso, a gente não tinha recursos pra ter coisas modernas. E houve um período, entre os meus seis e 13 anos, muito conturbado para a família. Depois da separação dos meus pais, nós passamos por muita necessidade ao ponto de, numa noite, ter duas batatas pra três pessoas jantarem, que era eu, minha mãe e meu irmão. E claro que a minha mãe abriu mão de comer e deu uma pra cada um de nós. Então, isso foi gerando em mim um desespero, uma ansiedade e a vontade de mudar a minha história. Desde aquele dia, sem termos o que comer, isso ficou muito forte em mim: eu não queria aquilo pra minha vida. E, pra mudar a minha história, o caminho mais rápido que eu via, na minha inocência de criança, era através do esporte.

"Depois da separação dos meus pais, passamos por muita necessidade ao ponto de, numa noite, ter duas batatas para três pessoas jantarem. Isso foi gerando em mim um desespero, uma ansiedade e a vontade de mudar a minha história"

O esporte como salvação

No bairro onde morávamos, tinha um jogador — hoje, um ex-jogador — do Flamengo, o Rogério Lourenço, zagueiro, que foi campeão brasileiro e foi, inclusive, capitão do Flamengo na década de 1990. Em todo final de temporada eles fazem um jogo beneficente, e naquela época, eram os amigos dele de bairro, que jogavam contra o pessoal profissional, que iam pra lá fazer churrasco e se divertir. Iam jogadores como o Djalminha (Djalma Feitosa Dias Maia), o Beto (Joubert Araújo Martins), além do próprio Rogério Lourenço, e eu via aquelas pessoas chegando bem vestidas, de carro, e pensava, *meu, esse é o caminho que eu preciso tomar pra resolver a minha vida o quanto antes!*

A primeira chance

Por volta dos meus 10 anos, eu queria ser atleta e não importava a modalidade, porque eu acreditava que, assim, eu poderia mudar a minha história. E veio a primeira oportunidade: fiz atletismo antes de começar no vôlei. Entre 14 e 16 anos, fiz parte do projeto social da Escola de Samba da Mangueira, que tem a Vila Olímpica do outro lado do Morro, e fui campeão carioca infantil, inclusive na prova de 110 metros com barreira. Mas, com 15 anos, eu já media 2,02m — cresci e hoje tenho mais dois centímetros.

A sorte entre o *Extra* e *O Dia*

O meu irmão mais velho era apaixonado por vôlei e gostava de ler o jornal *Extra*, a parte de esporte de *O Globo,* aquele reduzido que tinha na época. O jornal custava vinte e cinco centavos e eu só tinha uma moeda de um real. Eu gostava de ler as notícias da minha modalidade, que era o atletismo; não me interessava, nem sabia nada de vôlei. Então eu comprava o jornal, tirava a parte do esporte e o resto eu descartava. Num domingo, fui atrás de comprar o *Extra*, que era mais barato, e com o troco do meu único real, eu ia comprar também uma pipa. Cheguei na banca e tinha acabado. Só tinha *O Dia.* Acabei comprando ele mesmo e fiz como eu fazia com o outro jornal: comecei a olhar de trás pra frente, quando vi a notícia de uma peneira de vôlei do clube da Olympikus, a marca de calçados. Aquela era uma peneira entre os anos de 1979 a 1983, e o meu irmão é de 1978.

Do atletismo ao voleibol

Meu irmão jogava na escola, nas praças, e era o responsável pela bola, rede, tudo o que envolvia as peladinhas. E aí, eu falei: "Ó, Alexandre, por causa de um ano, *tu não vai* poder participar". Ele olhou o jornal e disse, "é verdade... mas *tu pode*", porque eu nasci em 1983. Falei: "Cara, *tu tá* doido? Eu nunca joguei vôlei na minha vida!". Eu estava feliz com o atletismo, meu sonho tinha sido alimentado, eu tinha sido campeão carioca e acreditava que ia ser um atleta de verdade, porque as coisas estavam indo bem até aquele momento. Mas ele falou: "Eu vou te inscrever. Olha o teu tamanho!".

Na peneira do vôlei

A peneira foi no dia 31 de janeiro e eu completaria 16 anos em 22 de março. Meu irmão me inscreveu na posição de ponteiro — hoje eu sei o que é ponteiro, mas, na época, nem isso eu sabia! E ele me levou pra essa peneira, que era num sábado de manhã até à tarde. Eram uns 300 adolescentes, entre a minha categoria, que era a infanto, e a juvenil, que ia de 1970 a 1979. Todos lá com camisas de clubes como Banespa, São Paulo, Suzano, Palmeiras e eu, com uma roupinha normal e um tênis. Só que eu era o mais alto da minha categoria e era coordenado, sabia correr, pular. Eu não tinha sensibilidade com os fundamentos do vôlei, toque, manchete, essas coisas eu não sabia, mas era coordenado, devido ao atletismo. Eram várias etapas durante o dia. Quem era reprovado, ganhava uma camisa e um boné, e seguia a sua vida. E eu fui passando nas etapas.

O acaso que deu certo

Quem ia sendo aprovado, ganhava um *voucher* pra almoçar no clube. Meu irmão, como acompanhante, não ganhava o *voucher*. Minha mãe tinha dado um dinheiro pra gente fazer um lanche, então, eu dei o meu dinheiro pra ele: "Cara, come os dois lanches, porque eu ganhei um refrigerante e um almoço; eu vou almoçar e *tu come* os dois lanches, pra *tu aguentar* as pontas". Nesse dia eu fui aprovado, mas tinha uma nova seleção junto com o pessoal do Rio, contratado sem passar pela peneira: eram jogadores federados do Flamengo, Fluminense, Canto do Rio, Niterói, que foram agregados à gente. Só que os que passaram, teoricamente, eram inferiores tecnicamente e haveria outros cortes. Mesmo assim, eu continuei, passei e aí começou a minha trajetória no vôlei.

Definindo os rumos

Fui na Mangueira conversar com o meu treinador que eu ia abrir mão do atletismo. Até porque o vôlei, como esporte coletivo, te dá a possibilidade de ir mais longe do que a modalidade individual. O sacrifício que a gente vê no Brasil em modalidades como natação, atletismo, judô, é muito grande, e o funil é muito estreito. E no esporte coletivo, não. *Tu se mistura*. Dependendo de como vai o coletivo, você também segue indo em frente.

Chovendo na horta!

O Olympikus era o time com o maior recurso financeiro naquela época. Ao passar pela peneira, imediatamente ganhei bolsa integral num colégio particular — todo o time estudava no mesmo colégio. Tinha plano de saúde, coisa que nunca tivemos em casa; seguro de vida; carteira assinada; um salário mínimo... e como Olympikus era uma marca de calçados e roupas, nós ganhamos duas malas de roupas. Ganhei quatro pares de calçado e antes disso, eu só tinha dois pares: um pra ir pra missa e outro pra ir pra escola — e era a mesma coisa com a minha roupa. Quando aconteceu tudo isso, a minha família ficou muito feliz.

Caindo na real

O vôlei foi um *boom* muito grande, mas também muito desafiador, porque antes eu respondia só por mim e ao ser inserido num grupo, eu era responsável também pelo desenvolvimento dele e não sabia lidar muito bem com isso. Eu não era cobrado, nem exigido ou xingado no atletismo. Se eu alcançasse o índice, eu participava das competições; se não alcançasse, o problema era meu e ia outro no meu lugar. E no esporte coletivo, você tem que saber passar a bola *pro* companheiro, tem que fazer o ponto, tem que saber sacar, e isso envolve todo mundo: se eu erro, o time erra; se eu acerto, o time acerta.

O empurrão da família

Os primeiros três meses foram duros pra mim. Eu não tinha conhecimento da modalidade, não sabia os fundamentos, as posições, eu era um diamante bruto em um time de alto rendimento e com o maior orçamento do Rio de Janeiro. Independentemente de ser infanto ou profissional, havia uma certa pressão em cima de todos. Aí, eu tentei voltar, mas minha mãe e meu irmão não deixaram. Meu irmão, mais tranquilo, que sabia do riscado, falou: "Calma, isso é um processo. Você não tem conhecimento ainda, mas está evoluindo, só não percebe. As coisas vão acontecer. Tenha paciência". E minha mãe: "Você não vai parar de jeito nenhum! Você tem tudo o que, até ontem, você não tinha! Tem essa estrutura, tem roupa, restaurante pra almoçar e jantar, escola particular, tudo o que eu não posso te dar!". Então, engoli sapo e voltei ao treino no dia seguinte com uma postura diferente. E fui em frente.

Aos trancos e barrancos

Um dos maiores desafios que eu tive nesse início foi a falta da estrutura familiar. Desde a minha infância, era aquela turbulência. E a minha família não tinha conhecimento do que é um empresário, porque tendo contrato de imagem, você tem que criar uma empresa de prestação de contas pra poder receber, ir jogar fora de tua cidade, ir morar longe. Depois do meu primeiro ano, fui transferido com o time para Florianópolis e meus pais não tinham condições de me acompanhar, de saber onde e com quem eu morava, como que eu ia e voltava do treino. Tudo isso eu fui aprendendo aos trancos e barrancos, caindo e levantando.

Lesões e força mental

Outra das maiores dificuldades foram as lesões. Passei por quatro cirurgias — duas no joelho e duas no ombro. Eu digo que as cirurgias me ensinaram a jogar porque, toda vez que eu passava por uma, era um passo, fisicamente, que eu dava para trás. Só que mentalmente eu me tornava mais forte, porque eu reconhecia a fragilidade física e encontrava caminhos pra poder seguir jogando em alto nível, usando mais a minha força mental e intelectual do que propriamente a física. Após uma cirurgia, há um processo de reabilitação, quando você não tem força, não tem potência, nem resistência. E você precisa jogar.

Sabendo se administrar

Como é que você vai jogar lesionado ou pós-operado? Encontrando técnicas e recursos, sabendo administrar, dosar, pra não se machucar de novo. Então, a cirurgia foi o maior desafio que eu encontrei, porém foi também uma aliada durante esse processo. Mas não foi fácil, porque em três delas, eu duvidei que teria condições de voltar a jogar. Como eu faria pra me manter em alto nível? No entanto, em 2016, ainda consegui jogar num nível que me levou de volta à Seleção, mesmo após essas quatro cirurgias.

Desgaste e amadurecimento

Minha volta à Seleção esteve muito mais atrelada à questão mental do que propriamente à física, porque eu tive que gerir muito bem o meu físico, pra poder chegar no momento decisivo do ano, jogar e chegarmos na final. Enfim, isso acabou culminando com a minha convocação: não participei da Olimpíada, mas estive à porta dela e foi surpreendente pra mim. Então, eu vejo que, mentalmente, valeu muito a pena todo esse desgaste. Isso me amadureceu bastante.

Hora de parar

Parei há dois anos. Como as cirurgias foram muito agressivas, chega um ponto que a gente tem que reconhecer que o corpo já não responde aos comandos da mente. No treino, eu chegava uma hora e meia antes para a fisioterapia e depois de treinar, eu ficava mais uma hora, de novo, na fisioterapia — e em casa, eu ainda tinha mais coisas a fazer. Então, eu já não estava mais tendo tempo pra mim e nem para a minha família. Nem mesmo nos dias de folga eu tinha condições de passear, de aproveitar com elas. Eu tinha que descansar, me reabilitar, fazer outras coisas pra ter as condições mínimas de poder treinar.

> **"Deus me deu muito mais do que eu imaginei pra minha vida. Eu só queria me tornar profissional pra não passar pelas necessidades que passamos quando eu era criança e poder ajudar, de alguma forma, a minha mãe e o meu irmão a terem uma vida melhor"**

Herança de prós e contras

Deus me deu mais do que eu imaginei pra minha vida. Eu só queria me tornar profissional, pra não passar as necessidades que nós passamos quando eu era criança e poder ajudar, de alguma forma, a minha mãe e o meu irmão a terem uma vida melhor. Hoje eu sou casado, tenho esposa e uma filha que não passam pelo que eu passei. Mas sou completamente realizado e grato por tudo. Como cristão, gosto de colocar os princípios e os valores bíblicos na minha rotina e a Bíblia diz que tudo coopera para o bem dos que amam Cristo. Então, eu vejo no positivo todas as dificuldades, todas as barreiras, todas as vitórias — porque foram mais vitórias do que derrotas. Mas também aprendi muito com os fracassos, as lesões, as frustrações, os tropeços da vida.

"O atleta é muito exposto ao ridículo, porque você está numa arena onde, em momentos decisivos, ninguém quer compreender que você é um ser humano, que também tem os seus pontos fracos, que está exposto à mídia, à televisão, às redes sociais e que precisa saber lidar muito bem com isso"

Sob os holofotes

O atleta está muito exposto ao ridículo, porque você está numa arena onde, em momentos decisivos, ninguém quer compreender que você é um ser humano, que também tem os seus pontos fracos, que está exposto à mídia, à televisão, às redes sociais e que precisa saber lidar muito bem com isso. Então, eu sou muito grato a todo esse processo. O esporte faz parte do meu DNA. Vivo dele até hoje. Tenho um projeto pequenininho, que construí para a minha filha poder seguir jogando vôlei aqui na nossa cidade, que é um município muito pequeno de Santa Catarina, e que eu acho que é uma grande ferramenta de formação de pessoas.

Ferramenta de formação

Eu faço questão que a minha filha pratique esporte, independentemente de se ela vai ou não ser atleta profissional. Mas eu acredito que o esporte é uma grande ferramenta de formação e eu sou a prova viva disso, porque me deu dignidade, me deu esperança, disciplina, autoestima, todas essas coisas. E vejo que realmente é, porque no dia a dia que acompanho as meninas, noto a alegria delas, de estarem ali, de se divertirem. Muitas vezes, o esporte para algumas é realmente a válvula de escape, de poder sair de casa, de sair das redes sociais, do telefone e ser realmente criança, como a criança deve ser.

As maiores vitórias

Eu comecei tarde, com 16 anos, mas sempre tive aptidão pelo esporte. Não fui menino de estudo, de videogame. Sempre fui menino da rua, de querer brincar de tudo quanto era coisa, eu vivia na rua. Horário de verão? Eu voltava pra casa às dez da noite, todo sujo. Então, o primeiro ano da minha base foi fantástico; com a peneira, em janeiro do ano seguinte, 2000, eu já estava fazendo parte da Seleção Brasileira da minha categoria. E fui da Seleção Brasileira nos quatro anos de base, os dois de infanto e os dois de juvenil.

Sorte grande

Graças a Deus, as coisas aconteceram muito rápido. Com 19 anos, me apareceu a oportunidade de jogar, porque eu estava no banco e o rapaz da minha posição se lesionou — e ganhamos. Eu era muito inexperiente na minha primeira Liga como titular e logo chegar a uma final foi ótimo, porque eu era muito novo ainda no vôlei pra já estar disputando uma final de campeonato, onde se especulava até mesmo de eu ser convocado para a Seleção. Este foi um dos divisores de água.

Na Itália e na Argentina

Fiquei na Itália por três anos, depois, eu quis voltar para o Brasil, mas não tive essa possibilidade e fui para a Argentina, que era mais próximo de casa — eu queria estar perto da minha família. Eu e o William Peixoto Arjona jogamos juntos por quatro anos nesse projeto na Argentina. O treinador era o argentino Javier Weber, que hoje é treinador do Taubaté, que me ensinou a jogar nesse nível de exigência e excelência. Ele me fez entender como era o jogo em si, porque, até então, eu jogava por jogar. Eu vestia a camisa, entrava e jogava. Eu tinha 23 anos e ele foi me lapidando com paciência, foi trabalhando, até porque era um projeto mais a longo prazo.

Novo jeito de jogar

E, claro, com o talento do William Peixoto Arjona, que era o levantador, as coisas ficaram ainda mais fáceis. A gente fez uma amizade muito boa, éramos vizinhos, então as coisas aconteceram de uma maneira muito legal. E eu aprendi a jogar de verdade, assim, eu jogava vôlei de um jeito e depois desses quatro anos na Argentina, passei a jogar completamente diferente. Quando a minha filha nasceu, eu quis voltar para estar perto da família, dos avós. E quando eu voltei, fui para um time que estava sendo construído para ser campeão, que é o do SESI. O treinador era o Giovane Gávio, e nesse time estavam o Serginho (Sérgio Dutra Santos), o Murilo (Endres), o Sidão (Sidnei dos Santos Júnior), que eram jogadores da Seleção, campeões mundiais, na época. Era pra sermos campeões e graças a Deus, fomos mesmo, em 2010-2011, e essa conquista abriu muitas portas pra mim.

Na Seleção Brasileira

As vitórias me levaram à Seleção Brasileira principal, onde pude estar do lado dos melhores do mundo, como o Giba (Gilberto Godoy Filho), o Serginho, enfim, todo esse pessoal que a gente conhece. A partir dali, apesar de eu já não jogar num nível tão bom quanto o de quando fui campeão, até o final da carreira, colhi frutos daquele título de 2010-2011 da Superliga, que em questão de status, foi o maior título. Mas foram vários divisores de água: dos meus 19 anos, até eu sair da Argentina, onde mudei o meu nível de atleta; quando fui campeão pelo SESI; quando vesti a camisa da Seleção Brasileira, tudo isso foi contribuindo para eu dar sempre o meu melhor.

O status que a Seleção dá

Até hoje as pessoas falam, aqui, na nossa cidade: "Wallace, o jogador de vôlei da Seleção Brasileira". Eu não sou da Seleção Brasileira. Eu vesti a camisa da Seleção e carrego isso com orgulho até hoje, mas consciente de que não sou da Seleção Brasileira. Não fui um atleta efetivo dentro da Seleção Brasileira. Tive apenas uma passagem. Mas fiquei sendo para as pessoas... veja você o quanto pesa vestir a camisa da Seleção Brasileira. Mesmo que tenha tido só uma passagem, as pessoas não desassociam isso, de maneira alguma... me abriu, inclusive, portas *pro* exterior — quando eu fui para o Japão —, por eu ter sido atleta da Seleção Brasileira.

O equilíbrio

Minha esposa é a minha primeira namorada desde os 17 anos, e falo pra ela que a minha carreira chegou onde chegou porque ela sempre esteve do meu lado. A nossa ida para a Itália também era uma grande incerteza; as coisas estavam começando a dar certo e foi ela que segurou as pontas e, dali, a gente foi pra Argentina, sempre juntos. Porque nós, jogadores, temos a nossa rotina: viajamos, concentramos, treinamos, jogamos e na maior parte das vezes, fora do país. Enquanto isso, nossa família muitas vezes fica ociosa. E ela sempre foi muito firme, muito parceira. Ela é mais corajosa que eu, porque toda vez que eu tinha que fazer um contrato pra jogar fora do país, me pesava muito a questão dela e da Sofia, a minha filha, estarem bem, porque eu sabia da minha rotina.

No Japão

Os meus dois últimos anos no Japão foram os meus melhores contratos em termos financeiros. No primeiro ano, elas foram junto comigo e a Sofia sofreu muito. Chegamos em setembro e ela chorou de setembro a março, todos os dias. A temporada terminava em maio e eu disse à Fran: "Desse jeito, estou me sentindo mal, vou carregar uma culpa muito grande vendo a Sofia sofrer; voltem para o Brasil, lá ela tem a escolinha, os amigos, os avós". Mas a Fran decidiu que ficaríamos até o final e que voltariam em 23 de março, dia seguinte ao meu aniversário. Voltaram e Sofia até esqueceu que tinha pai. Eu ligava e ela já estava no *habitat* dela. Três anos depois, em 2016, tive a proposta de voltar *pro* Japão e avisei: "Fran, eu preciso ir, não temos escolha", e ela falou: "Vai, que eu seguro as pontas com a Sofia, nas férias nós estaremos lá contigo". Ela foi sempre assim, "vai, que eu seguro as pontas".

Só se elas fossem junto

Depois do primeiro ano no Japão, o time me fez uma proposta de renovar o contrato. Amo o Japão, mas comuniquei que só renovaria se elas duas, minha mulher e minha filha, viessem junto, porque eu não queria ficar lá sozinho de novo. "A Sofia está numa fase que precisa da presença paterna e eu não posso deixar toda essa responsabilidade nas suas costas, Fran." E ela falou: "Pode dizer que sim, só pede ao clube pra encontrarem uma escola bilíngue para ela, que iremos; a gente se adapta". Foi duro pra Sofia, ela sofreu, porque estudava numa escola bilíngue, japonês e inglês. Era uma escolinha familiar, muito caseira, onde a Fran ficava das 8h ao meio-dia, na porta, sentada, até ela se adaptar. Então, eu divido a minha carreira com a minha mulher, porque foi ela quem mais abriu mão das próprias coisas, pra que tudo acontecesse na nossa família.

Pressão psicológica

A gente passa por várias etapas na vida para evoluir. Eu fui jovem, inexperiente, experiente, fui velho, estive bem fisicamente, mal fisicamente, mas o que sempre me moveu foi a minha essência, a minha raiz, e o que eu quis pra minha vida: o desejo de mudar a minha história, porque eu não admitia passar fome, eu não queria aquilo pra mim. Então, pressão, dor, frustração, acho que foram muito piores na minha infância do que enfrentar depois um ginásio lotado, vaias, críticas de imprensa, tudo isso. Quando me vinham esses momentos, eu me perguntava: *O que você quer? O que é pior? A pressão?*

> **"Minha mãe sofreu pressão demais. Ela saía às três da manhã pra fazer faxina, deixando dois filhos em casa, e se não a pagassem naquele dia, ela voltaria de mãos abanando e na geladeira não tínhamos nada. Psicologicamente, isso é muito mais forte do que entrar num ginásio sentindo tensão"**

Tensão e pressão

Na verdade, a gente sofre tensão; já a pressão, é uma coisa que envolve vida ou morte. Eu acho que a minha mãe sofreu pressão, porque ela saía de casa às três da manhã pra fazer faxina na casa dos outros, deixando dois filhos sozinhos em casa, e se não a pagassem naquele dia, ela voltaria de mãos abanando e na geladeira não tínhamos nada. Nós contávamos com a volta da minha mãe pra podermos comer. Então, pra mim, psicologicamente, isso é muito mais forte do que entrar num ginásio sentindo tensão. Eu me sentia tenso e aquilo era um sinal de alerta pra mim... era bom, aquilo ali, porque quando comecei a perder isso no final da minha carreira, o meu rendimento caiu.

As dores no limite

As dores estavam me deixando num humor nada agradável. Muita dor, muita luta pra poder jogar. E desmotivava. Fui perdendo aquela tensão de jogar. Então, o que me fazia enfrentar esses desafios era eu me lembrar do meu passado e, depois, da minha filha. Quando eu fui *pro* Japão, eu estava com os meus joelhos extremamente doentes, já passando do limite. E eu morava numa ladeirinha a duas quadras do ginásio; acabava o treino e eu não tinha forças pra descer pra casa. Doía demais. Eu descia com duas bolsas de gelo. Chegava em casa e era tanta dor que aquilo ali me custava, todo dia.

Matando um leão por dia

Eu ia pra casa pedindo a Deus que me desse condições para no dia seguinte voltar a treinar, porque eu tinha comprado um apartamento em São Paulo e estava pagando o financiamento; eu tinha uma filha em casa e tinha a minha mãe, que dependia de mim. Então, quando você põe na balança e se pergunta: *O que você quer? Você quer sofrer? Quer pagar esse preço? Mas qual é esse preço que você quer pagar? O preço da dor, da cobrança, da exigência, da pressão que é a de jogar? Ou você quer pagar o preço que a sua mãe pagou?* Então, essa pressão me fazia matar um leão por dia. Eu estava pra ser convocado para a Seleção Brasileira... tinha que buscar forças para aquilo ali, porque era um sonho meu; mesmo estando cansado, desgastado, com dor, tudo motivava.

Ajuda do *coaching*

Conheci uma *coach* mental só em 2015. No ano anterior, eu tinha passado pela segunda lesão de joelho — tinha rompido o tendão quadricipital. Foi um momento muito difícil, mas renovei o contrato, mesmo lesionado. Era uma turbulência de coisas e a *coach* me ajudou a focar sempre no meu potencial, nas minhas coisas fortes, e não ficar tentando melhorar o que está ruim. "Potencialize o que você já faz de bom, que as outras coisas consequentemente vão acompanhar" — ela usou algumas técnicas que me ajudaram muito. Conversávamos muito frequentemente, até mesmo por questões de grupo, porque eu era o capitão do time, e isso me trouxe tranquilidade. Ela me fazia pensar sempre positivamente, dizendo, "não adianta você pensar só no problema, é buscar a solução... e como você vai solucionar o seu problema?". Essas perguntas foram muito bacanas e juntando essas coisas do *coach* à minha essência, eu pude ser mais equilibrado no *print* (arrancada) final da carreira.

O legado

Quando eu parei de jogar, em 2019, participei de algumas *lives* com amigos. Uma delas foi com o William Peixoto Arjona — e me deixou muito feliz saber que, mais que ter sido um bom jogador, técnica, física, tática e mentalmente, todos reconheciam o meu profissionalismo. O próprio William me disse: "Você foi o cara mais profissional com quem eu joguei". Isso é muito gratificante, porque ser profissional era o meu dever, já que no esporte você não assina contrato só com um clube, assina contratos também com as famílias dos envolvidos.

Eu tinha que ser profissional, eu dependia do comprometimento dos outros atletas e da equipe toda para o meu bom desempenho e para estar empregado no ano seguinte... porque eu fui privado do básico necessário e não queria passar por isso de novo. Eu não sabia das histórias das outras pessoas que estavam ao meu lado, eu não vivia o dia a dia deles, dentro da casa deles, mas eu sei que muitos que dividiram o vestiário comigo tinham histórias parecidas com a minha. Então, pelo *feedback* que eu tive das pessoas quando eu parei, meu legado é o profissionalismo.

"Eu tinha que ser profissional, porque eu não sabia das histórias das outras pessoas que estavam ao meu lado, eu não vivia o dia a dia deles, dentro da casa deles, mas eu sei que muitos que dividiram o vestiário comigo tinham histórias parecidas com a minha"

Dica aos atletas

Como atleta, eu sempre dei o exemplo de não estar acima do peso, de ser o primeiro a chegar e fazer um treinamento extra, de cuidar da minha saúde, dormir cedo, não beber, não fumar, porque tudo isso são coisas que se somam no dia a dia. É como juro composto: vai só potencializando, cada vez mais. Não adianta chegar em final de campeonato e na véspera dormir às nove da noite, comer salada, carne magra, se o ano inteiro eu não fiz isso. Eu tenho que viver a véspera de uma final todo dia.

Mais dicas

Se você é um jogador mediano num grupo que vai muito bem, você vai ser valorizado. E se você é jogador de um clube que espera o comprometimento do grupo com a carreira e esse grupo é descomprometido, você vai ladeira abaixo. E uma temporada na carreira de um atleta vale muita coisa: como eu te contei, vestir a camisa da Seleção Brasileira me abriu muitas portas. Isso é o que eu tento passar pra minha filha, também. Porque vejo que é uma geração que tem certa dificuldade em lidar com as frustrações: não sabem receber um "não". Tento passar pra ela que o "não" faz parte do jogo; se você entrou nele, tem também que saber perder e seguir em frente.

Os heróis

Não tenho ídolos, mas há pessoas muito importantes na minha vida que não estão na frente dos holofotes, que são os meus pais, o meu irmão, que me levou para fazer a peneira, a minha esposa, que abriu mão do sonho dela para estar comigo e a minha filha, também, com a compreensão dela, porque passou por muitos *perrengues* em questão de adaptação e da ausência do pai.

Também, um grande amigo meu, fisioterapeuta, que cuidou de mim como um irmão, em todas as minhas lesões, e me fez ver que existia possibilidade de eu seguir jogando; sou muito grato, porque ele também foi um dos que me ajudaram a estender a minha carreira. E dos que estão na frente das câmeras, um treinador que é referência hoje, nacional e mundial, o Javier Weber, que está no Taubaté, e que foi o cara que realmente me ensinou a jogar.

Fazer parte deste livro

Te parabenizo novamente, Francisca. Hoje eu desenvolvi o hábito da leitura, então é muito legal saber o que você está fazendo, saber que eu posso fazer parte desse teu projeto, contar minha história a uma *coach* mental. *Tu até me perguntou,* também, alguma coisa assim sobre o *coach.* Acho que você queria fazer também a parte de *coach, né,* ser *coach* ou alguma coisa assim. O *coach* foi como uma ferramenta, que eu acho muito bacana. E me ajudou lá atrás.

Voleibol

Quando o racismo rechaça um notável

Carlos Alberto dos Santos de Oliveira, *o* **Carlão**, *nasceu em 1969, no Rio de Janeiro, onde jogou voleibol nas categorias de base dos clubes Botafogo, Flamengo, Fluminense, Olaria e Madureira. Atuou nas Olimpíadas Militares das Forças Aéreas em 1988 e em 1989, quando foi vice-campeão e o jogador revelação da competição. Convocado para a Seleção Brasileira Militar, em 1989, foi vice-campeão carioca da Copa Itaú de Voleibol e eleito o melhor jogador da final, em 1992. Em 2012, passou a atuar como* coach *motivacional da equipe de Voleibol da Prefeitura de Castro, no Paraná, com título na Superliga Adulta Masculina C, em 2015, e B, em 2016, quando passou a atuar como atleta de Voleibol Master, pelo Fluminense. Como* coach *esportivo, de 2017 a 2019, foi vice-campeão da Taça Ouro de Voleibol Adulto e tricampeão brasileiro de seleções de voleibol de base, com a Seleção Carioca. Atualmente atua como palestrante motivacional.*

As origens

Sou de família classe média-baixa, morador do subúrbio do Rio de Janeiro, no bairro Rocha Miranda, longe de tudo e perto de nada... Nasci em 1969, meu pai é militar reformado da polícia do Rio e minha mãe, já falecida, educou e cuidou de cinco filhos: dois são também militares reformados, uma é contadora e a outra é administradora de empresas. Eu tenho graduação em Marketing Esportivo e especialização em Psicologia do Esporte, e a minha história no voleibol começou depois de eu ter sido goleiro de futsal. Eu gostava de jogar futsal porque, quando jovem, o esporte de maior acessibilidade é o futebol: joga-se em qualquer lugar. E por conta do meu tamanho e de ser melhor com as mãos do que com os pés, escolhi ser goleiro de futsal.

Do futsal ao vôlei

Por quatro anos, fui goleiro de uma escola no time da rua que montamos para jogar pelas bases de bairros próximos, por lazer e também por uma questão de inclusão social. Em 1984, vi na tevê um jogo de voleibol feminino, Brasil e Peru, pelo Campeonato Sul-Americano. E o Brasil foi campeão. Como goleiro de futsal, fiquei impressionado com as moças se jogando no chão e defendendo uma bola grande que, aparentemente, para mim, era uma bola pesada, diferente da bola de futebol de salão — esta é menor, porém, na realidade, mais pesada que a de vôlei. Aí, quando um vizinho comprou uma rede e uma bola de vôlei, e pôs na rua pra que a gente tivesse mais uma opção de esporte, eu me apaixonei pelo voleibol, que jogo há 38 anos.

Menino de subúrbio

Minha primeira oportunidade no voleibol foi aos 15 anos no Botafogo, que me tomava duas horas, indo de ônibus. Logística complicada. Então, fiquei lá no Botafogo por apenas cinco meses, que foi o período que deu pra eu bancar a passagem. Quando criança, eu capinava quintal, lavava piscina, trabalhava de carreto na feira, além de estudar, é claro, e tudo isso pra conseguir o dinheiro da passagem pra ir treinar, já que meu pai não tinha condições. Infelizmente, o Botafogo ficou longe e inviável. Mas aquele sonho de menino persistia, ainda mais escutando os meus comandantes, os técnicos, falarem, "cara, *tu tem* futuro, *pô,* não sai". Mas eu, morando distante, como é que continuaria?

Esporte de elite

Naquela época, o vôlei não dava ajuda de custo, até por ser um esporte de elite: tênis era caro, joelheira era cara, todo o material era caro. E você, morando no subúrbio do Rio e indo jogar voleibol na Zona Sul, ficava uma situação complicada. Aí, desisti do Botafogo, mas continuei ainda jogando, a nível de pelada, em campeonatos escolares, competições de rua — que na época eram muito fortes, à altura de uma Superliga de hoje —, reunindo os melhores jogadores de cada bairro, divididos por ruas. Tive a felicidade de ser vice-campeão de uma dessas competições, na época, patrocinada pelo Banco Itaú e com apoio do *Jornal dos Sports*. Parei por um tempo, embora o sonho continuasse, então, fui buscar de novo o voleibol. Mas era aquela coisa: esporte é onde? Na Zona Sul.

Racismo no clube

Saí do Botafogo e fui para o Fluminense — onde tive uma experiência um tanto traumática, por causa do racismo contra os negros e pobres. E eu, negro, jogar voleibol num clube em que não era bem aceito, sabe como é... E, pior: negro que tem um sonho e acredita nele e no próprio potencial. Fiquei um período no Fluminense só fazendo a parte física, não entrava em quadra para jogar. Até que, um belo dia, o técnico resolveu, como se diz na linguagem do voleibol, me "queimar".

"Eu tinha toda a malandragem, toda a esperteza e ainda o sonho pendurado nas minhas costas, aonde quer que eu fosse. Consegui me desenvolver bem e o técnico disse, 'beleza, tranquilo'... e nada mais"

Discriminação traumática

Fim do treino do Fluminense, eu sentado na arquibancada, o técnico me leva para a quadra e pede ao levantador pra colocar bolas ruins pra mim... pra que ele falasse assim, "olha, obrigado aí; vejo teu esforço, mas você não leva jeito". Só que ele se enganou: eu tinha toda a malandragem, toda a esperteza e ainda o sonho pendurado nas minhas costas, aonde quer que eu fosse. Consegui me desenvolver bem e o técnico disse, "beleza, tranquilo"... e nada mais. Nem deu "sim" ou "não". Isso foi numa sexta-feira. Na segunda, fui treinar novamente e fiquei na arquibancada. Veio o técnico e: "Você está fazendo o quê?". Respondi: "Ué, estou aqui há quatro meses só correndo e esperando a minha oportunidade". "Então desce, que hoje eu vou te dar essa oportunidade."

Melhor que filhinho de papai

O técnico me deu a chance e tive um desenvolvimento muito

grande. Só que o racismo falou mais alto, porque eu jogava melhor do que um dos filhos de um conselheiro e eu tinha sido campeão da Seleção Carioca. Aí, deu rolo, e... por muito tempo, apaguei esse período da minha memória. Porque foi um momento triste da minha vida, que eu quis bloquear dentro de mim... só serviu pra me dar força, mais nada. Enfim, tive de sair desse clube, mas não por minha decisão: optaram por mim — todo clube tem suas políticas. Mas, para não me traumatizar mais, como todo bom entendedor, apesar de jovem, preferi não voltar lá.

Voltas que o mundo dá

Tive a felicidade de ver meus dois filhos jogarem pelo Fluminense, anos depois. O que hoje é técnico nos Estados Unidos, começou no Fluminense. E minha filha, que é fisioterapeuta atualmente, pegou a Seleção Carioca jogando também pelo Fluminense. Ou seja, o Fluminense não saiu da nossa vida. E passados todos esses anos, até eu voltei pra jogar Voleibol Master pelo clube. Na minha primeira competição, fui eleito o atleta revelação vestindo a camisa tricolor. Aí, a gente vê que o mundo dá mesmo umas voltas que, muitas das vezes, não se consegue entender.

Perto das estrelas

Estive, depois mais um período parado, mais um tempo triste. Tinha o Flamengo, que era na Gávea, mas longe também: duas conduções, aquela situação que meu pai não poderia bancar. Então, tive uma passagem muito boa, mas de apenas dois meses pelo Flamengo, porque fui convidado a ir jogar no Olaria, que era mais perto de casa, uma condução só para ir e voltar. No Olaria, vivi uma das minhas melhores fases no voleibol. Passei, com 15 anos, a jogar por duas categorias e tive a alegria de disputar o campeonato adulto, aos 16 anos, no último ano do Bradesco de Bernard (Rajzman), Renan (Dal Zotto), Badalhoca (Antonio Carlos Gueiros Ribeiro), um time de estrelas, que praticamente compôs a Geração de Prata, vice-campeã olímpica. Passei quase dois anos jogando numa situação muito mais privilegiada, mas, como todo clube pequeno, que dá mais importância ao futebol do que aos outros esportes, mudou a presidência e acabou o voleibol do Olaria. Fiquei mais perto de Rocha Miranda, indo jogar no Madureira, mas já estava próxima, também, a minha época de alistamento militar.

Soldado-atleta na Aeronáutica

Fui soldado e jogador no Centro de Desportos da Aeronáutica, o CDA, que reúne os atletas militares. Joguei por dois anos nas Olimpíadas das Forças Armadas. No primeiro ano não ganhamos nada, mas, depois, fizemos um trabalho de excelência, e justamente com o Arly Cunha, o técnico do Flamengo que encontrei no passado e que havia sido contratado pela Aeronáutica. E ali foi que conheci o que é realmente esporte de alto rendimento, como trabalhar de maneira cognitiva, como usar as técnicas — na época, a tecnologia ainda era um pouco restrita, mas já trabalhávamos um pensamento mais lúdico e o desenvolvimento comportamental e locomotor. Naquele ano de 1989 nos sagramos vice-campeões e, mais uma vez, ganhei um prêmio de destaque individual, como o melhor atacante da competição, faltando três meses para o Campeonato Mundial Militar, que foi em Plymouth, nos Estados Unidos.

Lesões

Tive a infelicidade de fraturar a tíbia, a fíbula e o maléolo numa pisada, indo jogar bola, que não tinha nada a ver com o vôlei. Fui a uma festa de fim de ano e na hora de ir para o campo, correndo, em um trecho enlameado, o pé virou. Fiquei afastado do esporte durante dois anos, porque foi uma lesão bem complicada, ainda mais para uma pessoa sem muitos recursos. Mas tive a sorte de ser assistido pelo médico da Seleção Brasileira de Futebol, que era amigo do meu pai. Ele fez um trabalho magnífico, que me possibilitou voltar.

A parada

Parado dois anos e voltando com 21 anos, eu já estava velho para o vôlei. Fui então jogar o voleibol universitário, também com passagens positivas e felizes, contra atletas de alto rendimento, a nível de Seleção, como Marcus Vinícius, Domingos Maracanã e outros, mas por uma faculdade sem expressão no esporte. O vôlei era usado ali como atrativo para angariar alunos. Assim, encerrei minha trajetória e fiquei no extra-quadra. Mas, sem nenhuma demagogia, eu era um jogador muito forte, de técnica um tanto apurada e seria comparado hoje aos grandes atletas do voleibol cubanos pela impulsão, pela força, pela técnica. Aliás, alguns já me chamavam de "Cubano", exatamente por isso. Infelizmente, pelas lesões, não pude continuar.

Sonho interrompido

Eu estava no melhor momento da minha trajetória e, ainda, disputando uma competição mundial. Imagine, um menino morador de Rocha Miranda sair de lá para ir jogar numa competição mundial e representando as Forças Armadas do seu país? Pra quem começou aos 14 anos, com todos os percalços, sem desistir daquele sonho agarrado no cangote, aquilo ali era uma realização. Só que, infelizmente, não aconteceu. Foram dois anos muito difíceis, um trabalho de recuperação muito delicado e eu, sem muitos recursos para me tratar.

Os tratamentos

Mas fiz o tratamento no Hospital da Aeronáutica e, depois, no Hospital dos Servidores do Estado do RJ, onde o doutor atendia pelo SUS, embora não fosse um acompanhamento direto. Eu tinha apenas alguns dias pra ir fazer minhas sessões. Mas não reclamo, porque pude recuperar grande parte da mobilidade, que me permite levar uma vida normal e, ainda velhinho, jogar um voleibol de quadra, um Voleibol Master, com atletas de mais de 45 anos de idade.

Dificuldades e luto

Uma das maiores dificuldades na vida é você ter um sonho e não conseguir realizar pela sua condição financeira. Por exemplo, meus irmãos e eu usávamos as roupas sobressalentes que o meu pai tinha da Polícia e que a gente tingia pra virar roupa de sair. O calçado pra jogar vôlei era o da escola, era o para sair, além das dificuldades de logística e do racismo. Outra coisa que acontece é que as famílias de classe média-baixa não acreditam nos sonhos dos filhos, porque acham que aquilo é difícil e que não estão preparados. E, no meio do caminho, vem uma lesão te impedindo de continuar. Eu vivia e me via como jogador de voleibol e, do nada, isso foi me tirado. Foi um luto e um hiato grandes na minha vida, justamente quando eu descobri o esporte de alto rendimento. Era jogar voleibol de outro modo, era trabalhar o corpo de acordo com a sua atividade física e a mente em novo paradigma. E você se vê com um gesso preso na tua perna...

> **"Foram cinco anos vividos de forma intensa e dava pra viver mais anos. Mas continuei militando na área, porque eu tinha passado pelo esporte de base, pelo esporte escolar, pelo esporte militar e pelo esporte universitário e, por fim, conheci o esporte master"**

O avesso das coisas ruins

Foram cinco anos vividos de forma intensa e dava pra viver mais anos. Mas continuei militando na área, porque eu tinha passado pelo esporte de base e pelo esporte escolar, pelo esporte militar e pelo esporte universitário e, por fim, conheci o esporte master, que é o de alto rendimento em frequência mais baixa. A maioria dos que hoje praticam esse esporte, em algum momento, foram atletas de alto rendimento, com uma construção cognitiva muito elaborada e cuidados físico e mental. Mesmo "velhinho" e tendo passado por muitas situações traumáticas, ainda me considero um atleta de alto rendimento.

Só rendimento

Mas vi que havia um outro mundo fora do meu sonho e que eu teria que acordar para a vida. Como eu ainda era militar, me especializei em Informática Aplicada no Transporte Aéreo, porque eu trabalhava no órgão do governo responsável pela implantação de aeroportos. E vim a ter acesso à tecnologia de última geração para o desenvolvimento de planos diretores e infraestrutura aeroportuária, que é hoje uma das minhas profissões, também.

Armas contra o racismo

A minha paixão pelo esporte me deu forças de seguir, mesmo sendo discriminado. Eu pensava que se outros chegaram a ser bons atletas, eu tinha o mesmo direito, independentemente da minha cor. Sendo bom no que eu fizesse e apaixonado, eu podia superar. Eu sentia na pele, porque, hoje em dia, o atleta tem o pai mais próximo a ele — mesmo que seja dos que querem ser "pai técnico", que acham que o treinador é burro, que têm aquelas manias todas, de entrar no campo, na quadra e fazer tudo isso. Eu passei por esse período sozinho e foram momentos difíceis. Algumas coisas eu tinha que esconder quando chegava em casa, porque se eu contasse que estava sendo hostilizado, como iriam acreditar no meu sonho? Porque, se a vida tiver que te bater, vai bater doído e se tiver que te abraçar, vai te abraçar, seja você quem for.

Chance e talento

Acredito que quem tem condições financeiras tem mais chances, mesmo sem muito talento. Posso dizer que, dentro do que eu acreditava e dentro daquilo que eu vivia, a condição financeira representava trinta por cento, relativos à mobilidade e à falta do material adequado para a prática esportiva, e eu via isso no modo como me olhavam e avaliavam. Eu entrava em quadra pra jogar e via atletas com tênis adequados, caros, de nome de jogador — tinha um rainha Bernard, que era do Bernard "Jornada nas Estrelas". E eu, com aquele tênis que o pessoal falava, "esse cara vai jogar com isso aí? É melhor jogar descalço". Só nisso, você já era discriminado. Mas como eu tinha os outros setenta por cento, então era aquela coisa: não vai ter discriminação, se você acredita no seu sonho e na tua capacidade. Só que, como sempre, dependemos de outro ser humano, e o meu sonho tinha que passar pela mão de alguém.

Traumas da criança interior

Quando a gente descobre o sonho, quer vivê-lo em plenitude, e quando se criam obstáculos, ocorrem lesões no emocional. E eu me frustrei quanto a isso. Agora, não mais: me sinto extremamente bem-sucedido, tranquilo, não passo discriminação, nem por dificuldade alguma das que passei lá atrás. Mas você percebe, por ter esse tino, essa *expertise* da tua atividade, como *coach* motivacional. São traumas que já convivo bem com eles, mas houve um tempo em que incomodavam muito e freavam a minha vida. Quando jovens, somos impulsivos e quanto mais idade temos, mais cautelosos nos tornamos, porque já sabemos o que pode acontecer.

De Atleta para atleta

Se você não estiver totalmente capacitado e pronto, não questione.

Busque aprender, busque se capacitar mais. Quanto mais capacitado você estiver, maiores são as suas chances de crescimento, porque só talento não faz diferença na vida de ninguém. Eu era talentoso, mas não tinha todos os atrativos pra poder colocar o talento em prática. Costumo dizer que, se você acredita, faça com que seu sonho esteja blindado e no centro de alguma coisa para que ele não saia dali. E lembre-se que ele está ali, pra que você vá sempre em busca dele.

"'Meu filho, eu *tô* contigo. Vai à luta, cara. Desiste não.' Foi um dos momentos da minha vida que valeu um campeonato, porque eu jogava e nunca tinha ninguém da família na arquibancada, batendo palmas pra mim depois de uma jogada, torcendo por mim"

Apoio paterno

O maior apoio que eu recebi foi quando tive a felicidade de ver o meu pai assistindo a um jogo meu. Ele conseguiu sair do plantão e ir no ginásio falar pra mim: "Meu filho, eu *tô* contigo. Vai à luta, cara. Desiste não". Foi um dos momentos da minha vida que valeu um campeonato, porque eu jogava e nunca tinha ninguém da família na arquibancada, batendo palmas pra mim depois de uma jogada, torcendo por mim. Então, essa presença dele foi uma surpresa feliz e mudou a minha vida. Hoje, ele é o meu maior apoiador.

Perda e achado

Quando eu joguei as Olimpíadas das Forças Armadas e fui o último atleta selecionado para essa competição, eu tinha vivido uma triste situação: um amigo que serviu comigo no quartel se suicidou no meio de um plantão meu. Emocionalmente, me abalou muito receber a notícia de que o amigo que tinha jantado comigo, duas horas depois, se suicidara com um tiro de pistola na boca. Aquilo me balançou. Eu não conseguia mais desenvolver o meu voleibol, porque me questionei, *cara, eu passei por muita coisa e não cheguei a esse ponto... como é que ele teve a capacidade de fazer isso? Por que não falou? Ou por que eu não contei a minha história pra ele? Eu poderia tê-lo ajudado, mostrando que vale a pena brigar e tal.*

Um novo Carlão

Foi uma fase que eu parei e pensei em não jogar voleibol mais. Deixei de treinar e tudo. Aí, no dia do corte, o técnico que já me conhecia do Flamengo, falou: "Cara, vamos lá, é o último corte. Se *tu estiver* bem, eu te levo". E nesse dia, entrei na quadra e na competição, e joguei com uma performance extraordinária. Parecia ser um outro Carlão saindo de dentro de mim, exorcizando meus traumas e todas as dificuldades. Quando terminou — fomos vice-campeões e eu recebi a medalha de melhor jogador da competição —, foi como aquilo que jogador de futebol faz (gesticula): "Sai, sai". Foi uma sensação indescritível.

O legado

Independentemente de origem, raça, credo, de qualquer coisa, todos têm o direito ao sonho e à sua realização. Por esta convicção, tenho ajudado outros atletas a se encontrar e viver momentos ímpares de suas vidas. Acho que o legado que eu deixo da minha história no esporte é o de alguém que, tendo tudo para desistir, parou, mas para descansar, e não para desistir.

Os heróis

Meus heróis, no âmbito familiar, são o meu pai e o meu irmão mais velho, que também jogava vôlei e era um exímio bloqueador; por conta dele, aprendi a ser um exímio atacante, para não ser bloqueado. Agora, meu ídolo do voleibol foi o cubano Joel Despaigne, atacante da Seleção Cubana, o melhor jogador de Cuba de todos os tempos, que hoje mora na Itália; eu procurava reproduzir tudo o que ele fazia, até o corte de cabelo. Independentemente de ele também ser negro, ele era um cara do voleibol de força, de muita impulsão. Eram cinco os maiores jogadores daquela época, os da geração de 1980 e 90: Marcelo Negrão, pelo Brasil; Andrea Zorzi, pela Itália; Ivan Zaytsev, pela Rússia; Ronald Zwerver, pela Holanda; além do Joel Despaigne. Eles eram os caras que *faziam chover dentro de quadra*, como a gente diz. Mas Despaigne é, para mim, o ídolo. É o cara pra quem eu bato palmas.

Olhando para trás

O que eu mudaria? Isso pede reflexão... Mas acho que, do lado familiar, era ter a presença da minha família comigo. No âmbito socioeconômico, era eu ter um pouco mais de grana pra me bancar. E na questão sociocultural, era não ter convivido com as pessoas que eu convivi... eu mudaria a maneira de como me viam e o que pensavam a meu respeito. Por mais que essa questão esteja latente na sociedade, hoje há mecanismos pra se combater isso; antigamente, não se tinha.

O racismo entre a família

Meus filhos jogaram no Fluminense. Um deles vive hoje nos Estados Unidos. Nenhum passou por racismo como eu. Minha filha faz faculdade de Fisioterapia e também não passa por nada disso. Mas estamos falando de 30 anos atrás. O próprio humor em torno do negro era um humor racista, lembre-se de *Os Trapalhões*. Hoje, a sociedade está esclarecida, são pequenas porções dela que causam todo esse tumulto de discriminação.

"Antigamente eram dois pesos e uma medida. Era assim, se você mora em Rocha Miranda, então, não vai à festa do amigo que joga voleibol com você, porque ele mora na Zona Sul"

Mas se você fosse ao apartamento do amigo na Zona Sul, o porteiro perguntava: "Esse é quem?". "É um amigo meu." "Ah, então é teu amigo? Ó, como vocês estão com roupa de treino, *pô*, você vai pelo elevador de serviço, *pra mim não ficar* mal, valeu?" Mas não. Era porque eu estava com o amigo e o porteiro não ter que falar às claras: "Olha, você que é o morador, vai pelo elevador social e você, que é negro, vai pelo elevador de serviço". Hoje, se vê na Europa os clubes fazendo campanha contra as torcidas que trazem essa parte obscura da sociedade para dentro dos ginásios. Isso, antes, não existia.

Voleibol

"A bola sempre foi minha paixão"

William Peixoto Arjona, *o* ***El Mago****, paulistano, nasceu em 31.07.1979, filho de um casal de atletas. Aos 11 anos, ele teve que escolher entre o tênis, esporte favorito do pai, e o vôlei, o seu preferido. E tudo começou na Escola Santo Inácio, em São Paulo. Em 30 anos de carreira, William vestiu camisas de clubes como ECP, Papel Report Suzano, Telepar, Maringá, UninCor Três Corações, Vasco da Gama, Targifor Suzano, Intelbrás São José, Bento Union Pack, On Line São Leopoldo, Bolívar (Argentina), Sada Cruzeiro e Sesi-SP. Participou das seleções paulistas infantojuvenil e juvenil, e brasileira infantojuvenil, juvenil e adulto. E, em quatro anos, venceu 20 dos 22 torneios com o Drean Bolivar. Títulos: Campeão Olímpico, 3x campeão Mundial de Clubes, campeão Sul-americano, 3x campeão da Superliga Brasileira, 4x campeão da Superliga Argentina, 3x melhor levantador do Mundial de Clubes, 9x melhor levantador consecutivo da Superliga Brasileira, 3x melhor levantador Sul-americano, MVP da Superliga Brasileira e Argentina, e MVP do Mundial de Clubes.*

Paixão em casa

Nasci em São Paulo, sou filho de uma mineira de Itajubá e um imigrante — meu pai era panamenho. Ele praticava esportes diferentes do que a gente costuma praticar no Brasil: lutou boxe na escola, jogou beisebol e também, tênis. Daí, vem essa motivação de praticar esporte desde pequenininho, porque minha mãe também foi atleta: jogava vôlei e foi da Seleção Mineira. Já as minhas duas irmãs só se voltaram agora para o esporte; uma está jogando vôlei aqui em São Paulo mesmo, e a outra, *beach tennis* lá na Austrália, onde ela mora hoje.

Paixão na escola

A minha escola foi também importante, porque bimestralmente lá se praticava um esporte diferente e eu fiz todas as modalidades possíveis, quando era bem garoto. Joguei futebol de salão, handebol, basquete, vôlei, fiz atletismo, tudo dentro da escola. Também joguei beisebol em colônia de férias que a escola fazia, quando a gente praticava outros esportes adicionais. A escola me deu essa chance e eu sempre tive mesmo essa pré-disposição ao esporte. Minhas irmãs e minha mãe contam que desde pequenininho eu estava sempre com a bola no pé, batendo bola, jogando bola na parede. Hoje eu vejo o meu filho muito parecido comigo nisso: ele está o tempo todo com a bola no pé, almoça e dorme abraçado com a bola, adora futebol, conhece todos os jogadores.

Sempre bom de bola

Uma das minhas irmãs dizia que qualquer coisa que eu escolhesse que tivesse bola, eu ia fazer bem: se fosse jogar futebol, ping-pong, sinuca... bastava ter uma bolinha. "Você sempre jogou tudo muito bem, era competitivo, não tinha idade, jogava contra os grandes, estava sempre ali disputando", ela dizia. E comecei a me destacar nas aulas de Educação Física, quando a escola tinha o contraturno. Acabava o turno escolar e, no final de tarde, os alunos que se destacavam em Educação Física faziam o treino — no vôlei, principalmente, que era o esporte número um da escola. Nesses contraturnos, eu, com meus oito, nove, dez anos, treinava às segundas, quartas e sexta-feiras. Então, sou muito grato ao professor de Educação Física por ele ter plantado essa sementinha em mim. Falo isso até hoje com ele.

O sonho do pai

O meu pai sempre gostou muito de tênis e o sonho dele era que eu fosse tenista. Então comecei a fazer aulas, fui federado no tênis, joguei em campeonato e estava indo muito bem. Professores e jogadores mais velhos falavam que eu seria um bom jogador, todo mundo elogiava

— e o meu pai, supercontente com isso. No clube em que a gente era sócio em São Paulo, o Círculo Militar, eu treinava tênis, saía da quadra e ia em seguida fazer um treino de vôlei. E quando eu saía daquela monotonia do jogo de tênis e entrava na quadra no ginásio de vôlei e via aquela bagunça, todo mundo gritando, bola pra cima, todo mundo se ajudando, eu pensava, *nossa, é aqui que eu quero estar!* Sempre gostei muito do trabalho em equipe, de ajudar as pessoas, de ser ajudado. Então, larguei o tênis para me dedicar só ao vôlei.

No esporte por amor

Numa das Olimpíadas Escolares, que na minha época se jogava muito em São Paulo, um técnico do Pinheiros me viu jogar e me levou pra começar no clube já como federado e seguir carreira dali, no infantilzinho, aquela progressão natural de categorias. Eu nunca fiz peneira, porque já fui convidado diretamente da escola pelo professor do clube, então, foi um pouco diferente da maioria, que tenta ingressar em um clube assim, por meio de peneira. A minha ida para o esporte também é diferente da grande maioria, porque venho de uma família de classe média e não tinha aquela necessidade de tentar a minha vida no esporte para dar um futuro melhor para a família. Eu tinha uma base sólida, uma boa estrutura familiar. Entrei por amor ao esporte. Este foi o início da minha carreira.

Lesões e dúvidas

Nunca tive lesões sérias. Estou com 42 anos e não fiz nenhuma cirurgia. Tive lesões normais de atleta — torção de pé, dedo machucado. Nunca quebrei nada, também. E olha que eu fui um garoto até levado, porque eu andava de skate. Então, eu tive algumas chances de me machucar, mas nunca me machuquei, graças a Deus. Sem dúvida que o mais difícil pra mim foi a perda do meu pai em um acidente aéreo da TAM, em 1996. Eu estava com 17 anos e era o meu primeiro ano como profissional. Muitas dúvidas surgiram pra mim, por eu ser o único homem da casa e meu pai ter passado pra mim que era o meu dever cuidar da família, como foi para ele.

Parar ou não de jogar?

Mesmo sendo o mais novo da casa, eu me sentia responsável pela família, então, com a morte do meu pai, pensei em parar de jogar. Eu estava ingressando no time adulto e não tinha salário, só uma ajuda de custo, e não tinha ideia se eu ia me tornar um jogador e se conseguiria sobreviver do esporte. Meu pai sempre deixou muito claro que viver do esporte no Brasil é muito complicado. Mas, naquele momento, a minha decisão era mesmo parar de jogar. Aí, mais uma vez entrou a família estruturada na história, o suporte. Minha mãe e minhas irmãs falaram: "Não tem o menor cabimento você abandonar o seu sonho e o do pai também, que te apoiou pra você ser um jogador. Nós já somos grandes, temos o nosso trabalho, a gente consegue se manter".

Trauma de avião

Depois, era pensar, *putz, se eu seguir carreira de atleta, vou ter sempre que entrar em avião e viajar o mundo.* Naquele momento minha reação foi, *ah, não quero mais voar! Meu pai faleceu dessa maneira, não consigo mais me imaginar dentro de um avião.* Mas tive um papo muito legal com um técnico da seleção de base, o Percy. Na época, eu ia jogar um mundial infantil. Ele me chamou e na frente de todo mundo, rasgou elogios. Disse que eu tinha um futuro brilhante, que eu era um excelente atleta, um menino comprometido, responsável, que a carreira estava muito bem traçada, que eu não poderia abandonar o vôlei e que as viagens iriam acontecer, eu jogando ou não. Percy foi um cara que também me deu muita força. Aí ponderei que estava todo mundo do meu lado, então, eu ia tentar seguir. E cheguei onde cheguei. Mas foi muito grande essa perda. De uma pessoa que era a minha referência. E eu ainda era um adolescente.

Força interior

Nos momentos mais difíceis, de dúvidas, eu busco forças sempre na minha esposa e nos filhos. Eu me sinto muito responsável pela vida, pela trajetória futura deles. Muita gente me questiona, "você está jogando em alto nível há uns 16 anos, sempre disputando finais, ganhando campeonatos, sendo o melhor na posição e você não se acomoda. De onde vem isso?". Eu digo: "Primeiro, a minha família depende de mim e o atleta depende de resultados. Se eu não trabalhar pra ser o melhor, para estar entre os melhores, ainda mais com o passar do tempo, a idade" — este preconceito existe, *né?* —", se eu vacilar, os caras me tiram de onde eu estou". Então, não passa pela minha cabeça diminuir o ritmo, ou afrouxar, me acomodar. E também não quero ser lembrado assim: "Nossa, o cara já foi bom, mas hoje...". Não, eu quero terminar lá em cima e não vejo outra forma a não ser continuar trabalhando muito, me dedicando, sempre pensando em melhorar. Acho que ainda não cheguei no meu melhor.

Em busca da excelência

Quando alguém te chama de profissional, é porque você acorda todo dia querendo ir em busca da excelência. E excelência, pra mim, é querer fazer melhor do que eu fiz ontem, é ser melhor pessoa, ser melhor atleta, isso até o dia em que eu parar. É inadmissível alguém me chamar de profissional e eu fazer corpo mole ou achar que já cheguei onde tinha que chegar. Não tem essa. O profissional verdadeiro vai buscar excelência até o último dia. É assim que eu encaro as coisas.

Paixão por música

Outra coisa que me ajuda muito é a música. Sou um apaixonado por música. Se eu não fosse atleta, com certeza seria músico. A música anda comigo no dia a dia. Tem hora que eu preciso estar mais calmo, aí escuto uma música mais tranquila; tem hora que eu tenho que entrar num jogo mais ligado, então, ponho uma música mais agitada. Já disputei campeonato escutando música clássica; já joguei finais de campeonatos ouvindo *heavy metal*. Eu acho que a família e a música são, hoje, os meus portos seguros em momentos em que *barata voa*, como se diz... Nesses momentos de perder um pouco a lucidez.

"Sou um apaixonado por música. Se eu não fosse atleta, com certeza, seria músico. A música anda comigo no dia a dia. Já disputei campeonato escutando música clássica; já joguei finais de campeonatos ouvindo *heavy metal*. A família e a música são o meu porto seguro em momentos em que *barata voa*"

Conversa de pai

Com 12 anos, eu não estava indo bem na escola: estava me dedicando mais ao vôlei. Eu já tinha ideia de ser jogador e estava gostando muito de vôlei — e meu pai, muito rígido nos estudos, até por ter vindo de outro país pra estudar aqui, sabia da dificuldade de eu me manter vivendo do esporte. Tivemos uma conversa e ele disse: "Você está se dedicando mais ao esporte do que aos estudos. Pois é obrigação sua terminar o terceiro colegial com boas notas" — ainda era chamado assim, de terceiro ano colegial — ", depois, se estiver indo bem nos esportes, você faz faculdade quando quiser. Ou quando tiver oportunidade. Mas até o terceiro colegial, é obrigação, senão eu te tiro do vôlei. É estudar e se formar". E completou: "Se você quiser viver do esporte, vai me prometer que vai ser o melhor".

A promessa

Eu lembro, sentados na cama, conversando, ele e a minha mãe, e eu, prometendo: "Pai, você pode me apoiar, porque eu vou ser o melhor". E eu me lembro de sair de lá pensando, *cara, o que eu falei?...* Com 12 anos, talvez eu não tivesse ainda a noção do que seria isso, mas virou a minha frase de cabeceira e ali, a brincadeira acabou. Se era hobby, diversão, uma atividade física, naquela hora o vôlei passou a ser um negócio sério. Porque as únicas pessoas que eu não podia magoar, não queria decepcionar, eram os meus pais. Hoje, como pai, é muito mais fácil pra mim entender isso. Então, independentemente dos títulos que eu ganhei, do reconhecimento que eu tenho, todo dia eu acordo e lembro que prometi a ele que eu ia ser o melhor. E assim vai ser, até o final.

A Olimpíada

Tirando o futebol, em que a Copa do Mundo talvez seja o maior título, para todos os outros esportes, a Olimpíada, sem dúvida, é o auge do atleta. Só que eu nunca vi por esse ângulo. Nenhum título, nem a Olimpíada, mudou a minha vida, em nenhum sentido. Nem financeiramente, nem profissionalmente. Eu lembro que, quando acabou a Olimpíada e eu estava no pódio recebendo a medalha, meu primeiro pensamento foi, *olha aqui, pai, promessa cumprida, e acho que aqui é o topo da montanha, não tem como eu subir mais.* Um mês depois, eu já estava disputando o Campeonato Mundial Interclubes pelo Cruzeiro e já não me lembrava mais do título olímpico. Meu objetivo era ganhar outro título; eu me via como um atleta de clube e não como um "herói olímpico", como muitos gostam de citar. Então, assim, não é hipocrisia. Não é nada disso. Eu sou humilde mesmo em relação a isso.

Os valores da vida

A vida é muito mais do que qualquer título. A nossa forma de ser, a nossa forma de nos colocar, são mais importantes. Daqui a pouco tudo passa, algumas pessoas lembram, outras não, e o que fica são esses momentos, de se ter contribuído com o crescimento de alguém que esteve do meu lado, alguém que me viu de um jeito e quis ser igual a mim, não só como atleta, mas como um cara legal, um cara que estende a mão. Nada me tirou do meu foco de ser um cara bacana, assim, de me preocupar com os outros. Às vezes eu encontro pessoas que falam, "cara, eu estou conversando com você, um campeão olímpico, e você está aqui parado, me ouvindo?". "Velho, estamos aqui, vamos conversar, eu sou uma pessoa comum, igual a você", eu digo.

Vivendo o presente

Eu sou um cara de muito página virada: se eu ganhei ontem, hoje eu já nem lembro. As pessoas vêm, "e aí, o que você achou do jogo?". E eu: "Cara, eu nem lembro direito como é que foi, já estou pensando no próximo". Talvez por ter perdido o meu pai muito cedo — ele tinha 50 anos —, eu passei a encarar a vida assim, muito no presente. Não sei o que vai ser amanhã. Se eu pensar, hoje estou com 42 anos, *pô*, vou viver mais oito? É muito pouco tempo. O meu pai foi embora muito cedo.

De atleta para atletas

Vou dar o conselho do meu pai. Primeiro, o esporte é um funil: você vai começar lá em cima, na boca do funil, com vários atletas e, ali, o negócio vai começando a estreitar, estreitar, estreitar, e vai chegar num ponto em que vão pingar e sair alguns naquela boquinha do funil. Então, pra chegar ali, você tem que trabalhar pra ser o melhor sempre, não dá pra ser mais um no meio da multidão. A minha marca é esta: a magia é fazer a diferença. Você precisa fazer e ser diferente dos outros, senão, vão te atropelar, porque é muito difícil. É um mundo muito competitivo.

Dedicação e disciplina

Independentemente de quem vai chegar a ser profissional, um campeão olímpico, a disciplina do esporte é fundamental na vida de qualquer um. Então, a minha mensagem é: aproveitem ao máximo os professores, as informações. Suguem informações o máximo que puderem, se dediquem, se comprometam e não só com o clube e com a escola, mas com vocês mesmos. Esse é um ponto principal, porque, pra ser um atleta, você tem que abrir mão de estar perto da família e de muitas outras coisas durante toda a sua vida. É muita abdicação. Eu saí de casa com 15 anos, então, vivi mais longe do que perto da minha mãe, da minha família.

Excelência só com disciplina

Seja honesto com você mesmo. Eu não vou me arriscar na vida de esportista sabendo que vou ficar longe das pessoas que eu amo, simplesmente pra tirar onda. Não, você tem que fazer valer a pena, porque o que se deixa de lado é muito importante. Não dá pra brincar. Se é pra fazer, tem que fazer direito, trabalhar sério, ter muita disciplina. Se você esperar só pela motivação, não vai dar, porque nem todo dia se acorda motivado pra fazer o que precisa. Não dá pra sair toda noite, não dá pra tomar a sua cerveja todos os dias, tem que acordar cedo e estar disposto a evoluir. Então, assim, a resiliência, a excelência, são a disciplina. E é uma delícia viver do esporte. Tudo o que eu tenho, veio através dele, família, casa, carro, enfim, é muito bom, mas o ônus é grande. É um processo de crescimento muito gradativo, não tem como ser campeão olímpico sem passar por várias e duras etapas. Sem acordar cedo, treinar mais, melhorar e melhorar, dificilmente você chega a ser um atleta de ponta.

O legado

Não quero que o meu legado seja só do William Mago. Quero que seja de tudo o que eu fiz pra chegar onde cheguei. E falo com muito orgulho que tenho as portas abertas em todos os lugares que eu passei. Isso é o mais legal. Uma vez, escutei uma coisa que me marcou muito, do treinador de um time que eu joguei, um cara muito bacana. A gente se encontrou num saguão de hotel, onde estava também o dirigente do clube em que eu jogava na época, e que perguntou: "E aí, o William deu muito trabalho pra você?". E ele respondeu: "Não, ele me deu muitos títulos, muita alegria e um baita de um companheiro". Então, fui campeão nesse clube e deixei a minha marca, mas o mais legal foi o reconhecimento da pessoa. O maior legado é esse *feedback* diário dos que trabalharam comigo.

"Eu trabalho pelo conjunto da obra, porque, um cara que não é tão alto, não é forte, pra viver no meio desse mundo esportivo de gigantes, olha, eu tive que me desdobrar. Qualquer um que olha pra mim pode falar: 'é possível; se ele fez, eu posso fazer'"

Fora das quadras

Ainda não me vejo fora das quadras. O atleta, do jeito que eu sou, do jeito que eu fui... eu sempre me cuidei muito... acho que por isso estou conseguindo estender minha carreira por mais tempo — este, sem dúvida, é um mérito meu, pelos cuidados que eu tive ao longo da carreira. E do jeito que as coisas estão indo, existem duas formas de isso acontecer: uma é pararem comigo, eu não conseguir mais um contrato, nenhum time me querer mais; a outra é talvez eu ter alguma coisa mais grave, que o tempo de recuperação seja muito grande e que vai interromper. Aí, com a idade, você já começa a pensar em parar. Independentemente disso, o que eu faço hoje é me capacitar pra quando o momento chegar, que é o que a gente fez junto e o que estou fazendo agora: estudando, fazendo outros cursos, entendendo e olhando um pouco mais para o lado de fora, que é uma transição muito dura, eu sei disso.

Atletas morrem duas vezes

A gente fala que o atleta morre duas vezes: quando para e quando morre mesmo. Então, o que eu quero é sofrer o menos possível na transição, por mais que seja inevitável — e eu acho que é inevitável. Mas quero estar preparado para as oportunidades que possam aparecer. É fundamental os atletas pensarem nisso. Uma das conversas que a gente teve no curso, junto com o Belletti, que me abriu os olhos, foi exatamente isso: ele fala do plano B. Eu acho que, aqui no Brasil, principalmente, a gente não tem esse plano B. Tanto a família quanto os próprios atletas apostam demais que vai dar tudo certo na vida deles e, às vezes, não dá. Eu tive sorte e competência — acho que só sorte não é a expressão correta — de conseguir viver do esporte. Mas agora vai ser uma nova fase e eu preciso estar pronto, daí o motivo pelo qual estou me capacitando. Mas a data, não tenho ainda. Antes eu pensava, *ah, será daqui três, quatro anos*. Agora, não. Agora é ano a ano.

"Olhei para a arquibancada e todos estavam esfregando as mãos como se esfregassem uma lâmpada e começaram a gritar, 'Mago! Mago! Mago!'. E aí, bom, *beleza*, pensei, *o que é isso?*... não tinha entendido direito"

O apelido "*El Mago*"

O apelido nasceu na Argentina quando eu joguei lá, onde eles costumam dar apelidos aos jogadores. No futebol, a gente vê muito: *La Pulga* (Messi), *El Loco Palermo*, *Brujita Verón*, *Payaso Aimar*, enfim, eles sempre põem um adjetivo ali, junto com o nome. Eu tinha acabado de chegar na Argentina e com um estilo de jogo diferente, o meu é um pouco mais agressivo, de inventar umas jogadas, fazer umas coisas mirabolantes pra eles, naquele momento. E aí, num desses jogos, eu olhei pra arquibancada — e todo mundo sabe como é a torcida argentina, cantando, aquele negócio todo — e todos estavam esfregando as mãos como se esfregassem uma lâmpada e começaram a gritar, "Mago! Mago! Mago!". E aí, bom, *beleza*, pensei, *o que é isso?*... não tinha entendido direito.

Tipo Ronaldinho Gaúcho...

Acabou o jogo, a gente descia, entrava em contato direto com os torcedores e tinha que cumprimentar todo mundo. E os torcedores vieram e falaram: "Pô, Mago, que bacana, cara, o que você está fazendo! E aí, o que vai sair da lâmpada no próximo jogo? Qual vai ser a próxima jogada que você vai inventar?" — aquele negócio tipo Ronaldinho Gaúcho, *né*, que tinha de pedalar e fazer graça em todo jogo. E eu falei, "cara, não é bem assim que as coisas acontecem...". Tentei explicar que a maioria das jogadas é de improviso mesmo, não é que eu fico fazendo isso nos treinos. As coisas acontecem em milésimos de segundos: eu acabava fazendo alguma coisa e eles gostavam. E eles: "Não, não, você tem que fazer alguma jogada nova". E aí, começou: em todo jogo que tinha arquibancada, estavam eles lá, esfregando as mãozinhas e, "vamos lá, Mago, tira alguma coisa da lâmpada, faz uma jogada!".

E o "Mago" colou

Engraçado que eu achei que, por ser deles essa cultura de colocar apelidos, quando eu voltasse *pro* Brasil, ia acabar ali; era uma coisa só dos argentinos. Mas foi muito interessante porque, logo que eu voltei, todo mundo começou com o *William Mago*. "E aí, Mago?" Hoje, a grande maioria me chama pelo apelido, às vezes, nem pelo nome mais. Pegou e ficou. Acho legal. Um apelido carinhoso, *né*? Acabei adotando, mesmo.

"Eu falava, 'cara, essa rivalidade, como vai ser?', aquele negócio todo. Mas descobri que a rivalidade, na verdade, é entre Pelé e Maradona. O resto é conversa fiada"

Paixão pela Argentina

Sou apaixonado pela Argentina. Eu morei quatro anos em Buenos Aires, uma cidade incrível, culturalmente muito legal. Vivi muito bem lá, intensamente, e fui muito bem recebido. Pra você ter ideia, eu conheço mais Buenos Aires do que São Paulo, que é a minha cidade natal. Mas eu tinha um pouco de dúvida de como seria, isso foi muito interessante, porque nos primeiros dias de contato com os argentinos, eu falava, "cara, essa rivalidade, como vai ser?", aquele negócio todo. E eu descobri que a rivalidade, na verdade, é entre Pelé e Maradona. O resto é conversa fiada. Eles adoram o Brasil, vinham passar férias no Brasil, adoravam as praias e o papo rolando.

Deu ruim

Tive uma situação ruim logo no segundo mês em que eu estava lá em Buenos Aires, porque entraram no apartamento em que eu estava morando e levaram celular, levaram um dinheiro e... poxa, eles se prontificaram a me ajudar! Eu não conhecia quase ninguém do time ainda, era muito novo lá; tinham dois brasileiros que jogavam comigo, mas os argentinos foram os primeiros que falaram, "não, vamos lá, vamos ver quem foi. Vamos falar com o porteiro, eu tenho uma tia que é chaveira, vamos mudar a chave da sua casa". E, *pô*, eu nunca ia esperar isso deles. Naquele primeiro momento, achei que ia ter daquela, "ah, o brasileiro se ferrou aí, está vendo? Entraram, roubaram ele". E, não, os caras foram super solícitos e me ajudaram.

Amigos até hoje

Ali eu percebi que não existe essa rivalidade. Então, toda brincadeira que falava do Pelé, entrava o Maradona no meio e aí o pau quebrava... Mas foi uma baita de uma experiência. Foi tão bacana que eu tenho um grupo de WhatsApp com os mesmos jogadores daquele time — e isso já tem 12 anos, praticamente. A gente se fala quase todos os dias, então, foi uma relação muito legal que a gente formou ali. Ganhamos todos os títulos possíveis, ganhamos quatro vezes o campeonato, foi uma coisa muito forte que aconteceu e uma baita experiência, de falar outra língua, tudo válido. Pra mim, foi ótimo, ótimo.

Os ídolos

Meu pai é, sem dúvida, o meu maior ídolo. E, no esporte, é o Ayrton Senna, um cara que eu admiro e tento passar isso para os meus filhos, porque, além de extremamente vencedor, ele se desafiava o tempo todo, não aceitava menos do que a perfeição, se exigia. O que mais me chama atenção num ídolo é o fato de ele ajudar pessoas, sem holofotes. Senna foi um cara que fez muita coisa pra muita gente, sem precisar de mídia, sem mostrar pra ninguém o que ele fazia. Ele não precisava vender essa imagem de "ah, eu ajudo". Não, fazia de coração, não queria nada em troca. Esse é o ídolo verdadeiro, então, é o cara no qual eu mais me espelho, pelas atitudes e pela forma como ele lidava com isso, que, como eu disse antes, é o mais bonito: não são os títulos, mas a forma como você se solidariza. Esse é um aspecto dos grandes ídolos, das grandes personalidades. Então, meu pai e o Ayrton Senna são o meu norte, são os caras que guiam a minha carreira.

Fazer parte deste livro

Agradeço por fazer parte deste livro. Parabéns pela iniciativa, Francisca. Você é querida demais. Que seja um sucesso!

CAPÍTULO V

O valor da nutrição para a alta performance

Por FERNANDO HENRIQUE DE OLIVEIRA PARDO

Pode-se afirmar que a Nutrição e o Esporte são áreas que se complementam: é difícil falar sobre uma sem abordar a outra. Muitas vezes uma alimentação equilibrada é insuficiente para deixar o indivíduo saudável sem a prática de um exercício físico adequado. Sobretudo para o atleta, é de extrema importância priorizar uma alimentação que irá lhe proporcionar, além de rendimento, uma boa saúde.

O mercado relacionado ao esporte e à atividade física está cada vez mais forte no Brasil e, antes mesmo de ajustes necessários à dieta, os indivíduos fazem uso de diversos suplementos alimentares. Em minha opinião, este é um dos maiores desafios do nutricionista, hoje, em relação ao auxílio à prática esportiva: fazer com que a pessoa entenda que mais importante do que o uso de qualquer suplemento é ajustar primeiramente a alimentação, pois é muito comum identificarmos falhas na maneira como essa pessoa se alimenta.

Os macronutrientes são nutrientes necessários ao organismo, diariamente e em grandes quantidades. Constituem a maior parte na dieta. Fornecem energia e componentes fundamentais ao crescimento e à manutenção do corpo. Fazem parte deste grupo carboidratos, proteínas e gorduras. A unidade de medida é o grama. O equilíbrio alimentar depende da proporção ideal entre eles.

Os carboidratos

Os carboidratos perfazem a mais abundante classe de biomoléculas da face da Terra. Sua oxidação é o principal meio de abastecimento energético da maioria das células não fotossintéticas. Além do suprimento energético, os carboidratos atuam como elementos estruturais da parede celular e como sinalizadores no organismo.

Entretanto, o tema não é comumente debatido no Ensino Médio. Livros didáticos de Química em nível médio geralmente abordam a Bioquímica de forma superficial, apresentando sérios equívocos conceituais, inclusive acerca dos carboidratos, além de praticamente não proporem atividades experimentais.

Com o propósito de prover alguns importantes conceitos de modo mais amplo e rigoroso, este texto reporta as principais propriedades e funções dos carboidratos, bem como atividades experimentais para o estudo de algumas propriedades físico-químicas.

Os carboidratos (glicídios ou hidratos de carbono) são considerados as principais fontes alimentares para a produção de energia, além de exercerem inúmeras funções metabólicas e estruturais no organismo. As principais fontes de carboidratos são grãos, vegetais, melado e açúcares. Fornecem combustível para o cérebro, a medula, os nervos periféricos e as células vermelhas para o sangue. A ingestão insuficiente desse macronutriente traz prejuízos ao sistema nervoso central e a outros. Estão presentes, na maioria das vezes, nos alimentos de origem vegetal.

Carboidratos são poliidroxialdeídos ou poliidroxicetonas ou, ainda, substâncias que liberam tais compostos por hidrólise. O termo sacarídeo é derivado do grego *sakcharon*, que significa açúcar. Por isso, são assim denominados, embora nem todos apresentem sabor adocicado. O termo carboidratos denota hidratos de carbono, designação oriunda da fórmula geral $(CH_2O)_n$ apresentada pela maioria dessas moléculas. Podem ser divididos em três classes principais, de acordo com o número de ligações glicosídicas: monossacarídeos, oligossacarídeos e polissacarídeos.

Funções dos carboidratos no organismo

- Principal fonte de energia do corpo. Deve ser suprido regularmente e em intervalos frequentes, para satisfazer as necessidades energéticas do organismo. Num homem adulto, 300g de carboidrato são armazenados no fígado e nos músculos, na forma de glicogênio, e 10g estão em forma de açúcar circulante. Esta quantidade total de glicose é suficiente apenas para meio dia de atividade moderada, por isso os carboidratos devem ser ingeridos com intervalos regulares e de maneira moderada. Cada 1g de carboidratos fornece 4 kcal, independentemente da fonte (monossacarídeos, dissacarídeos, ou polissacarídeos).
- Regulam o metabolismo proteico, poupando proteínas. Uma

quantidade suficiente de carboidratos impede que as proteínas sejam utilizadas para a produção de energia, mantendo-se em sua função de construção de tecidos.

- A quantidade de carboidratos da dieta determina como as gorduras serão utilizadas para suprir uma fonte de energia imediata. Se não houver glicose disponível para a utilização das células (jejum ou dietas restritivas), os lipídios serão oxidados, formando uma quantidade excessiva de cetonas que poderão causar uma acidose metabólica, podendo levar ao coma e à morte.
- Necessários para o funcionamento normal do sistema nervoso central. O cérebro não armazena glicose e, dessa maneira, necessita de suprimento de glicose sanguínea. A ausência pode causar danos irreversíveis ao cérebro.
- A celulose e outros carboidratos indigeríveis auxiliam na eliminação do bolo fecal. Estimulam os movimentos peristálticos do trato gastrointestinal e absorvem água para dar massa ao conteúdo intestinal.
- Apresentam função estrutural nas membranas plasmáticas das células.

As proteínas

Já as proteínas apresentam funções e estruturas diversificadas e são sintetizadas a partir de apenas 20 aminoácidos diferentes. São formadas por conjuntos de 100 ou mais aminoácidos, que podem se repetir entre si. Formam os hormônios, os anticorpos, as enzimas (catalisam reações químicas) e os componentes estruturais das células. Encontram-se no tecido muscular, nos ossos, no sangue e noutros fluidos orgânicos.

As proteínas são compostas de carbono, hidrogênio, nitrogênio, oxigênio e quase todas apresentam enxofre. Algumas apresentam elementos adicionais como fósforo, ferro, zinco e cobre. Seu peso molecular é extremamente elevado devido ao número elevado de aminoácidos. Já os aminoácidos, apresentam na sua molécula, um grupo amino ($-NH_2$) e um grupo carboxila (-COOH). A única exceção é o aminoácido prolina, que contém um grupo imino (-NH-), no lugar do grupo amino.

Classificação das proteínas

- Proteína de alto valor biológico (AVB) — possuem em sua composição aminoácidos essenciais em proporções adequadas. É uma proteína completa. Ex.: proteínas da carne, peixe, aves e ovo.
- Proteínas de baixo valor biológico (BVB) — não possuem em sua composição aminoácidos essenciais em proporções adequadas. É uma proteína incompleta. Ex.: cereais integrais e leguminosas (feijão, lentilha, ervilha, grão-de-bico etc.).
- Proteínas de referência — Possuem todos os aminoácidos essenciais em maior quantidade. Ex.: ovo, leite humano e leite de vaca.

Gorduras/Lipídios

São substâncias orgânicas de origem animal ou vegetal, formados predominantemente de produtos de condensação entre glicerol e ácidos graxos, chamados triacilgliceróis. Além de fonte de energia, são veículos importantes de nutrientes, como vitaminas lipossolúveis (A, D, E, K) e ácidos graxos essenciais. São compostos de carbono, hidrogênio e oxigênio. Diferenciam-se dos carboidratos pela proporção desses nutrientes. Cada molécula de gordura possui glicerol (álcool) combinado com ácidos graxos (ácido).

Por meio do acompanhamento nutricional, o atleta e/ou praticante de atividade física não é somente capaz de manter apenas um bom estado nutricional, com peso, percentual de gordura e massa muscular ideais. Com a boa alimentação, ele passa a conservar um estado ótimo, de macro, micronutrientes e compostos bioativos, que são de extrema importância para: uma boa formação de energia (melhora da função mitocondrial); um ótimo funcionamento de sistemas de defesa, melhorando a imunidade; o combate ao estresse oxidativo (gerado naturalmente pela atividade, mas que não deve estar em excesso!); a inflamação, que reduz em muito os riscos de lesões musculares e articulares; a melhora da produção hormonal; e a correção de desequilíbrios intestinais.

Referências bibliográficas

FRANCISCO JUNIOR, Wilmo E. *Carboidratos:* Estrutura, Propriedades e Funções. Disponível em:

http://qnint.sbq.org.br/qni/visualizarConceito.php?idConceito=17&alterarIdioma=sim&novoIdioma=pt, acesso em 02/04/2021.

GUYTON, A.C.; HALL, J.E. *Trabalho de Fisiologia Médica.* 10ª ed. Rio de Janeiro: Guanahara Koogan, 2002.

LANCHA JR., AH. *Nutrição e Metabolismo Aplicados à Atividade Motora.* São Paulo: Atheneu, 2002.

MCARDLE, W.D.; KATCH, F.I.; KATCH, V.L. *Fisiologia do Exercício Energia Nutrição e Desempenho Humano.* 6ª ed. Rio de Janeiro: Guanabara Koogan, 2008.

SÓ NUTRIÇÃO. Disponível em:

http://www.sonutricao.com.br/conteudo/macronutrientes/p7.php, acesso em 03/04/2021.

Fernando Henrique de Oliveira Pardo *nasceu em São Paulo, em 20.04.81. É bacharel em nutrição pela Universidade Nove de Julho, especializado em nutrição esportiva avançada internacional pela Federation of Bodybuilding. Possui certificado internacional em Weight Training Prescription Specialist e em nutrição esportiva. Trabalhou com atletas do futebol feminino e atletas do fisiculturismo.*

MARCO ANTONIO DOMINGUES BRUNO

Futebol • Futsal • Gestão

Um mestre do futebol de salão

Marco Antonio Domingues **Bruno,** *ex-jogador de futebol de salão e de campo, é paulistano. Graduou-se e foi professor de Educação Física na UERJ e cursou Gestão Esportiva na Fundação Getúlio Vargas. Jogou no futsal dos 10 aos 14 anos. Foi jogador de campo pelo Flamengo até os 18 anos, e paralelamente atuou no futsal, no Clube Vila Isabel. Passou também pelo Fluminense, Bonsucesso, ABC de Natal, Palmas Futebol e Regatas, River, New England Futsal e Atlético Barra da Tijuca. Entre os títulos conquistados, destacam-se: no Magnatas FS, Campeonato Estadual, Série Ouro, Sub-9; Na Vila Olímpica da Mangueira, Taça de Prata, em São Januário; e Final do 1° Turno do Campeonato Carioca Sub-7. Foi treinador de escolinhas e dirigente de equipes cariocas. Trabalhou em Mato Grosso, fez gestão do Vasco Barra, e organizou muitas competições no futsal, Fut-7 e futebol de campo. Mora atualmente no Rio, e é gestor do Madureira e profissional do Atlético Barra da Tijuca.*

Uma lesão logo de cara

Comecei jogando futsal, que na minha época era chamado pelo nome todo, futebol de salão. Eu jogava num clube do meu bairro, Vila Isabel, que era muito conhecido por revelar jogadores. Com 13 anos, fui jogar futebol de campo no Flamengo e joguei na base dele por muito tempo. Só que, na época, a gente jogava futebol de campo e futsal até o profissional, e no juniores do Flamengo, eu tive um problema que não gosto que pareça desculpa, ou justificativa, porque eu não fui um jogador famoso, bem-sucedido, por culpa minha mesmo: sofri uma lesão de joelho, operei e fiquei um ano parado. Hoje, com o tratamento de uma lesão assim, em 20 dias você está apto pra voltar a jogar, mas naquela época não existia artroscopia, além do mais, o médico devia ter me tirado um menisco e tirou os dois. Ficar parado um ano inteiro me prejudicou um bocado no Flamengo. Saí de lá e joguei em alguns clubes profissionais.

No campo e no campus

Quando eu saí do Flamengo, eu já estudava na Faculdade de Educação Física da UERJ — sou da primeira turma desse curso, lá, na Universidade do Estado do Rio de Janeiro — e estava empolgado por ser universitário. Mas fiquei também com medo de não me tornar um jogador bem-sucedido financeiramente e acabar não fazendo nem uma coisa e nem outra. Voltei ao futsal, que na época dava um dinheirinho. O Rio vivia um bom momento, tinha muitos clubes e pude me formar na faculdade. Então, virei treinador e fiquei muito tempo atuando assim, até que me tornei gestor executivo de futsal e de futebol de campo.

Atleta e funcionário

Joguei profissionalmente no ABC de Natal, que era e ainda é o time mais popular do Rio Grande do Norte, e no Bonsucesso, um bom time do Rio na época, e que também ainda existe, mas decaiu muito. Com 21 anos, eu recebia propostas melhores no futsal do que do futebol de campo, porque eu já estava fora do Flamengo e jogando em clubes menores, ou então queriam me levar pra jogar no interior, na Bahia e em Goiás. Então, parei cedo como profissional de campo, mas no futsal cheguei até os 32 anos e estudando. Era normal você jogar num time e, pra complementar, o dirigente te dava uma chance de emprego. Assim, fiquei no Flamengo por oito anos, como jogador e como funcionário. Depois, trabalhei três anos no Fluminense e era a mesma coisa: jogando e trabalhando. Até chegar num determinado momento e eu ficar só exercendo a função de professor de Educação Física, no caso, como treinador e gestor.

Rotina entre famosos

A minha vida é engraçada. Até os 14 anos, eu era conhecido no bairro e mesmo na cidade como um dos melhores jogadores de futsal.

Desde os sete anos, eu ia com a família assistir jogo no Maracanã, que é vizinho ao meu bairro, e aos 14, já no Flamengo, eu jogava lá no Maracanã, porque os jogos da base eram preliminares e, coincidentemente, com os caras que eu já conhecia do futsal — Zico, Vanderlei Luxemburgo, vários jogadores tinham jogado futebol de salão comigo. Outro dia, vi nas finais do Mundial, o Palmeiras ser eliminado pelo Tigres do México, cujo treinador, o Duca, jogou comigo futsal e depois futebol, no Bonsucesso. Nunca mensurei muito que aquilo, pra mim, era rotina. Resumindo, às vezes você vai vivendo essas situações como figurante, nem sempre como protagonista, mas vai vivendo.

Curtição e não obsessão

Eu queria jogar, mas não era *aquela* obsessão. Acho também que pesou o fato de que os meus pais tinham uma situaçãozinha que dava um certo conforto. No futebol, normalmente, muitos têm que ralar, têm que sofrer bastante, no início. Mas depende de cada um. Eu não gosto de me autorrotular, até porque fiz o que eu queria fazer mesmo. Quem sabe o que poderia ter acontecido se eu tivesse continuado... só o futuro iria dizer. Mas foi uma experiência que gostei muito de ter vivido, até mesmo para, depois, poder aplicar na minha profissão. E tenho um filho que também foi jogador.

Mudanças no futebol

O futebol mudou muito na parte estrutural. O Bonsucesso, quando eu jogava nele, enfrentava os times grandes e era jogo duro com todos. Se tivesse um clube querendo te contratar, dificilmente ele te tirava do seu clube sem um acordo entre os dois. Também não havia a visibilidade que há hoje em dia. Agora, joga-se em qualquer time, de qualquer lugar, e todo mundo sabe. Surgiu também a profissão de procurador, de captador. Qualquer clube grande tem um departamento de captação, que antes não existia. Se você jogava num time menor, era difícil de ser visto. E se fosse visto, era difícil sair do clube.

Conselho aos sonhadores

Eu sou muito procurado por meninos e pais ou responsáveis de jogadores que querem ter a chance de jogar em clubes grandes. Muitos são do interior do país. Falo para eles que o futebol é degrau: você não pode sair de um local e ir direto para outro que não conhece; ou você, que nunca jogou, não pode querer estar em um clube de ponta. Tem que ir por etapas. Se você tiver a chance de jogar num clube menor, com certeza, vai ser bem visto e observado. Também não vai ter muita dificuldade de ir para um clube grande, porque o clube menor já trabalha com essa perspectiva de, justamente, formar o jogador pra poder negociar e ter um retorno, e também para poder ajudá-lo no trabalho de continuidade.

Mudanças de hoje

Esse mercado globalizou muito e isso acarretou mudanças de procedimentos e no jogo em si, digo, na parte tecnológica do treinamento. Antigamente era difícil você se ver jogando; hoje tudo é gravado, o cara grava até treino e pode ver depois o que está acontecendo. Eu só fui me ver jogando depois dos 16 anos e levei um susto. *Esse aí sou eu mesmo?!* Hoje, o menininho começa nessas equipes de futsal com seis anos de idade.

A formação de ontem e hoje

O processo de formação também mudou muito. Antes, um garoto de até 12 anos não tinha onde jogar, então, jogava na rua ou na escola. Não existiam nem escolinhas específicas, na minha época. Eu aprendi a jogar no pátio da escola em que eu estudava. Era uma escola de freiras e tinha lá uma turminha masculina, que era a minha turma de primeira série. A professora, pra se livrar da gente, pra ela poder descansar um pouquinho, colocava uma bola de borracha no recreio e a gente jogava todo dia, assim, sem orientação nenhuma. Foi ali que eu aprendi a jogar. Fui coordenador e gerente de vários clubes, e neles selecionávamos garotos de cinco e seis anos, com aptidão para jogar. Os que não tivessem o pendor inato, direcionávamos para escolas de iniciação, mas com finalidades recreativas e lúdicas. Muito diferente do meu tempo.

O salto tecnológico

A tecnologia, o computador, a internet, os processos ferramentais dos meios de comunicação, evoluíram muito. Veja, a primeira Copa do Mundo de que eu ouvi falar foi a de 1962. Eu estava na escola e ouvia os gritos de "o Brasil ganhou!" e não sei mais o quê. Mas, até 1966, você só via o jogo dias após e no cinema. Não passava na televisão. Na Copa de 66, por exemplo, eu vi o filme do jogo do Brasil dois dias depois. A de 70, foi a primeira Copa que se pôde assistir aos jogos ao vivo; o jogo estava rolando no México e você via na tevê. A partir daí, desencadeou-se uma série de modificações.

"Hoje, meu netinho de cinco anos pega o meu celular e, pô, ele sabe fazer coisas que eu nem sabia que o celular tem!"

Então, o menino que joga, ele entra ali, clica e vê o Messi, o atacante que joga na França, as notícias que vêm da Itália, da Inglaterra, da Premier League. Eu repito para os meninos que trabalham comigo e para pais que o futebol é um esporte em que um depende do outro dentro do campo. O cara é o Pelé, é o Messi, mas ele depende do goleiro, ele depende do meia, do armador, do zagueiro, ninguém ganha sozinho. Então, é um jogo coletivo, mas a trajetória fora do campo é individual... entendeu?

A realidade do futebol

O que acontece muito nas categorias de base é que os pais, muitas vezes por ingenuidade ou desconhecimento, comparam o filho com outro menino. Eles começam a jogar juntos aos oito, nove anos, vão seguindo juntos e um vai tendo uma evolução maior e o outro vai ficando para trás. O futebol é um processo evolutivo e é uma peneira, um funil. É normal, de um ano para outro, um jogador estar em alta e outro ficar estagnado ou retroceder. Então, quando um sobe de categoria, vem um jogador de fora e tira o lugar do teu filho. Mas os pais sempre acham que não, que isso não acontece. Imagina, eu era camisa 8 no juniores do Flamengo, jogava com o Zico e estou aqui, em outro patamar. Se eu fosse ficar me comparando com o que ele foi, iria terminar dando um tiro na minha cabeça, porque não há termos de comparação. A história de cada um é individual. Quem fica se comparando com os outros não descobre a própria essência.

"O futebol é um processo evolutivo e é uma peneira, um funil. É normal, de um ano para outro, um jogador estar em alta e outro jogador ficar estagnado ou retroceder. Quem fica se comparando não descobre a própria essência. A história de cada um é individual"

Tempos cruéis

Eu vi vários jogadores se perderem, porque a família depositava uma esperança enorme no filho. O garoto, com dez anos, era o Pelé da geração dele; com 13, já não era mais; com 15, a família já estava chateada e relegando o filho; os clubes, por sua vez, também, mas sob outro enfoque. Um enfoque bem cruel, bem duro. O clube quer saber do menino que vai dar um retorno, então já começa a rotular, "ih, esse aí é medroso, esse aí não joga contra time grande". Começa a tratar um jogador de 13, 14 anos assim, "esse aí é gordinho, é bundudo, é não sei o quê". E isso tudo vai deixando reflexos muito graves no garoto, que muitas vezes ainda é uma criança.

Burro velho e safo

Eu vejo que a evolução da tecnologia ajuda em muita coisa, mas por outro lado, ela deixa o ser humano restrito a algo muito insignificante, porque são informações massacrantes o dia inteiro e, se bobear, isso acontece com a gente também. Eu, que já sou burro velho, se eu ligar para comentários como "o fulano conseguiu, é doutor, não sei o quê, o outro é mestre, o outro está ganhando tanto"... *pô*, você é o quê? Imagina isso entre meninos em formação e pais que não têm essa dimensão toda e acham que o filho deles poderia ser melhor? É uma realidade que mudou muito, mudou muito.

Sustentando a família

Trabalhei muito tempo na base com crianças e ainda continuo. Estou desenvolvendo um projeto, contratado por uma empresa parceira da categoria de base do Madureira. O que acontece: o garoto, ali, começa cedo — são uns 30, 40 meninos tentando jogar e muitos já ficam para trás no primeiro momento, em treinos de experiência, peneiras, aquela coisa toda. E é claro que ele está tendo, lá, uma exacerbada perspectiva de vir a ser um jogador bem-sucedido. Porque é o que você falou, quem é o nosso modelo no futebol? Grandes nomes como o Messi, o Zico e muitos outros, mas esses caras constituem um ou dois por cento da massa de jogadores de futebol.

Realidade brasileira

Estamos vivendo no Brasil, de modo geral, e no Rio, especificamente, a perspectiva de não se ter campeonatos oficiais de categorias Sub-17 para baixo. E o que esses meninos vão fazer? Onde vão desenvolver essa potencialidade? Eles estão jogando, mas quantas equipes disputam um campeonato, por exemplo, da categoria Sub-15? Extraoficiais, há uma infinidade, mas eles têm quem como modelo, senão esses jogadores que eu citei? Aqui mesmo, no Estadual do Rio de Janeiro, de campeonato profissional, há a Série A com quatro grandes clubes — Flamengo, Fluminense, Vasco e Botafogo —, e já começa a ter ali um decréscimo: os outros, que estão na Série A, mas não são considerados grandes; a Série B, que é um campeonato com 20 times tentando galgar uma posição na Série A, e esses 20 clubes têm, em média, jogadores que ganham mil ou mil e quinhentos reais.

Indústria de jogadores

Chegamos ao ponto de ter uma indústria de jogadores que só jogam porque pagam, seja por meio de empresário, seja pelos pais. É uma realidade muito maluca, porque eles pagam pra tentar entrar nesse mercado aí. Se você vai na mídia, quem ela quer noticiar? É um jogo do Flamengo na tevê, é um jogo do Barcelona, do Bayern de Munique; ela não vai transmitir um jogo lá da segunda divisão. Então, essa realidade do futebol ficou curta para a grande mídia e sobretudo para as crianças e para os pais, que estão ali começando e vendo o futebol como alternativa de salvação não só para os filhos, mas para a família, mesmo.

Notícia devastadora

Já tive muitos casos de ter que dar esta notícia, "poxa, tenta ver um outro caminho... teu filho está estudando? Procura uma formação pra ele". É uma notícia devastadora, é muito cruel, você, que trabalha nisso e percebe que aquele menino não está no caminho correto, que já perdeu um pouquinho do *timing*, que já ficou para trás nesse processo de competição, você ter que tentar abrir os olhos de um pai. É um negócio complicado.

"É uma notícia devastadora, é cruel, você, que trabalha nisso e percebe que aquele menino já perdeu um pouquinho do *timing*, que já ficou para trás nesse processo de competição, você ter que tentar abrir os olhos de um pai..."

Nós e o primeiro mundo

Muitos desses meninos não têm condições de estudar. Eles estudam onde? Eles moram em guetos, em favelas, comunidades, onde a educação, a parte cultural, é totalmente deficiente, para não dizer trágica. Então, por exemplo, um menino alemão de cinco anos que começa a tocar na bola com o pé e mostrar aptidão, o pai logo sonha, *ih, ele leva jeito, é o novo Beckenbauer...* Acontece que esse menino está naturalmente num contexto em que estudar é uma alternativa natural. Ele estuda e vai jogar bola, porque são duas coisas: o estudo é inerente à formação dele e o futebol é uma alternativa que surgiu a partir do momento em que perceberam que ele leva jeito. Ele vai jogar por esporte, por prazer, mas se notam que ele leva jeito, ele será direcionado pra ser um jogador. Só que, em tempo algum, ele está excluído do ambiente acadêmico e cultural, do contexto dos estudos.

"Isso não é uma 'forçação' de barra. Isso acontece nos países europeus e nos Estados Unidos, porque é assim que funciona"

Já no Brasil, começa a complicar a partir daí, porque muitos não têm condições de estudar. Muitas vezes, a criança e o adolescente já começam a ser questionados em seus anseios, porque percebem que, através do estudo, não vão conseguir ser bem-sucedidos, e pior: vendo os maus exemplos que todos nós vemos, em todos os seguimentos da sociedade brasileira.

Estudo e jogo não se opõem

Muitas vezes, pais e avós olham em volta e não veem alternativa. "Ele não estudou, ele não tem opção de emprego, não vê um caminho... talvez possa ser jogador." Se o garoto já está com dificuldades no segmento acadêmico, ele abandona de vez o estudo. E se ele tem uma aptidão ainda maior, aí que o pai abre mão mesmo da formação, pra ele virar jogador. Mas você pode ser um grande jogador e ser bem formado academicamente; e bem informado através da leitura, ter nela um incentivo. Uma coisa não impede a outra, mas no Brasil, pelas deficiências sociais, essas desigualdades todas que nós temos, o futebol passa a ser a esperança — e eles começam a se enganar.

Difícil desmistificar

Pais e avós lembram do Marco Bruno e me ligam, como se eu fosse conseguir um milagre de pegar esse menino e o transformar num jogador... e de sucesso. Se você pudesse explicar para essas pessoas que o futebol, em sua maioria, é constituído de jogadores que não ganham nem pra sobreviver, as coisas poderiam se equilibrar mais. Mas a mídia só mostra os bem-sucedidos. Então, pra quem trabalha com isso, desmistificar fica muito complicado. Até porque não é a nossa função; ao contrário, tentamos trabalhar esse sonho, essa perspectiva. Senão, os caras vão me excluir também. Se eu sou um profissional que não acredita nisso, então, *bota ele* de lado.

As frustrações

Tenho duas frustrações profissionais na vida: uma delas é não ter me transformado num faixa preta de judô, porque, na faculdade, eu revelei que tinha condições de ser um judoca e o professor me deu uma faixa verde e disse na frente da turma, "se você treinar comigo todo dia, em dois anos eu te dou uma faixa preta". O pessoal bateu palmas... eu, não. Hoje me arrependo, eu poderia ser um velho judoca — agora não estou gordo, mas andei um período muito barrigudo — e iria ser um faixa preta. A outra frustração é não ter concluído a faculdade de Psicologia, mas, esta, ainda tenho uma leve esperança de retomar. Porque sou apaixonado por essa parte das relações humanas e, neste segmento, o futebol é um laboratório inesgotável de avaliações.

Outro curso

Eu convivi, ao longo da vida, com os segmentos de jogadores, de torcidas, dos árbitros, dos dirigentes amadores e o dos dirigentes profissionais, e comecei a perceber na Faculdade, de uma forma até mais acadêmica, essa diversidade do futebol. Em 2000, fiz parte da primeira turma do MBA em Administração Esportiva na Fundação Getúlio Vargas. Eu já estava formado "há 500 anos" na faculdade de Educação Física — me formei em 1982 — e às vésperas do início do novo milênio, quando fiz esse outro curso, eu era gerente dos departamentos de Futsal e de Esportes Olímpicos do Vasco. Éramos uns 60 alunos e metade da turma era composta por pessoas do esporte, já nos conhecíamos do futebol, mas na outra metade tinha jornaleiro, advogado, bancário, dona de butique, porque na época já diziam que no futebol se ganhava dinheiro.

Desconhecimento do ramo

É assim, "ah, o futebol dá dinheiro, o futebol é bem-remunerado...". Bem-remunerado se você tomar por base essa minoria dos grandes nomes de hoje. Daí, acham que aquilo ali é uma coisa plausível de se conseguir. Você vê no futebol uma enxurrada de pessoas que não teve a menor formação prática, e nem acadêmica; não vivenciaram nada daquilo. O que mais se vê no futebol, hoje, são pessoas que obtiveram dinheiro de outras formas. E as maneiras de se obter dinheiro, você sabe que são as mais diversas, várias não muito honestas, e essas pessoas entrando no futebol e achando que vão poder se dar bem...

Atitudes estapafúrdias

Já me deparei várias vezes com pessoas, tive até patrões, que não sabiam coisa alguma de futebol. Muitas delas queriam aprender. E era uma relação muito complicada, porque eu chegava para o patrão e dizia: "Meu irmão, estou aqui pra te falar o contraditório, pra tentar te ajudar, porque, se eu ficar abaixando a cabeça pra você, te deixando ir por um caminho que eu sei que está errado... não que eu esteja certo, mas quero mostrar alternativas pra você ver". No futebol, o que mais se vê são atitudes estapafúrdias e muitas delas, ninguém nem fica sabendo. Isso acontece de um modo geral.

Valores fundamentais

A primeira coisa é tentar desenvolver, nos pais e nas pessoas que fazem parte da educação daquela criança e daquele adolescente, o mínimo de valores que vão contribuir para eles crescerem num ambiente saudável, independentemente das condições financeiras e materiais. Porque, como é que *tu vai* querer exigir alguma coisa de um menino, no aspecto formativo, desportivo ou lá o que seja, se nem base familiar ele tem? Eu trabalhei muito com crianças de cinco a oito anos já querendo ser jogadores de futebol e com pais e mães de 20 anos que também não tinham essa noção. E muitas vezes, inseridos em núcleos que também já estavam distorcidos, muitos morando em comunidades bem carentes e fazendo coisas ilegais. Então, tentar encaminhar um menino dessa idade e de um seio familiar já deteriorado, não é simples. Mas é a nossa função e tentamos fazer o melhor.

Clubes estruturados

Alguém perguntou alguma vez se o pai ou a mãe de grandes jogadores eram problemáticos? Alguém sabe se tinham problemas psicológicos? Nossa obrigação é conduzir esses processos; não estamos aqui pra formar jogadores? Se estamos vendo um que tem potencial, mas que está cheio de problemas fora do campo, problemas que vão atrapalhar o desenvolvimento dele, temos que tentar corrigir e resolver esses problemas. E neste ponto, os clubes aí...

Estrutura é fundamental

Esse negócio da estrutura é uma coisa que eu não aprendi no Brasil, não, mas no Japão. Trabalhei um ano lá, onde se fala muito em "vamos montar a estrutura". O Bayern de Munique tem uma tremenda estrutura, o Hamburgo, time aí da tua cidade, também, em suas categorias de base. Mas e a mentalidade que move essa estrutura? A filosofia e a metodologia que estabelecem os procedimentos estruturais, quais são? Porque, se você estiver com a metodologia e os procedimentos errados, você terá uma estrutura deturpada, que não funciona.

> **"É preciso ter um departamento que vai orientar o menino direitinho, tem que ter uma assistente social pra saber como está funcionando a família dele. Não adianta você dar treino todo dia, se em casa ele tem pai e mãe se batendo, brigando, bêbados, diariamente"**

O valor da psicologia

O principal para o garoto que quer começar é inserir nele os valores do que é correto e do que é errado, desde o iniciozinho. Ó, dormir mais cedo, se alimentar direito, está certo; beber, fumar, ser agressivo, está errado. Mas, também, se você fala para o menino que ele não pode ser agressivo, você pode tolher o que ele tem de bom, que é a impetuosidade, a coragem dele. É complexo, exige ter o domínio da coisa. E para isso, esses clubes com mais estrutura, os que conseguem enxergar essa coisa toda, eles têm lá o seu departamento de Psicologia; eles botam a Dra. Francisca lá para comandar aquele processo todo. Porque, se puserem uma psicóloga ali que pense diferente, toda essa parte conceitual já se modifica. É preciso ter um departamento que vai orientar direitinho, tem que ter uma assistente social pra saber como é que está funcionando a família dele. Não adianta você dar treino pra ele todo dia, se em casa ele tem pai e mãe se batendo, brigando, bêbados, diariamente, e a mãe não quer que ele jogue mais, porque acha que ele tem que trabalhar.

Filhos e final de carreira

Eu tenho quatro filhos e quatro netos. Meu mais velho, que mora em Brasília, tem 42 anos, e duas das minhas netas são filhas dele; o segundo mora aqui no Rio e é médico; o terceiro é professor de Educação Física e trabalha no Centro de Treinamento do Fluminense; e a minha caçula tem 32 anos e é mestra em Letras. Todos foram criados nesse meu ambiente do esporte. Morei três anos numa cidadezinha do interior do Mato Grosso, era um povoado chamado Denise, e eles foram, iam comigo pra tudo quanto era lugar. Não passa pela minha cabeça a hipótese de parar. Estou aposentado pelo INSS, mas trabalho que nem um condenado e eles vivenciaram toda essa situação.

O legado

Quando meus filhos se deparam com algum questionamento que é normal, tipo, "teu pai tem dinheiro? Teu pai é bem-sucedido? Teu pai está precisando trabalhar", eles veem isso como totalmente secundário. Eu também me deparo com essas questões e noutras fases até me perguntava, "*pô*, será que estou me conformando em ser o que eu sou, porque não consegui ser como o Zico, como o Maradona?". E meus filhos carimbaram a minha forma de pensar que, isso, de estar financeiramente bem ou mal, é irrelevante. Então, o meu legado é o de ser reconhecido e estar até hoje recebendo manifestações de gratidão de pessoas que eu ajudei ao longo da vida. Eu mandei muitos jogadores pra fora do Rio e do Brasil, pessoas que não tinham quase perspectiva e hoje estão bem de vida, até muito melhor que eu.

Relatividade de valores

Então, o legado deixo para os filhos, que se orgulham, que te têm como referência, não por uma questão meramente momentânea, material, mas pela construção desses valores mais profundos e intrínsecos. E tem uma coisa que me demonstra ser alguém mais bem-sucedido, hoje, uma terça-feira, 6 de abril de 2021, às quatro horas da tarde, do que estar aqui falando há mais de hora com a Dra. Francisca e ela estar me ouvindo na Alemanha?

Grandes craques e amigos

Grandes craques passaram pela minha mão, como o Lavoisier e o Higuita. O Lavô é incrível. Ele jogava no Tio Sam, um time de Niterói que repentinamente acabou e nós o trouxemos para o Vasco. Ele morava lá do outro lado da Baía e estava há dois meses contratado, quando atravessei a ponte para ir visitá-lo, por coincidência, no dia do nascimento da primeira filha dele. Até hoje falo isso com ele: era 1998, ele recém-contratado e fui lá na maternidade. Lavô jamais seria goleiro de futebol de campo, porque para isso é pré-requisito ser alto e ele tem menos de um 1,66m. Só que, fico até arrepiado, ele foi, no mínimo, um dos três melhores goleiros que vi jogar e trabalhou comigo. Era goleiro da Seleção Brasileira e jogou no maior time da história que teve aqui e que, modéstia à parte, eu fui gerente, que foi o Vasco de 2000. Hoje ele é o homem forte do Carlos Barbosa, o time que tem a maior estrutura no futsal, e não perdeu essa coisa genuína do cearense lá do início. Eu admiro muito o Lavoisier. O Higuita é outro querido, além do qual, os pais eram meus amigos. Há uns cinco anos, ele já estava famoso, fiz uma clínica de goleiros na Vila Olímpica da Mangueira, aqui no Rio, e o nome era Clínica de Goleiros Higuita. Entende?

"Tenho muitos heróis. Jesus Cristo, Ghandi, Mandela, Papa Francisco, Pepe Mujica e Che Guevara. No esporte, o maior que vi jogar foi o Pelé, depois o Maradona, o Messi, o Zico e o Guga, pelo esporte dele e pelo caráter, e admiro a Dra. Francisca, também, a partir de agora"

Os heróis

Eu tenho muitos heróis. Jesus Cristo, *pô*, um cara que estabeleceu a Era antes e depois dele, não preciso dizer mais nada. Admiro o Gandhi e o Mandela, como heróis e pessoas com as quais eu me identifico. Admiro o Papa Francisco, um cara contemporâneo que está falando pra todo mundo ouvir, e o Pepe Mujica, que foi presidente do Uruguai. Gosto do Che Guevara, pela opção de vida que ele estabeleceu para si próprio. No esporte, não tem jeito, o maior jogador que eu vi jogar em campo foi o Pelé.

"Depois do Pelé, vem o Maradona ali, colado – eu entendo os argentinos que acham que o Maradona foi melhor que o Pelé, não concordo, mas entendo eles"

O Messi chegou ali pertinho do Maradona. Dos que eu vi jogar, sou suspeito porque sou fã dele, mas o Zico, viria em quarto. E eu gosto muito também do Guga, não só no esporte que ele praticou, mas pelo que ele representou como pessoa, como caráter, como mensagem. E admiro a Dra. Francisca, também, a partir de agora.

A pandemia

Eu parei de fazer *lives* em setembro, não aguentava mais, porque, *pô*, todo mundo começava a me pedir pra fazer *lives*. Eram dez horas da noite e ficavam os caras me ligando o dia inteiro e pedindo. E olha que eu fiz mais de 120 *lives* em 2020, na pandemia. Mas ainda vou fazer uma com você, Dra. Francisca, eu quero fazer pra gente bater esse papo aqui, só que aí vai ser o contrário, porque você é quem vai falar mais. Mas quando você for conversar com o Lavoisier, conta que eu falei muito nele e *tu vai* ver que ele vai falar de mim, assim, "*pô,* aquele Marco Bruno é uma figura"...

EURICO ROSA DA SILVA

Hipismo

Nascido para ser um vencedor

Eurico Rosa da Silva *nasceu em 29.06.1975, em Buri, São Paulo, onde iniciou carreira profissional. Correu no Brasil por cinco anos e mais quatro em Macau, na Ásia, antes de se radicar no Canadá. Lá, competiu no Hipódromo de Woodbine, em Toronto, Ontário, em corridas de cavalos puro-sangue norte-americanos. Em 2008, Eurico teve vitórias e ganhos em Woodbine e no Turfway Park de Florence, Kentucky, onde venceu duas corridas de apostas graded. Sua grande chance deu-se em 2009, ao ganhar o Queen's Plate e repetir a dose em 2010. Em 2016, Eurico saiu-se vitorioso em Woodbine Oaks, com o cavalo Neshama; em 2017, ganhou no Canadian International Stakes, montando o Bullards Alley e, em 2019, venceu a Ricoh Woodbine Mile Stakes, com o El Tormenta. Ainda em 2019, ao ganhar as Estacas de Valedictory, com o capão Pumpkin Rumble, despediu-se de seu fã clube e anunciou sua aposentadoria das pistas de corrida, onde sagrou-se campeão com 2.492 vitórias em mais de 15.000 competições.*

O sonho de ser jóquei

Vi minha primeira corrida aos cinco anos de idade. E aquela imagem, a alegria de ver o jóquei montando o cavalo, ficou na minha cabeça. Vivi com esse sonho, agarrei-o com as duas mãos e com a esperança de que, um dia, eu sairia mundo afora. E eu queria ser diferente do meu pai, lutava pra isso, e falava para mim mesmo: "Eu quero ser como a minha mãe, não como o meu pai, preguiçoso e desonesto". Minha mãe me inspira: ela é muito honesta e trabalhadora.

Início de carreira

Quando eu saí de casa, aos 13 anos, e fui morar com o Zeli Medeiros, aí sim, foi que tive um pai, um presente do Céu que eu ganhei. Ele é uma pessoa humilde, às vezes rústico, mas num sentido bom. Foi o meu protetor quando fiz a primeira corrida. Depois que o conheci melhor, então, ele foi sempre me ensinando tudo da melhor forma. Aí comecei minha carreira, montando em cidades pequenas, e fui ficando cada vez melhor, até ir aos 16 anos pra São Paulo. Havia uns 70 garotos para fazer o teste de habilidades e fui um dos aprovados.

Sucesso e conflitos

Quando ganhei a primeira corrida em São Paulo, que é onde faz você ser realmente profissional, pensei, *pra chegar até aqui, disputar com esses melhores do Brasil e do mundo, é porque eu sou bom mesmo.* Os jóqueis do Brasil são muito bons. E ganhar dá uma enorme confiança na gente. Só que, depois, a tua própria mente pode te sabotar, se você não estiver preparado. E veio dobrado pra mim, porque comecei a ganhar muito dinheiro, muita corrida, e virei um avião sem piloto. Passei a beber sem controle. Não me achava merecedor do que eu ganhava. Minhas tristezas e angústias me corroíam e eu não falava para as pessoas à minha volta. Todos diziam, "como você é bom, como você monta bem", os proprietários felizes comigo, garotos me idolatrando e eu, em meu mundo, pensando, *esses caras são loucos.*

O socorro psicológico

Quando fui pra Macau, na Ásia, eu achava que, por estar noutro país, poderia começar uma outra vida, mas tive problemas emocionais por lá também. Sentia raiva de mim mesmo e o descontrole me dominava. Fiquei viciado em jogar nos cavalos, bebia e me envolvia muito com mulheres. Ao me casar, tive problemas também. Só mesmo ao ir para o Canadá, onde trabalhei um ano disciplinadamente, sem ir pra farra, é que minha vida mudou. Lá, procurei ajuda psicológica e comecei a superar meus conflitos, os medos, o ódio dentro de mim.

Mudança de hábitos

Quando comecei com o psicólogo, ele quis saber como era a minha rotina. Contei que nos dias úteis acordava às 4h45, tomava café e ia trabalhar. O treino terminava às dez horas; descansava com o bebê; montava a tarde inteira. Quanto aos outros dois dias, fui honesto: trabalhava de manhã e, à tarde, saía com a minha esposa... ou ia catar mulher. Se estava desocupado e sozinho, ficava desesperado e fazia besteiras, *pegava mulheres*, essas coisas. Ele falou, "e você não se diverte? Pois de agora em diante, em vez de trabalhar sete dias por semana, você vai trabalhar seis e vai procurar um hobby de que comece a gostar, para poder se divertir". *Pô*, eu sempre trabalhei sete dias por semana! Concordei e avisei meu agente que, às terças, eu não trabalharia mais. Na véspera da primeira folga, ele me ligou dizendo que o Roger Attfield, um dos melhores treinadores, que está no Hall da Fama do Canadá e dos Estados Unidos, me queria no cavalo dele. Vacilei. Liguei para o psicólogo e ele: "Eurico, você quer mudar ou não? *É tua* a escolha". Então, avisei ao agente que se o Attfield quisesse, às quartas eu trabalharia o cavalo dele. E aprendi. Tanto que, de dez anos para cá, tiro dois dias, em vez de um.

A dor da criança interior

Minha criança interior, ferida, estava cheia de lama de esgoto. Mas o psicólogo explicou que ir fundo na alma e nos problemas leva à cura interior e ao encontro da liberdade. Ir ao consultório dele me dava arrepios, só que comecei a entender o que acontecia dentro de mim. Hoje, quando mergulho fundo no meu ser interior, *oh, my God*, vêm imagens tipo eu segurando flores, brincando de bola, dando risadas, voltam as boas lembranças; as ruins, foram se apagando. Como psicóloga, você sabe bem, Francisca, que as *bad memories take over the good memories* ("as lembranças ruins se sobrepõem às boas"). Após anos perdido na vida, consegui me reencontrar. E é uma sensação muito gostosa poder resgatar as imagens boas da minha infância. Não era um riacho que passava, era um rio, fechado de árvores, e uma harmonia tão grande. Ali, no meio das árvores, o rio passava e tinha uma brechinha por onde o sol entrava e batia na água. Era tão gostoso ficar olhando aquilo lá. Essas coisas tinham desaparecido da minha mente e voltaram com a terapia.

Conflito de identidade

Por incrível que pareça, minha força mental foi movida pela raiva que eu sentia quando criança — porque o meu pai me humilhou demais. Mas eu falava, "vou mostrar pra esse cara que eu existo e que tenho valor". Virou uma briga interior comigo mesmo. Hoje eu falo com maior liberdade desses complexos. Eu tinha quatro ou cinco anos e ele me segurava pelas calças dizendo que eu não era homem. Que sentimento ruim, confuso, isso me despertava.

"Às vezes, eu me perguntava se eu era um garoto ou uma garota; me questionava se eu era gay. E sentia uma vergonha terrível por não saber o que eu era"

O ser humano tem a genética do pai e a da mãe; temos a parte feminina e a masculina em nós. E eu brigava com esse lado feminino, porque eu não tinha atração por homens. Eu queria me entender, parar de sofrer com a raiva, que se torna desespero e impede a paz que leva onde se quer chegar. E, engraçado, a vergonha que eu tinha dessa parte feminina, é hoje a que eu mais gosto — pois é a parte da minha mãe, de sensibilidade, de compaixão, de respeito, de apego às pessoas.

A primeira vitória

Quando ganhei minha primeira corrida, a primeira imagem que me ocorreu foi a da minha cidade, que é pequena e desconhecida. Eu me sentia um cara fora da sociedade, um ninguém, por ser muito pobre. E no momento da vitória, você sente que existe, que consegue as coisas, que é alguém na vida. O cavalo sempre me espelhou amor e compaixão por mim mesmo. Era como se ele e eu fôssemos um. A força e a fraqueza, dele e minhas. Comecei a ter uma conexão muito forte com o cavalo e tão pura que, de vez em quando, eu me arrepiava. Eu montava uma corrida e não tinha nada na mente, exceto eu e o cavalo. Sentia tudo à minha volta, mas estava conectado com a energia dele e a minha própria, juntos.

"O cavalo sempre me espelhou amor e compaixão por mim mesmo. Era como se ele e eu fôssemos um. A força e a fraqueza, dele e minhas. Comecei a ter uma conexão muito forte com o cavalo e tão pura que, de vez em quando, eu me arrepiava"

De Atleta para atleta

A primeira coisa que falo com os atletas é sobre as falsas crenças. As crenças malignas que a gente afirma, *eu não sou bom o suficiente, sou uma pessoa sem palavra, sou isso, sou aquilo*. Eles mal abrem a boca e já se percebe neles essas crenças. Procuro passar que, se querem ser o melhor, eles têm que pôr foco e acreditar neles próprios. É tão simples que acaba sendo difícil, isso de focalizar no autocontrole e se amar, que é aprender a se cuidar: comer e dormir bem, não abusar do corpo; ter um hobby pra *nourish your mind* ("nutrir a mente") fora da profissão, que seja pintar, cantar, tocar piano, jogar golfe, basquete, ter prazer, cultivar a felicidade, descansar.

Repondo as energias

Eu ia para diferentes parques e ficava, por horas, só olhando a paisagem. Adoro parques. Adoro também ficar no sofá, nas horas vagas, ouvindo música clássica, Beethoven, Mozart, para o meu equilíbrio interior. Joguei golfe uma época, mas parei; hoje treino *taekwondo*, que é a minha paixão. Eu adorava treinar *taekwondo* e depois ir pra um parque fazer meditação. Isto me dava a sensação de ser uma pessoa limpa, boa, sem problemas, livre. Fiz uma terapia chamada CBT — *Cognitive Behavioral Therapy* (Terapia Comportamental Cognitiva), que usa muitos aromas. Fazia uma regressão, me encontrava com aquela criança em mim e ficava lá com ela, reprogramando a mente. Eu mesmo aprendi a cuidar daquele menino cheio de medos e inseguranças, dia e noite, e me tornei um pai pra mim mesmo.

Treinar a mente

Poder treinar nossa mente é uma coisa brilhante, porque aquela criancinha interior não tem noção do tempo. Você vai se dando amor e ela começa a sentir que existe. A mente se reprograma, é impressionante como ela é poderosa. Faço isso desde 2010, então, há 11 anos, aprendi a me valorizar. Pude ver que minha mente distorcia tudo, com raiva do passado, e me deixava incapaz. Fiz todo esse trabalho para ser o melhor jóquei e a melhor pessoa que eu poderia ser.

A mãe como inspiração

Minha mãe é a minha inspiração. Lembro do primeiro trabalho que fiz com ela, talvez antes dos cinco anos. Ela trabalhava fazendo estrias na casca do pinus para a resina descer — e parecia uma máquina. Trabalhava, infelizmente, com o meu pai junto e gritando com ele para acompanhá-la na tarefa. Ela era miúda, magrinha, coitada, porque trabalhava demais. Essa memória do trabalho nas resinas é das primeiras que tenho. Eu fazia um bico, passando o veneno, digo, o ácido, porque, depois de estriar, tem-se de passar o ácido no pinus. Íamos umas 40 pessoas num caminhão de boias-frias. Aos 17 anos, comprei um apartamento em São Paulo com o dinheiro dos meus primeiros trabalhos, e a levei pra morar comigo. Já com certa idade, ela começou a estudar e se formou professora, que era o sonho dela. Minha mãe trabalhou muito na vida, de empregada doméstica, em fazendas, de cozinheira, com japoneses, fez de tudo.

O pai abusador

Já as primeiras memórias que guardo do meu pai, infelizmente, é como abusador. Eu tinha três anos, mas ficaram os vultos na minha mente. Eu estava com a minha babá e ele chegava e me tirava pra fora do quarto, a coice, para abusar dela. Trabalhei isso na terapia e já consigo falar. Noutra vez, no caminhão, ele pegou a babá, a puxou pra fora e abusou dela. Quando chegamos na casa da minha avó, ela dizia, raivosa, "tira o menino daqui!". Meu avô achou que eu tinha feito coisa errada quando ela contou a ele o que se passava. São essas as memórias que tenho do meu pai.

"É uma injustiça brincar com a sexualidade de uma criança e deixá-la confusa. E ele fez muito isso, comigo e também com o meu irmão. Ele humilhava a gente"

Ainda o trauma infantil

É uma injustiça brincar com a sexualidade de uma criança e deixá-la confusa. E ele fez muito isso, comigo e também com o meu irmão. Ele humilhava a gente, segurando na calça e falava, "é disso que você gosta, você gosta de dar a bunda"... Há três anos, conversamos sobre isso, meu irmão e eu. Ele levava a gente pra uma umbandista e depois punha medo em nós, dizendo, "não brinca comigo, que te faço andar de joelhos" ou "mando o preto-velho te amarrar de noite". Eu era criancinha e morria de medo. Quando entrei para a escola, com quase sete anos, comecei a me distanciar dele, porque via o tratamento diferente dos pais com os meus colegas. Eu sempre quis muito o reconhecimento dele, mas descobri que eu mesmo é que tinha de me reconhecer. Não temos mais contato e me afastar foi uma das melhores coisas que fiz na vida.

De atleta a *coach*

Em 2015, comecei a fazer um plano de aposentadoria com a minha psicóloga, pensando em parar de montar aos 45 anos. Eu tinha então duas psicólogas, veja só o quanto eu me trabalho, por dentro e pela minha performance. Dois anos depois, almoçando com o vice-presidente e o gerente do Jóquei Clube, me liga uma pessoa contando sobre um jogador com problemas, que não ouvia os psicólogos, e ele achava que eu era o cara certo pra ajudá-lo. Fiquei surpreso, mas fui conversar com o garoto. Contei a minha história pra ele e disse, "a sua força não é externa, erguer peso ajuda na parte física, não na emocional; você nunca vai ganhar confiança interior e autoestima sem ajuda".

Paixão por *coaching*

Comecei a trabalhar com esse jovem e me apaixonei pelo trabalho. Minha psicóloga me recomendou um curso de *coaching* e pensei, *com o meu inglês que não é bom, já que quase não tive estudo, vou é passar vergonha na frente dos outros*. Mas fiz o curso e mesmo sendo o único da turma que não tinha faculdade, fui o primeiro a terminar. E não parei mais de estudar: me apaixonei pela área, porque faz mais sentido ajudar as pessoas do que ser jóquei. E encerrei a carreira em 2019.

O legado

Eu sou uma pessoa simples, falo uma linguagem simples e é assim que eu quero morrer; me aceitem ou não, eu sou como sou. Eu dei tudo de mim, como faço hoje como *coach*. Não basta ter disciplina, mas sim dar o mais verdadeiro e o melhor de si. Se eu voltasse a encontrar com o pequeno Eurico, eu diria pra ele, "*you are safe* ('você está seguro'), e foi essa segurança que fez você chegar onde chegou".

Futsal

Os desafios do clube formador

Nascido no Rio de Janeiro em 13 de junho de 1971, José Alexandre Fiuza de Melo Cardoso, *o* **Barata**, *foi supervisor técnico de futsal da Confederação Brasileira de Futebol de Salão (CBFS). Integrou a delegação brasileira campeã Sul-Americana Sub-18, bem como a dos Jogos Olímpicos da Juventude, que conquistou a Medalha de Ouro. Foi também professor e supervisor das Escolinhas de Futsal do Santos Futebol Clube, onde atualmente ocupa o cargo de coordenador.*

De atleta a treinador

Fui para o Santos como atleta e eu era muito questionador, observador. Com as relações, as amizades, começa-se a ficar em roda de treinador — sempre tive boa relação com os técnicos — e a se interessar pelos assuntos de comissão técnica. Bem, só depois de velho é que fui cursar Educação Física. Eu era o mais velho da turma, fiz supletivo pra correr atrás dos atrasos escolares e comecei a trabalhar já no primeiro ano de faculdade, no Santos. Tirei o certificado provisionado e trabalhei como auxiliar de escolinha, ou seja, como atleta em fim de carreira, eu complementava dando aulas nas escolinhas do clube, onde, além de professor provisionado e depois graduado, fui treinador e depois supervisor de categoria de futsal. Hoje, estou na coordenação. Essa foi a minha rápida trajetória de envolvimento com futebol de base.

Formação de base

No Santos, nos preocupamos muito com o desenvolvimento esportivo, afetivo, emocional e familiar da criança, e considero o processo de formação uma luta constante. O futebol manda recado toda hora, por vários meios, pelos ídolos, pelas referências das crianças, e sinto que isso concorre muito para o processo de formação. Isso é muito observado no meio do futebol. Eu confesso que nunca vi, na mídia, alguém mostrar, por exemplo, o diploma de um grande jogador de futebol. Se aconteceu de alguma vez enaltecerem um grande ídolo por sua disciplina, por ter boas atitudes, foi raridade. E dificilmente eu ouço que os pais de um jogador cuidaram da saúde mental do filho. O que a imprensa destaca são os gols que ele faz, o salário que ganha, se será escalado pela Seleção Brasileira.

Exigências rígidas

Nós, profissionais, temos de ter um olhar mais largo para o processo de formação da criança. O futebol está dizendo, "seja campeão, hábil, forte, faça gols, tenha material esportivo e relação com as grandes marcas, com a mídia, com as redes sociais". Tem menino de dez anos com cinco mil seguidores — mas pelos gols que ele faz, não pelo boletim dele, ou se ele diz "bom dia", se é bom em inglês, se respeita os mais velhos. Nós, formadores da base, temos que ter essa preocupação por sermos educadores, mas também porque, em nível de documentação, o Santos tem o CCF (Certificado de Clube Formador). Para pleitearmos futuras vantagens para jogadores, temos que provar, em algumas negociações, que investimos na área educacional — e é rígida esta observação. Ou seja, temos que ter psicólogo, dentista, assistente social, pedagogo, além de fornecer alimentação e alojamento. Somos obrigados por lei e por questões comerciais a cumprir os requisitos para formar bons atletas.

Equipe multidisciplinar

A nossa equipe é multidisciplinar e são todos excelentes profissionais. Mas não vejo, na esfera maior, as grandes instituições que coordenam o futebol, como a FIFA, a CBF e nem a grande mídia, reconhecerem essa importância. Ser educador e formador está no sangue, fazemos com amor. Mas a força contrária no meio do futebol... é complicada essa relação com o desenvolvimento completo do nosso jogador de futebol. Tínhamos um menino que ia para a Seleção Brasileira nas categorias de base e que tem um dos piores boletins da escola. Se ouvissem a nossa área educacional, ela vetaria alegando que esse menino está com comprometimento escolar, não se dedica, tem ausências, falhas de entrega de material. Mas ele é um grande goleador, então, ele vai pra Seleção Brasileira. Se houvesse todo um sistema de proteção otimizando o processo de formação, como o modelo americano de fazer esporte e estudar... mas a nossa realidade é outra.

"É uma questão de competência e responsabilidade dar atenção à formação. Se um clube ou empresário admite ter poder aquisitivo e estrutura considerável, logo, a área educacional não poderia estar comprometida. Deveria estar no mesmo patamar"

Responsabilidade social

Há meninos que moram a duas ou três horas de distância do clube, que saem de casa sem ter tomado o café da manhã direito e não têm calçado bom para jogar futebol. A grande maioria dos clubes brasileiros tem esses problemas estruturais, é a nossa realidade social, política e econômica que se reflete também no futebol. Só que não justifica o fato socioeconômico e cultural do povo brasileiro, quando se trata de uma empresa com condições de proporcionar esse básico. É uma questão de competência e responsabilidade dar atenção à formação e à educação. Se um clube ou empresário admite ter poder aquisitivo e estrutura, se tem uma potência econômica considerável, se os campos são maravilhosos, se o salário das crianças, dos atletas, está em dia, logo, a área educacional, comportamental, não poderia estar comprometida. Deveria estar no mesmo patamar.

Resultados do investimento

O pessoal da área educacional sabe que dar atenção ao desenvolvimento geral das nossas crianças vai render bons frutos; ela será uma grande pessoa. Mas não sabemos, no início, como ela vai se desenvolver como atleta. No futebol, por maiores que sejam os estímulos técnicos, táticos, os controles físicos, fisiológicos, não se sabe se o produto final será um jogador valioso. Um bom treinamento, uma boa categoria de base, um número considerável de conquista de títulos não garantem que esse menino vai ser um jogador profissional da nossa equipe, que terá valor monetário. Isso não podemos garantir.

Dar certo ou não como atleta

No desenvolvimento do atleta e no funil da escolha há "n" fatores importantes, inclusive os que fogem ao nosso controle. Não é só a questão técnica, tática, que faz com que um menino vingue ou não, como atleta. Pelo que eu vejo, vinga mal-educado, vinga bem-educado; vinga quem tirou nota boa, vinga quem tirou nota ruim; vinga o de família desestruturada, vinga o de família legal; vinga filho de presidiário, vinga filho de ministro; vinga alto, baixo; bonito, feio; negro, branco. É interessante isso no futebol, todos esses perfis vingam e podem ser grandes jogadores. Ou não vingam. Então, é importante preparar crianças e jovens para a frustração de não conseguirem.

O sonho das famílias

Há famílias que apostam tudo no futuro do filho: ele é a única esperança de sobreviverem financeiramente. Todos vêm em busca do sonho que a "indústria futebol" mostra no dia a dia, e cada um absorve isso ao seu modo. Ou seja, para muitas famílias é o modo mais fácil de resolver o problema de ascensão social e econômica. Mas, aqui no Santos, nossa equipe atua pra deixar a criança o mais próximo possível da realidade. Há bons estudos mostrando que o percentual dos que vêm a ser grandes jogadores é baixíssimo. Então, a equipe que cuida desses jovens, mais os da assistência social, da psicologia, da pedagogia e o pessoal que cuida das famílias, estão sempre fazendo intervenções, pra que entendam o que é o meio do futebol, pra que não saiam da realidade.

Lidando com as quimeras

Temos casos de famílias muito humildes, que vêm do interior do país largando o que tinham por um sonho. Vêm com três filhos, o pai com subemprego e qualificação mínima, para apostar em uma daquelas crianças, que falaram pra eles que tem qualidade e que pode resolver o problema da vida deles. Lidar com isso é uma grande parte do nosso trabalho, porque há grandes chances desse menino não se tornar profissional ou de nem mesmo ser aceito. Então, é grande a responsabilidade do nosso setor comportamental ao lidar com essa possível decepção. E quanto mais tentamos mostrar a realidade, mais a imprensa alardeia o valor do salário de grandes jogadores brasileiros fora do Brasil.

"A mídia e as redes estimulam os que apostam no filho pra poder melhorar a vida da família, mas só cinco por cento vão ganhar acima de cinco mil reais no Brasil. Nossa equipe é preparada para lidar com isso e realiza ações maravilhosas para as famílias"

A tentação da mídia

A mídia e as redes sociais estimulam a cabeça dos que apostam no filho pra poder melhorar a vida da família. Eles acham que vale a pena, mesmo a gente falando que só cinco por cento — e olhe lá, estou sendo bastante generoso — vão ganhar acima de cinco mil reais no Brasil. No futebol profissional tem muita gente ganhando um salário mínimo. Mesmo assim, eles acreditam na possibilidade de sucesso. E nós, do Santos, por sua tradição, história, a cultura de promover muito jovem talentoso, temos esse dever para com os meninos e seus familiares. Já formamos muitos talentos que hoje jogam no exterior e no Brasil. E estamos acostumados a ouvir da grande mídia que é "o raio", "a joia". "O raio caiu de novo!" Eles acham que "o meu filho é a joia; meu filho é o novo raio, que vai resolver o nosso problema". Nossa equipe é atenta e preparada para tudo isso e realiza ações maravilhosas para as famílias.

Influência da família

Sem dúvida que a falta da família afeta muito o jovem. Nada substitui o ambiente familiar. Percebemos as quedas técnica e física do menino, em virtude do afastamento da sua família. Promovemos encontros familiares para mostrar o quanto essa influência é grande. Noutros países há regras, como na Espanha, por exemplo, onde o menino tem que jogar na sua região e não pode ser transferido sozinho, a não ser que os pais arrumem emprego e vão também. No Brasil, meninos do Norte e Nordeste vão sozinhos tentar ser jogadores em times do Sul, abrindo mão dessa relação familiar, que é tão importante. Mas, mesmo com toda a determinação e resiliência, nada substitui a relação familiar, porque esses jovens sofrem muito com a saudade dos familiares.

Preparo para decepções

Antes que o jovem faça o teste seletivo, o clube o alerta da possibilidade de vir a ser dispensado. E ele sabe que está sendo avaliado a todo momento. Temos controles em vários sentidos, para enxergarmos mais longe e não errarmos quanto ao desenvolvimento dele mais adiante. Na equipe que participa do processo, todos queremos a descoberta e o sucesso de um jogador. Não é interessante para ninguém, quando o número de dispensas é grande, sem contar o investimento de tempo e dinheiro no garoto submetido ao nosso processo de formação. A equipe decide em conjunto e comunica à família o relatório com o motivo da dispensa. Só que nem sempre isso representa fim de carreira; muitas vezes ele se desenvolve noutro clube e volta. Mas a exclusão é parte do processo e eles sabem disso.

Importância do estudo

Nossa pedagoga atua desde a matrícula ao acompanhamento, nessa relação escola-família-criança, inclusive no fornecimento de bolsas para escolas da região, que é rica. Um exemplo: meninos que vão para o profissional muito cedo, no meio do período escolar, a pedagoga os assiste, para evitar prejuízos no seu processo escolar. Alguns ficam semanas jogando, sem frequentar a escola, e como continuar incentivando se eles já ganham 20 mil reais por mês? Como convencê-los e à família que a formação escolar é importante? Há esses detalhes na relação escola-futebol, mas é viável, embora em Santos as coisas sejam mais fáceis: há menos trânsito, eles podem ir para a escola andando ou de bicicleta. A maioria dos nossos alunos tem bicicleta. Já em São Paulo, nas grandes capitais, é mais difícil fazer isso.

Futebol é negócio!

O futebol é negócio, negócio, negócio. E isso já se estendeu até no Sub-7. Já é negócio por lá, também. O empresário que vai investir, por que não oferecer ajuda se o menino for bom aluno? Por que não arrumar emprego para essa família? Ao fazer contrato com um jovem atleta, por que não reter uma porcentagem do salário num fundo educacional para que, se esse menino não se tornar um grande jogador no futuro, ele possa ter um dinheiro pra pagar uma faculdade? Falo da educação, mas poderia ser um plano habitacional, para que mais tarde ele possa ter alguma coisa.

Lucro acima de tudo

As organizações esportivas deveriam também ajudar, mas dão a Land Rover, a tatuagem que os grandes jogadores fazem, o cordão de ouro, o brinco, e não olham para essa realidade. Querem que o jogador valha 30 milhões de euros, 200 milhões de reais, no final do processo. Legal, deu certo o processo: fabriquei o produto, botei na vitrine, vendi, tudo bem. Mas a grande parte não vai ser vendida. Então, esse menino dentro do Sub-11, 12, 13, 15, deveria ter o negócio aproximado ao lado família, ao lado educacional. O futebol tem tanto dinheiro, não seria difícil fazer isso.

Olhar do empresário

Esses meninos abdicam de um monte de coisas pelo futebol. Mas a maioria dos empresários do futebol, que são fortes *stakeholders* (parte interessada), só vê o resultado final. "Só presta enquanto você vale pra mim" em vez de "infelizmente você não estudou, porque achávamos que seria vendido para um clube grande no exterior, mas vou te arrumar um emprego de motorista, de porteiro, vou pagar uma faculdade de Educação Física pra *tu dar* aula de escolinha". O comum é pensar: *é campeão da Taça São Paulo de Juniores, Seleção Brasileira Sub-17, está valendo muito no mercado.*

Quem fatura de fato

Também não são todos os profissionais que ganham maravilhosamente bem — alguns da primeira divisão ganham muito bem, mas a maioria, sabemos que não ganham. No futebol, quem lucra é o empresário, a televisão e as instituições. Os clubes estão falidos e a situação piorou com a pandemia, mas o empresariado tem muito dinheiro, ganha muito investindo no futebol. Se acertar em dois garotos, pagou o investimento feito em cinquenta. Sobretudo porque o Brasil é uma fábrica de jogadores de qualidade. Mas não há um pensamento do tipo, *aproveita o meu momento, agora que eu sou a estrela e você me quer, e quando eu parar de jogar, vou ver o que acontecerá.* Só que ninguém pensa em aposentadoria, quando tinha as cartas pra jogar na negociação. Nunca vi ninguém fazer isto, até porque o assédio começa cada vez mais cedo.

Estrelas no exterior

Quando o país não valoriza e protege o seu tesouro, vem um de fora e o leva. E os grandes empresários sabem que aqui se produz grandes atletas em larga escala, pois em qualquer lugar, o pessoal está batendo uma bolinha. Futebol é diversão, um prazer de fácil acesso e estimulado desde a infância — eu, meu amigo, dois chinelos e a bola. E o empresariado sabe que essa mão-de-obra aqui é bastante produzida e é barata. Daí o fenômeno que ocorre há anos: antes, os grandes mercados contratavam jogadores prontos, agora pegam no meio do processo de formação. Então, nossas estrelas estão concluindo esse processo no exterior. Nem jogam no país por muito tempo, mais. Há exemplos em vários clubes europeus. Eles apresentam problemas de formação, mas são vendidos. Muitos clubes contratam um menino de 17 para 18 anos, sabendo que ainda está em processo de formação. Já quiseram levar os de 16 anos, mas foi vetado liberar jogadores desta idade.

Atletas à venda

Às vezes, acompanhamos na internet o balanço dos clubes, onde projetam a venda de um jogador por 100 ou mais milhões. Ouve-se a toda hora que o clube tem que vender o atleta para equilibrar as finanças. Com esse dinheiro, fortalecem a equipe com contratações, com pagamento em dia, colocando infraestrutura de nível, tecnologia, pagando bem os profissionais. Então, o dinheiro movimentado é o do produto fabricado e vendido rápido. Isso já faz parte. Com isso, aqueles ídolos que tínhamos, aqueles jogadores que se identificavam com as camisas dos nossos times, existem cada vez menos, hoje em dia. O menino não tem tempo de ser ídolo no próprio país e já é vendido. Sem dúvida, o dinheiro movimenta o futebol em todos os segmentos. Há muito dinheiro em jogo nessa indústria.

DIEGO ALEXANDRE FÁVERO

Futsal

Com talento e cabeça no *goal*

Diego Alexandre **Fávero,** *catarinense de Salto Veloso, nasceu em 04.07.1990. Passou por vários clubes, entre eles, o Guarapuava Esporte Clube, o Jaraguá Futsal, o Pato Futsal, o Palma Futsal e atualmente joga como Ala no Kairat Almaty, do Cazaquistão. Conquistou os títulos da Liga Cazaque Futsal, Superliga Cazaque Futsal e Taça do Cazaquistão Futsal.*

O sonho da criança

Tudo começou com aquele sonho de criança de virar atleta profissional, primeiro assistindo na tevê, como uma brincadeira, na rua mesmo, perto de casa; depois, vieram as escolinhas... e vai-se evoluindo. Fiquei em casa até os 13 anos e aos 14, saí para jogar numa cidade vizinha à minha, um pouco maior, Joaçaba, em que havia um clube que já disputava as competições estaduais. Mas como era perto, todo final de semana eu estava em casa. Passei por vários clubes aqui de Santa Catarina e com 18 anos fui para Malwee, de Jaraguá do Sul. Aí eu considero que foi a virada de chave, porque lá era bem profissional mesmo e foi quando eu comecei a participar também dos treinos e dos jogos com a equipe adulta e me tornei profissional.

Dificuldades relativas

Eu sempre morei com a minha avó, que sentiu bastante quando eu saí de casa, mas sempre tive também o apoio do meu pai. De todos. Não tínhamos dificuldades financeiras e sempre fomos uma família bem unida, então, só tenho lembranças boas. E agora, olhando para o passado, tudo parecia acontecer da maneira simples, como tinha que acontecer. Hoje, a gente vê que a distância de casa, no início, morar no mesmo local com várias pessoas de comportamento e de lugares diferentes, a locomoção e várias outras questões que na época pareciam naturais, na verdade, não eram. Quando me lembro disso, eu penso, *nossa, o que a gente fazia para ir para o treino ou para conseguir o material para treinar!* Estou de férias aqui na minha cidadezinha no Brasil e, novamente, vejo aquilo tudo como uma dificuldade, mas na época era natural.

Fé e crenças

Para mim, o momento mais difícil mesmo é quando se está lesionado. Aí começam a surgir muitas dúvidas e inseguranças. Assim, o atleta de futsal, no geral, não tem estabilidade financeira garantida, então quando surge uma lesão mais séria, vêm os receios. E nessa hora, eu, particularmente, me apego com a minha família e com as pessoas que precisam de mim, de alguma maneira. Mas acredito muito em Deus. Mantenho o pensamento positivo e fazendo coisas boas, porque acho que quem faz coisas boas, colhe coisas boas. E, claro, trabalho muito, pois, por trás, tenho minha família que precisa de mim. Minha esposa agora está grávida, o que é mais uma motivação. Eu preciso me cobrar mais e tentar melhorar, para dar suporte a eles.

Preferindo o exterior

No meu segundo ano vivendo na Espanha, tive uma lesão de pubalgia bastante complicada. Ali me surgiram muitas incertezas, porque eu estava iniciando carreira fora do país e, naquele momento, o meu contrato estava acabando e eu me via com aquela lesão bem séria. E não queria regressar ao Brasil. Eu tinha traçado na cabeça de fazer carreira no exterior, de conseguir minhas coisas, minha segurança financeira lá fora. Naquele momento, eu pensei que ia ter que mudar de direção, dar um passo para trás, voltar. Foi uma fase complicada na minha vida.

O título mais importante

O campeonato que eu considero mais importante aqui no Brasil foi o Paranaense, de 2014 e o de 2015. É um estadual muito forte e eu estava jogando na equipe de Guarapuava, do Paraná. Foram duas conquistas seguidas, que fizeram com que a nossa equipe aparecesse bastante, mas também, individualmente. Naquele momento, começaram a olhar diferente para os atletas. Surgiram boas oportunidades, que me deram um impulso para eu aceitar uma proposta de jogar fora do país e embarcar nessa aventura de seguir a carreira no estrangeiro.

"A maior dificuldade foi dentro da quadra mesmo: o estilo espanhol de jogar é bem diferente do brasileiro, então, foi mais difícil me adaptar dentro da quadra do que fora dela"

Na Espanha e na Rússia

Na época de vir para a Espanha, eu ainda não estava casado, mas a gente estava vivendo junto. Isto foi em 2016. Tomamos a decisão de que eu iria primeiro, sozinho, para conhecer, me estabilizar, acertar tudo. E foi bem tranquilo. Não tive muita dificuldade com a língua e são costumes muito parecidos com os nossos. Assim, a maior dificuldade foi dentro da quadra mesmo: o estilo espanhol de jogar é bem diferente do brasileiro, então foi mais difícil me adaptar dentro da quadra do que fora dela. No ano seguinte, minha namorada veio morar comigo. Depois dos dois anos de Espanha, fui para o Kairat, do Cazaquistão, e, por incrível que pareça, mesmo tudo sendo tão diferente — o russo é muito diferente, a língua, o clima, a comida — mesmo com todos os extremos que a gente não conhecia, nos sentimos muito mais em casa do que na Espanha. Acredito que o clube e a maneira com que eles nos trataram fizeram a gente se sentir em casa.

No Cazaquistão

Há muitos brasileiros na equipe, são tantos que a gente até acaba, às vezes, esquecendo que está no Cazaquistão: com dois da comissão técnica, somos dez, com suas famílias. Temos tradutores presentes em todos os momentos, mas aprendemos um pouco do idioma, o básico, porque é importante se esforçar ao máximo para ter uma interação com o povo, nos costumes, no modo como eles vivem. Sempre fui curioso pra saber o que eles gostam de comer e fazer, e eles também te enxergam de maneira diferente.

Estrangeiros receiam brasileiros

Muitas vezes, a gente vê pessoas de outros países que ficam meio receosas quando chega um brasileiro, por achar que estamos indo lá só para buscar o dinheiro deles e ir embora. Então, eu procuro respeitar bastante o jeito, a cultura e mostrar interesse pelo país. Temos oportunidade de viajar para vários países e é muito interessante poder conhecer diferentes culturas, é muito legal isso que o esporte me deu. Se não fosse o futsal, de repente, eu nunca teria conhecido essas culturas, então, temos que aproveitar.

"Condições físicas que já não são as mesmas e questões imprevisíveis, como lesões, a gente sabe que podem nos tirar do esporte. Mas tendo estudo, uma profissão paralela para te dar suporte, você está um pouquinho mais seguro. Então, decidi estudar. Já tenho o meu diploma"

Importância do estudo

Eu sempre tive o apoio da minha família — e a cobrança, *né*, do meu pai — para continuar estudando. Tenho que agradecer a eles por esse estímulo. Quando eu estava aqui no Brasil, terminei em Guarapuava, no Paraná, a faculdade de Educação Física. E só depois que eu me formei foi que decidi jogar fora do Brasil. É uma segurança que você tem, porque a carreira do atleta é curta, a gente sabe disso. Eu vejo muitos atletas que não pensam no amanhã e a carreira passa muito rápido. Quando você vê, as condições físicas já não são as mesmas e você tem que buscar outros caminhos.

Possíveis imprevistos

Há questões imprevisíveis que também podem acontecer, como lesões e tudo mais que a gente sabe que pode nos tirar do esporte. Mas tendo estudo, uma profissão paralela para te dar suporte, você está um pouquinho mais seguro. Esta é uma preocupação que eu sempre tive: *quando eu parar de jogar, o que eu vou fazer?* Então, decidi estudar. Já tenho meu diploma e vou poder exercer alguma outra função. E dá para fazer paralelamente com o esporte. A gente tem tempo livre — claro, são treinos pesados, de manhã, de tarde, mas com um pouquinho de vontade, dá para estudar. Eu penso em seguir no esporte como treinador.

De atleta para atletas

Revendo como eu tracei o meu caminho, eu diria: sempre acreditar, trabalhar, ter os pés no chão — é aquele clichê, mas que é verdade. Trabalhar com humildade, sempre respeitando as pessoas que estão contigo ali e sempre acreditando no teu sonho: você é a primeira pessoa que tem que acreditar, sem desistir em nenhum momento. As dificuldades vão aparecer e é seguir um dia depois do outro, trabalhando. Não vejo outro caminho que não seja esse. O meu foi assim.

Esforço e disciplina

Acredito que para você chegar aos teus objetivos e ter sucesso, não só como atleta, mas em qualquer área, esse é o caminho. Muitos atletas de talento não conseguiram dar certo no esporte por falta de disciplina e responsabilidade. Com muito talento, mas sem cabeça. E outros com menos talento, mas muito focados, que desde sempre sabiam o que queriam, estão até hoje aí, em grandes times. Não tem segredo: não adianta talento sem trabalho.

A estrutura fundamental

Minha família: este é um ponto que eu sempre elogio muito. Eles sempre me orientaram a seguir por um caminho correto, dentro e fora do esporte, e também nessa questão, de conciliar o estudo com o esporte e o lado financeiro, de você guardar uma parte do seu dinheiro, porque você não sabe o dia de amanhã. Eles sempre me passaram essa responsabilidade. E olhando outros exemplos, como acabamos de falar, vejo muitos meninos com muito talento, mas sem juízo, pois vêm de casas em que essa estrutura familiar ou não existe, ou atrapalha a carreira. E graças a Deus, eu tive e sou muito grato aos meus pais e à minha avó.

> **"A maioria dos atletas não pensa no futuro e acaba se arrependendo ou terminando a carreira sem nada. Acho que pode partir dos empresários olhar com outros olhos para ajudar o atleta e não só enquanto ele está ali dando resultado, rendendo, se convertendo em dinheiro"**

Orientação financeira

Falta bastante, desde a base, uma estrutura de consultoria financeira, mas os próprios agentes, hoje, já estão indicando consultores para organizar a vida financeira do atleta. Até pouco tempo atrás, nem se falava nisso e vejo que ainda está lento, mas começa a acontecer, assim, individualmente, de cada um com o seu representante, já pensar no futuro. Hoje, todos têm o seu agente, a sua empresa. E isso pode estar inserido no seu próprio contrato, para o bem de organizar a sua vida financeira. Porque a maioria não pensa nisso e depois acaba se arrependendo ou terminando a carreira sem nada. Acho que pode partir dos empresários olhar com outros olhos para ajudar no futuro do atleta e não só enquanto ele está ali dando resultado, rendendo, se convertendo em dinheiro — não digo sugando... mas deviam pensar no depois e não só no agora.

O maior orgulho

Estar no caminho, seguindo firme. Olhar para trás e ver de onde eu vim e o clube em que estou agora, para mim, isso é um orgulho enorme. E como eu te falei, sou de uma cidade muito pequena, que não tem 5 mil habitantes. Então, ver até onde eu cheguei e com quem estou jogando, com caras assim como o Higuita, o Douglas, caras que são referência no nosso esporte pelo que já conquistaram, pelo que mostram de rendimento, de talento, eu jogando com eles e contra os melhores também, me dá muito orgulho. Tive oportunidade de jogar com o Falcão, mas não me dava conta, ainda, por tudo o que ele fez, a história que teve. Essa chance de ter jogado e convivido no dia a dia com ele, me deixa orgulhoso. Ter jogado contra os melhores e com os melhores, me dá muito orgulho.

O legado

O meu legado é o exemplo de trabalho, de perseverança, de estar ali sempre no dia a dia, com disciplina, principalmente a disciplina. Quero deixar isso marcado, porque acho que é a minha marca, essa, de ser focado. É assim que as coisas vão dando certo. Principalmente nos momentos em que elas não estão andando do jeito que a gente quer. Eu, particularmente, procuro manter o foco e seguir na mesma pegada, sem mudar o rumo, porque acredito muito nisso: em algum momento, vai dar certo. É só continuar no mesmo caminho, que você vai conseguir.

Olhando para trás

Talvez, pensando em ter maior segurança financeira, seria ter saído um pouco antes do país. Por outro lado, consegui terminar minha faculdade aqui, que também era uma coisa importante para mim. Mas é difícil eleger o que eu mudaria, porque acho que tudo aconteceu e acontece do jeito que tem que ser. Cada coisa no seu tempo. Acredito muito nisso.

O *coach* mental

Penso que tudo o que pode agregar para o atleta, sobretudo mentalmente, é válido. A gente sabe que durante os treinos e nos jogos, a parte psicológica interfere muito. Se você estiver forte mentalmente, psicologicamente, muitas vezes você pode fazer coisas que não acredita poder fazer. Então, acho que é bastante válido e importante. A minha preparação, particularmente, vem do dia a dia, eu preciso estar focado e bem nos treinos, para me sentir confiante e preparado para os jogos. E sempre pensando positivo, pensando em potencializar as minhas qualidades e no que eu faço de melhor. Eu, pessoalmente, me concentro desta maneira.

A avó heroína

Tenho muita gratidão à minha família, mas, principalmente à minha avó: ela foi a minha mãe. Como eu te falei, eu sempre morei com ela. Minha mãe saiu muito cedo de casa, eu não *conheço ela,* nunca tive contato, então eu escolheria a minha avó, com todo respeito ao meu pai — porque minha avó já tinha criado cinco filhos e eu sou filho do filho mais novo dela. Então, fui o sexto filho dela e com toda a dificuldade que existia antigamente, que a gente sabe... É a minha heroína, porque, se não fosse ela, de repente, as coisas teriam sido bem diferentes. Ela me acolheu, me trata como filho e minha gratidão maior é a ela. A imagem da avó é a de mãe. Quando penso no lado materno, só vejo a minha avó... que cobriu este lado com muito amor. E eu te agradeço pela oportunidade de estar falando contigo, contando um pouquinho da minha história, para fazer parte deste seu livro que, espero, faça bastante sucesso. Obrigado, Francisca.

CAPÍTULO VI

A saúde mental do atleta de elite — O grito dos atletas de hoje por socorro psicológico

Por FRANCISCA DE LIMA

No esporte de elite, até pouco tempo atrás, não era comum um atleta relatar seus sentimentos: não expô-los era sinal de força mental e autocontrole. Com toda a pressão que a indústria do esporte hoje exerce sobre os atletas e, por vezes, pelo esforço de perfeccionismo consigo próprios, muitos foram se fechando em seu próprio mundo, com vergonha de demonstrar "fraquezas" ou com medo de serem afastados dos jogos, por julgamento e discriminação.

Nos últimos 20 anos, o setor vem desafiando mais e mais o atleta; no entanto, esse modo de pensar e esse comportamento vêm se modificando completamente. A indústria do futebol, por exemplo, já mostra outra visão acerca do alto rendimento. Hoje, um atleta de elite tem de ter cada vez mais equilíbrio físico e mental para conseguir dar o melhor de si nas competições.

O corpo e a mente devem estar em equilíbrio para suportar a pressão exercida, pois as competições vêm cada vez sendo mais desafiadoras. O corpo é praticamente comparado a uma máquina que tem de funcionar a todo vapor, sem mostrar falhas. A mente precisa, assim, estar constantemente sob controle, para que o atleta possa chegar aos melhores resultados.

É notório que, cada vez mais, atletas de elite vêm pedindo ajuda psicológica ou de *coaching* mental. A depressão, a ansiedade e outros quadros emocionais vêm se tornando comuns, diante desta contínua opressão psicológica sofrida dentro e fora das competições.

Se analisarmos, as exigências do esporte praticado há 30 ou 40 anos eram completamente diferentes. Os atletas entravam em um clube e nele ficavam por vários anos. O clube se tornava como uma família para eles, que passavam a ser os seus grandes ídolos.

Hoje, a visão do esporte é muito diferente. Um atleta passa pelo funil e a cada minuto está sendo avaliado o seu rendimento. Muitos são selecionados e logo estão sendo vendidos — e aqueles que não acompanham o ritmo vão ficando para trás. "Não há tempo" para a instituição se ocupar dos problemas e das dificuldades de seus atletas, que passam muitas vezes despercebidos. A exigência disciplinar e a exigência de concentração têm sido cada vez mais rigorosas.

Um atleta de elite não pode se dar ao luxo de ter desvios disciplinares como treinar pouco, alimentar-se mal, passar noites sem dormir. Quanto maiores as cobranças, maior a pressão psicológica. Medo, ansiedade, alcoolismo, distúrbios alimentares e comportamentais vêm se acentuando no esporte de elite. É como um grito de socorro de muitos atletas diante das dificuldades.

O tema saúde mental deve estar integrado à formação do psicólogo esportivo. Principalmente os jovens atletas têm de aprender a lidar com derrotas e frustrações. Para que não vivam em constante pressão psicológica, é importante que se fortaleça o lado psíquico do atleta, desde a base até o profissional.

É, portanto, necessário que todos os nossos sentimentos sejam respeitados. Cada um deles nos dá percepções valiosas sobre nós mesmos, por isso é tão importante estarmos atentos ao nosso estado emocional, para podermos entender as nossas reações diante de pressões que ultrapassam o nosso limite de suportabilidade. Só assim é possível o alcance do equilíbrio emocional e do bem-estar aos atletas, como também a cada um de nós, em qualquer instância e situação que a vida nos coloque.

Francisca de Lima, *baiana de Irecê, naturalizada alemã, é mestre em Psicologia Clínica e Organizacional pela Universidade de Hamburgo (Alemanha). Especializou-se em Psicoterapia no AEMI (Adolf-Ernst--Meyer Institut), em Psicotraumatologia (Berlim, Alemanha), em Psico-Oncologia (Heidelberg, Alemanha) e em Mental Coaching (Sport Mental Akademie — Zurique, Suíça). Possui cursos de especialização em High Performance Sports — Barça Innovation Hub FC (Barcelona, Espanha) e em Coaching de Alta Performance (Lisboa, Portugal). Tem experiência com atletas de todas as categorias e com empresários, on-line e presencialmente, no tratamento contra depressão, ansiedade, estresse e* burnout, *atuando também com análise da personalidade, elevação da autoestima e performance.* Instagram: @franci.de.lima / Site: www.francisca-de-lima.com / E-mail: info@francisca-de-lima.com

Futebol

Destinado a ser jogador de futebol

Carlos Eduardo Soares, *o* **Ataliba**, *nascido em 02.03.1979, em Paulínia, São Paulo, iniciou carreira na Ponte Preta em 1998. Profissionalmente, jogou futebol de campo na posição de volante pelos seguintes clubes: Coritiba (1999-2002); Vissel Kobe (Japão, 2003-04); Sport Clube do Recife (2004); Atlético Mineiro (2005-06); Botafogo (2006); Sport (2007); CRB (2007-08); Kyoto Sanga (Japão, 2008); Marília (2009); Vila Nova, de Goiás (2010); Paulínia (2010); Shahrdari Tabriz (Irã, 2010-11) e São José (2012). Conquistou os títulos: Campeonato Paranaense 1999-2004; Campeonato Pernambucano 2003-2007; Campeonato Carioca 2006; Taça Guanabara 2006. Aposentado, é hoje professor de futebol para crianças.*

O apoio familiar

Foi na transição de seis para sete anos que me veio claro à mente: eu tinha de ser jogador de futebol. Desde então, passei a falar para os meus pais que eu pagaria o preço do meu sonho. E fui muito dedicado já naquela época. Comecei com sete anos a ir à escolinha e renunciava a tudo pra jogar futebol. E, mais do que apoio financeiro, tive suporte emocional, afetivo, dentro de casa. Somos quatro irmãos — a primogênita e três meninos; sou o terceiro filho da família e jogávamos bola desde crianças.

Legado importante

Nosso pai sempre gostou de futebol e o incentivo da minha mãe, pra que o meu sonho se tornasse realidade, foi extraordinário. Ela sempre cuidou muito bem de nós e o pai era muito presente e ativo. Eu o via se esforçar para estar sempre conosco, quanto ao esporte. Houve um período difícil pra ele, porque cada filho jogava em um time diferente: eu, na Ponte Preta, em Campinas; outro, no Rio Branco, de Americana; e o terceiro, no Guarani. Como os horários coincidiam, ele fazia um sacrifício para sempre estar perto de algum de nós. De modo que essa estrutura emocional foi o legado familiar mais importante para eu poder concretizar o meu sonho.

As dificuldades iniciais

Em termos de alimentação e transporte, as dificuldades não eram poucas. Por transitar de uma cidade pra outra, embora a distância fosse de 25 km, eu ia de ônibus muito cedo e depois andava a pé um bom pedaço até chegar no estádio da Ponte Preta. Dalí, saíamos para o treino. Quanto à alimentação, a dificuldade era realmente grande e pesou financeiramente. Eu não conseguia um suporte a mais na família; não dava pra ter tudo voltado para mim.

Sacrifícios e conquistas

Até os meus 13 anos, a Ponte não oferecia refeições — exceto em dias de jogos. Eu ficava desnutrido e desidratado, porque treinava demais e não conseguia repor os sais minerais perdidos. E tinha câimbras com frequência. Mas obtive conquistas muito rapidamente dentro do clube. Antigamente, abaixo dos 14 anos, podia-se morar lá no clube. Só que o meu pai achava importante o convívio no ambiente familiar, sentarmos pra almoçar e jantar juntos, e eu poder chorar as minhas dores daquele período. Meu pai, na sabedoria dele, achou de preservar esses valores, pra que eu pudesse ser o que sou hoje. Então, eu precisava fazer esse esforço, de continuar morando em casa, mesmo. Na realidade, eu queria ajudar os meus pais.

"Eu sempre fui um cara sonhador, mas tracei algumas metas que, inclusive, me trouxeram resiliência. E o que mais me proporcionou resiliência foi o sonho de dar uma vida melhor para a minha família"

Não tínhamos exatamente uma vida pobre, mas eu falava para a minha mãe, "quando eu jogar profissionalmente, vou te dar uma máquina de lavar roupa". Hoje é comum as famílias terem máquina de lavar, mas naquela época, não era. Então, nas etapas fracionadas da minha vida — meus sonhos, as metas, quando cheguei na Ponte com 11 anos —, eu falava pra mim mesmo e também para o meu pai que, aos 16 anos, eu estaria no nível profissional e não sei mais aonde. Eu sempre fui um cara sonhador e tracei algumas metas que me trouxeram resiliência. Mas o que mais me estimulou a resiliência foi o sonho de poder dar uma vida melhor para os meus familiares. E comecei a namorar muito cedo, também. Quando eu e Elaine, hoje minha esposa, nos conhecemos, era um mais pobre que o outro. E isso me estimulava. Eu já tinha na cabeça, mesmo novo, que eu queria construir família. Eu precisava ter uma esposa.

De olho no futuro

Eu queria ajudar os meus irmãos a alcançarem os objetivos deles, porque eu sabia que poderia atingir o meu mais rápido e que financeiramente o sucesso também seria mais rápido — ou dava tudo errado, porque acontece: ou se está muito perto de uma média de sucesso, ou se está na de fracasso. No futebol, isso é muito veloz. Então, mesmo ainda jovem, eu fui muito maduro, pelo modo como o meu pai nos criou, a formação moral, os princípios e valores que ele nos deu; isto me sustentava pra que eu pudesse aguentar tudo aquilo.

Fora da caixa

Meus dois irmãos também tiveram a oportunidade de jogar, mas reclamavam. Já eu afirmava, "ah, não! Eu vou, porque é isso o que eu quero". Eu sempre pensei "fora da caixa" pra um cara de cidade do interior, com 40 mil habitantes, na época. Eu pensava sempre lá na frente, que iria chegar nos lugares que eu imaginava e isso me sustentava. Olhava para o passado e para o futuro a um só tempo. Eu olhava para o passado sabendo que não tinha sido fácil chegar até aquele ponto; só que mirando o futuro, eu achava que poderia chegar fazendo a diferença.

Vaidade e erros

No ano em que subi ao nível profissional, a Ponte subiu da Série B para a Série A, e eu tinha jogado quase que a totalidade dos jogos, então, a minha premiação foi boa. Eu logo disse ao meu pai que queria comprar um terreno, mas eu usava o carro dele e o do meu irmão e, com isso, eles me direcionaram muito bem naquela fase. Quando ganhei a premiação, eles me orientaram a comprar o meu carro. Sugeriram um Gol Bola 97, 0 km, bonzinho. Eu desobedeci e comprei logo um Kadettão, com teto solar — e sem seguro. Tive esse deslumbramento. Aí, passei 90 dias apertado.

Controle do orçamento

No começo, eu ganhava na Ponte mil e poucos reais e via o dinheiro faltando no final do mês. Mas ao ir para Curitiba, viver pela primeira vez fora de casa, sozinho, numa capital, foi que comecei a ter noção do que de fato eu podia fazer ou não, porque meus pais não estavam mais perto e o dinheiro sendo meu, eu podia fazer o que bem quisesse. Mas até antes do meu casamento, deixei que eles me acompanhassem em todas as situações. Se havia movimentação bancária, todos viam e me perguntavam o que eu estava fazendo com o dinheiro. "Ah, eu comprei roupa, comprei não-sei-o-quê", eu respondia. "Calma, vai devagar", eles me aconselhavam. Então, tinha sempre alguém "segurando o cabresto". Claro que na vida nova eu fiz coisas que não deveria ter feito. Mas errei, na média, muito pouco nessa onda de empolgação, que é natural para um menino que sai do nada e começa a ganhar um pouco mais de dinheiro do que o normal da sociedade.

O primeiro grande título

Ganhar o primeiro título é bom demais. Até porque, ainda hoje, o que me move é essa realidade do meu sonho de criança. Eu sempre volto para o meu lado afetivo, lá na minha infância. E mexer com o sonho de um monte de gente me estimula, também. Eu sempre me lembrava de estar sentado ao lado do meu pai, no sofá, assistindo a um jogo de futebol, vendo o São Paulo ser campeão, vendo o Campeonato Carioca. Então, quando eu subi pra Ponte, já senti aquela emoção diante de um estádio cheio, sentado em carro de bombeiros, dando autógrafos, todo mundo aplaudindo, os que não gostavam de você começando a gostar... Quando eu cheguei no Coritiba, fazia dez anos que o time não era campeão estadual e nós fomos campeões. Eu estava com 20 anos e foi aí que me vi e me senti mais atleta. A cidade parou, foi incrível. Ficamos três meses em festa. O campeonato brasileiro correndo e nós, em festa...

Campeão carioca

Os outros títulos também foram importantes, mas o do Campeonato Carioca, eu guardo uma memória afetiva demais. Porque eu assistia aos jogos, via o Maracanã lotado, aquela beirada do campo cheia de gente, ainda criança, eu chorava de ver aquilo. Mas eu não torcia para o Flamengo, o Botafogo, nada disso. Eu torcia para o São Paulo quando era mais novo. E ali, quando fui campeão carioca, eu chorei dentro do campo, porque lembrava o que dizia para o meu pai: "Eu vou estar ali no Maracanã ganhando um título, um dia".

O dever cumprido

Quando fui campeão pelo Botafogo, eu dentro do campo e vendo aquela bagunça que eu via na tevê — o falecido Luciano do Valle, todas essas coisas —, eu lembrava daquilo e do dever cumprido, a minha meta alcançada, essa realidade ali, tão próxima. Porque eu via um garoto sonhador que saiu de Paulínia, do bairro Jardim Primavera, e que alcançou o *goal*. A sensação que nunca quero esquecer, em relação a tudo o que faço até hoje é, na essência, a memória da minha infância. Não o dinheiro, mas a paixão que o futebol sempre me despertou, aquilo que me impactou, que transformou a minha vida.

"O que guardo em relação a tudo o que faço até hoje é, na essência, a memória da minha infância. Não o dinheiro, mas a paixão que o futebol sempre me despertou, que impactou e que transformou a minha vida"

Fora do país

Eu já estava desconfiado que jogaria em um clube médio fora do país — e fui para times maiores, mas que não conseguiram jogar a Libertadores. Quando cheguei em Buenos Aires e treinei no campo do

River, no La Bombonera, puxa, eu chorava, porque eu queria tanto isso. Em 2002, com 22 anos, fui para o Japão, já casado e ainda sem filhos. Foi uma experiência e tanto, numa cultura totalmente diferente, mas que dá muito respaldo ao atleta. Eu, bem teimoso — porque estava na pré-lista da seleção olímpica — fui, porque o dólar estava muito alto na época e eu tinha os meus objetivos traçados, de ajudar os meus pais, construir casa, todas essas coisas. Foi uma oportunidade que eu não tinha como recusar, pois me abriria um outro mercado. Mas levei o Brasil para o Japão e sofri demais no primeiro ano, porque eu não aceitava a cultura japonesa, nem o modo de treinarem. Então, acabei me contundindo e voltando antes.

Confrontos culturais

Com a maturidade, vi que fiz muita coisa errada e tive a chance de voltar ao Japão, em 2008. Já com 28 anos, foi outra história. Fui preparado pra ver o que o país me oferecia, então, eu não sofria mais. Nem quando não me colocavam pra jogar em campo. Na cultura deles, jogava-se sem posição: você está dentro, não está dentro. Na Europa isso era normal, nós que não estamos acostumados a jogar e a não jogar, a ser mais importante numa partida que na outra. Eu não entendia isso e recusava. Já no segundo ano, eu vivi "de boa", com a minha esposa e nossos três filhos, porque trabalhava e curtia ao mesmo tempo. Aprendi um pouco do idioma e conheci melhor a cultura. O Japão é diferente, mas agrega valores que ninguém tira mais da gente.

A vivência no Irã

Para o Irã, fui quando já pensava em parar, estava estudando e tinha um projeto interessante de carreira pós-futebol. Mas me viram jogando e quiseram me levar *pro* Irã. Fiz uma proposta alta e me assustei quando aceitaram. Tive de cumprir. Minha família foi junto e acabou sendo um período bem difícil, pela cultura muçulmana, os filhos precisando estudar, a realidade da internet vigorando e lá, tudo muito ainda aquém, na época. Fui na temporada 2010-2011, por dinheiro mesmo, mas essa questão ficou para o último caso, porque não se sai do Irã na hora em que se quer. Há muitas regras, é um mundo fechado, muito diferente.

Quase uma pandemia

Morei em Tabriz, próximo a Istambul, a uma hora e meia de Dubai, local onde eu não podia ir, pelas proibições do país. Mas foi onde mais crescemos como família. Hoje, quando conversamos a respeito, brincamos que foi para nós uma espécie de pandemia. Porque a minha esposa não saía de casa, já que há várias exigências para isso. É uma cultura difícil. Passamos a dar valor às coisas mais simples da vida, como comer um ovo. Tínhamos dinheiro, mas não podíamos usar. Nossa família se fortaleceu e reconhecemos que, por causa do Irã, nos tornamos o que somos hoje.

Pendurando as chuteiras

Quando voltei do Irã, sofri uma lesão. Eu já me preparava para parar, mas, ao iniciar o tratamento, senti que queria jogar mais um pouco. Tentei um campeonato num time do Paulista da A2, mas vi que não dava mais certo. E parei. Eu já vinha, desde os 30 anos, me perguntando, "se eu parar de jogar, como vai ser? O que vou fazer?". Eu tinha um empresário muito bom que me aconselhou, "venha todo dia para o escritório, você estará no meio do futebol e no caminho, vai decidindo o que fazer". E foi o que fiz, porque me sentia fisicamente cansado e com o percentual de gordura alto, eu sofria para perder peso. Eu já tinha uma estrutura financeira, a minha casa, lar centrado, uma companheira de todas as horas, filhos, e isso fez toda a diferença. Vivi um período de transição mais tranquilo que a maioria.

A queda: mágoas e sequelas

Ao voltar do Japão, eu e meu empresário traçamos algumas metas para eu poder chegar num time grande e ter um salário. Fui para o Sport Recife, depois para o Coritiba, joguei a Libertadores e fui, assim, batendo as metas. Ao entrar a Lei do Passe, fui para o Atlético Mineiro com contrato de seis anos... e fiquei seis meses. Justo naquele ano, o Atlético caiu para a segunda divisão, e no Atlético é uma pressão danada: fui mandado embora. Imagina, dos sete aos 25 anos, eu não sabia o que era "sofrer no futebol". Todo ano, eu dava um passo para cima e ao chegar no Atlético, fui afastado quando estava para ser vendido para um time da França! A notícia correu no Brasil todo e me trouxe uma enorme frustração.

Descendo a ladeira

Profissionalmente comecei a oscilar, mas ainda fui para o Botafogo e saí como campeão. Depois, tive que jogar em Alagoas — eu desci muito a ladeira! — para retomar a carreira, e voltei ao Japão, mantendo nível médio. Aí, caí e parei. Foi um choque, o primeiro que sofri, e um aprendizado que me mostrou que a vida não é tão simples, porque me vi indo meio que por água abaixo, quando eu tinha outras opções. Fase árdua, essa de 2006-07, quando esperávamos nossa segunda filha. Tive sequelas por mágoas, mas depois vi que, no caminho, é normal. Não aconteceu só comigo.

De atleta a empresário

Eu me preocupo primeiramente com os pais e com o ambiente familiar em que a criança está se formando. Depois, passo à relação com o menino, criando um vínculo de amizade. Estou sempre presente no trabalho e faço questão de saber o nome de todos os alunos. Só então é que entrego a eles o estudo do esporte. A formação vem antes do futebol. Minha maior preocupação é a de que eles não podem parar de estudar. O meu filho joga no Palmeiras e lá veem-se meninos de 13 anos que nem estudam direito. Quem aos 13 anos é jogador de futebol? É só mesmo um garoto que está sonhando. E eu falo para eles a verdade que ninguém fala: que nem todos serão jogadores de futebol, então que precisam se formar, para seguir cada um o seu destino. Tento passar a mensagem de que precisam se preparar antes fora do campo, pra poderem desenvolver o que serão dentro do campo, à imagem do resultado do que eu vivi.

A psicologia no futebol

Naquela época, não havia ainda a psicologia como tal no futebol e nem respeito para com as mulheres que trabalhavam como psicólogas de desportistas. Antigamente, isso não iria acontecer nunca. Era um meio muito machista, fechado, sem chances. Pessoalmente, eu não acho interessante o modo da abordagem. A estrutura emocional parte da vertente do ser humano, não só do desportista. Mas estou fazendo um curso nessa área e me enriquecendo de conhecimento, porque atrás da prática há a teoria, a ciência comprova que indo por esse caminho, o resultado sai diferente. Hoje, as psicólogas estão angariando um espaço de respeito profissional.

O apelido

Tinha um atleta chamado Ataliba, do Corinthians, na década de 1980, e eu, franzino na época, me achavam parecido com ele, no modo de jogar e fisicamente. Com sete anos, na escolinha de futebol, "Ataliba" pegou. Ninguém me chama pelo nome mais, nem em família. Minha sogra tentou por um período, porque não gostava do apelido, mas não funcionou. Em consulta médica, quando sou chamado pelo nome, tenho que lembrar que aquele sou eu...

Os heróis

Meus pais são meus maiores heróis: renunciaram a tudo pra criar quatro filhos numa realidade tão diferente e conseguiram. Levam hoje a vidinha simples deles, sem depender dos filhos. Minha esposa completa esse tripé, que é o meu sustento. Eles três me incentivaram a sonhar. Daí que o lema da minha vida é o da minha empresa: "Motivar as pessoas a sonhar". Este é o legado que quero deixar para as pessoas.

A Covid e os alunos de futebol

Os garotos treinam por uma hora num grupo reduzido. Não houve surto, está bem controlado. Nós e os pais nos reunimos para ver o que pode ser feito, pra não afetar tanto, seja no lado financeiro ou no da saúde. Porque eles precisam manter a saúde física e também a mental, já que, no ano passado, voltaram mal demais, em todos os sentidos. Há criança que não quer mais jogar futebol, de tanto que ficou enfurnada dentro do quarto jogando videogame, enfrentando outra realidade. É um contexto que faz parte, mas não pode ser predominante para não causar ainda mais problemas.

Futsal

Lições de resiliência e companheirismo

Oswaldo Freitas Júnior, *o* **Gera**, *é um ex-atleta de futsal nascido na cidade de São Paulo, em 23.04.1976. No futebol de campo, atuou nas equipes de base do Corinthians, do Clube Atlético Juventus (da Rua Javari, na Mooca) e do Palmeiras. No futsal, atuou na base pelos seguintes times: Atlas, Maneca, Corinthians, Clube Atlético Juventus, EC Banespa, GM, Eternit (Osasco) e Wimpro (Guarulhos). Tornou-se jogador profissional de futsal com 17 anos e atuou no Brasil pelos clubes Wimpro, Palmeiras, São Paulo FC, Banespa, Uninove, Intelli de Orlândia e AA Botucatuense. No exterior, passou por Maspalomas Sol da Europa (Espanha), Fundação Jorge Antunes e SL Benfica (Portugal), Ansar (Cazaquistão), Cat Telecom (Tailândia), Sporting Marca, Carré Futsal Chiuppano e Sporting Cavaso Possagno (Itália), entre outros. Alguns títulos importantes foram a Taça Itália, Regional Vice-Campeão da Copa Ibérica (Espanha/Portugal), Vice-Campeão da Supertaça de Portugal, Vice-Campeão Paulista, Vice--Campeão da Copa Barueri, Vice-Campeão da Copa das Nações, Campeão Paulista, entre muitos outros. Trabalha hoje com gestão de carreira no futsal e no futebol profissional na Itália.*

Paixão de pai para filho

Meu maior incentivador foi o meu pai, que jogou, mas nunca profissionalmente. Aos 14 anos, ele deixou a Bahia e foi pra São Paulo tentar a vida; lá, jogou em alguns clubes e times de bairro. Meu pai faleceu em fevereiro de 2021, por isso estive no Brasil por 50 dias no começo do ano, quando alguns primos me deram fotos dele com um tio, num time de futebol em São Miguel Paulista, na zona leste. Meu pai era apaixonado por futebol e depois de muitos anos vivendo em São Paulo, começou a gostar do Corinthians.

Pequeno corintiano

Eu sempre morei em São Paulo, onde meus pais se conheceram e onde nascemos eu e meu irmão. Morei parte da vida na Mooca, o bairro dos italianos, e depois na Vila Maria, perto do Jardim Japão, na zona norte. Meu pai nos levava para assistir aos jogos do Corinthians no estádio e nos tornamos também corintianos, porque a gente via a Gaviões da Fiel ali, aquela loucura da torcida. Eu já gostava de jogar bola e um dia meu pai falou: "Vou levar você pra fazer o teste no Corinthians". Fomos, fiz o teste na escolinha do clube e acabei passando.

Da torcida para a escolinha

Comecei a jogar na escolinha do Corinthians em 1984, com sete ou oito anos. Fiquei por três meses e não a temporada inteira, porque passei para as equipes dos federados, onde tudo começou. Fiz as categorias de base no Corinthians, parte delas com o futsal. Em 1986, fiz teste no futsal do Corinthians e, apesar de já jogar futebol de campo no time, fui reprovado.

"As pessoas devem usar o esporte não como fim, mas como meio de transformação, de *networking* e de construção de amizades verdadeiras"

Oportunidade no futsal

Ainda em 1986, fiz um teste no Atlas, no futsal, e passei. Naquele ano, comecei a jogar nas duas modalidades, futsal e futebol, até o juniores, praticamente. Foi como começou a minha história com o futsal. Se tivesse que fazer tudo de novo eu faria, porque foi uma baita experiência de inclusão social e de convivência com meninos de várias etnias e classes sociais. Quando criança e adolescente, não se entende algumas coisas que vão além do esporte. Hoje eu compreendo, porque trago muitos ensinamentos das vivências por esse mundo afora, pessoal e profissionalmente, mesmo tendo parado de jogar. O esporte deve ser usado não como fim, mas como meio de transformação, de *networking* e de construção de amizades verdadeiras — temos muitas, vindas do esporte. O esporte salva vidas, isso é uma realidade. Eu vi muitas vidas serem salvas por meio do esporte.

A escolha da modalidade

Joguei futsal e futebol por muito tempo no Corinthians, depois no Juventus da Mooca. Tinha que estudar, então treinava futebol à tarde e futsal à noite. Meu pai trabalhava. Minha mãe trabalhou, ficou desempregada, voltou a trabalhar, mas se virou pra me acompanhar quando eu era menor. Sou de família humilde, de trabalhadores, graças a Deus nunca faltou nada em casa, mas não tínhamos sobra pra esbanjar. As coisas eram muito bem controladas e contadinhas. E chegou o momento de decidir: *ou eu vou para o futsal, ou fico no futebol.* No juniores, não tínhamos ajuda de custo — hoje eles têm um certo valor de salário. Como no futsal eu já tinha um salário, fiz esta opção, porque eu também precisava ajudar em casa e até então, o futebol não me dava nada. E dei certo na transição para o profissional.

O treinador Miltinho

Tive pessoas importantes quando escolhi o futsal. Joguei três anos de Sub-20, que na época era a equipe juvenil. No primeiro ano, 1993, joguei na Eternit, em Osasco, e em 1994-95, joguei na Wimpro de Guarulhos, que era mais perto da minha casa. O treinador era o Miltinho, que também era o treinador da equipe profissional principal da Wimpro e os dois grupos foram muito bem escolhidos por ele. A integração dos atletas parecia uma família: jogávamos quase tudo da mesma maneira e de forma tática, graças ao Miltinho. Assim, não tivemos problema ao passar do Sub-20 para a equipe profissional.

Indo para o futsal profissional

Muitas vezes o Miltinho nos subia para jogar na equipe principal. Os atletas profissionais nos recebiam muito bem, então a transição não foi um problema, porque já jogávamos no adulto. Creio que hoje seja bem mais difícil, porque muitos clubes não têm essa integração entre

Sub-20 e equipe profissional. São treinadores diferentes, alguns clubes têm objetivos diferentes, então a transição é sempre mais delicada pra grande parte dos atletas. Meu primeiro ano oficial de equipe profissional foi em 1996, mesmo ainda sendo Sub-20.

Sonho de ser jogador

Meus pais sempre batalharam muito e passaram para mim e para o meu irmão esses valores de nunca desistir de lutar pelos sonhos, de ser honesto, ter caráter e manter boa relação de amizade com todo mundo. Quando você é da periferia e foi praticamente criado na rua, ser correto acaba sendo a sua única opção... ou se perde na vida. Meus três filhos têm muito mais condições do que eu tinha. Hoje há tablet, celular, TV a cabo, *streaming*, muitas opções. Na minha época, as opções eram jogar pelada, taco, pega-pega, esconde-esconde. Na escola, o professor de Educação Física te fazia praticar basquete, handebol.

A picada do esporte

Eu não tinha condições de ter um videogame, que na época era o Atari, e jogava na casa dos amigos o Pac-Man e aquele do aviãozinho de mata-mata. Mas eu queria era jogar bola, porque estava na rua. O futebol me deu aquela picada: *eu quero tentar ser jogador.* Nós queríamos ser atletas, jogadores de verdade, tínhamos referências, boas e ruins — acredito que seja importante ter ambas, pra comparar melhor. *Isso eu não quero e não vou fazer,* ou, *eu quero chegar onde esse cara chegou ou onde está chegando.*

"A força mental foi uma coisa muito forte, porque nem tudo eram flores. Ouvi várias vezes, 'ah, esse neguinho não vai ser nada, esse neguinho não vai dar em nada, esse neguinho beiçudo não vai chegar a lugar nenhum'"

Discriminação, dificuldades

A força mental foi uma coisa muito forte porque nem tudo eram flores. Passamos muitas dificuldades e ouvi várias vezes: "Ah, esse neguinho não vai ser nada, esse neguinho não vai dar em nada, esse neguinho beiçudo não vai chegar a lugar nenhum". Mas não me atingia. Hoje eu vejo que ter sido criado na rua, ter jogado bola na rua, ter conseguido resolver os problemas na rua, me fortaleceu na parte esportiva e na pessoal; me tornei muito resiliente. Essa nova geração não consegue resolver tantos problemas como nós resolvemos na rua.

Resiliente diante de "nãos"

Acredito que a resiliência foi a forma mais importante de conseguir sair dos problemas e de não desistir no primeiro "não". Porque os "nãos" foram muitos. E o futebol era minha única opção. Por não ter um pai com boas condições econômicas, eu não podia falar: "Não quero mais jogar, vou trabalhar com o meu pai". E meus pais falavam: "Tem que estudar. Estude, porque é importante". Eu não gostava muito de estudar, mas estudei, porque tínhamos acordos: "Você quer jogar futebol? Tudo bem, joga. Mas você tem que ir bem na escola". Isso acabou me fortalecendo para alcançar meus objetivos.

O maior título

O título de Campeão Brasileiro Sub-20 com a Wimpro deu impulso na carreira de todos os que fizeram parte daquele plantel. No time estavam Vinícius, Vander Carioca, Lenísio, Alemão, Adelmo, Brigadeiro, Rosinha, eu e outros jogadores que, no fim das contas, fizeram história mundialmente de forma brilhante na nossa modalidade. Acredito que aquela equipe tenha sido uma das três melhores em que joguei e que impulsionou a nossa carreira, em 1995.

Outro grande título

Em 1997, fui *pro* Palmeiras; no primeiro semestre de 1998, para o Banespa/Osasco; e no segundo semestre, era São Paulo/Osasco. No Banespa, nós estávamos batendo na trave, porque naquele ano de 98 tinha a GM, que em São Paulo era o bicho-papão: tinha Vander Iacovino, Falcão e muitos outros grandes jogadores. No Banespa, nosso time tinha o Lincoln — que jogou no Barça, ele mora em Barcelona há mais de 20 anos —, o Tatu, o Paulo Japonês, o Alemão, o goleiro Franklin, o Elber e o Pelé Júnior, que jogou muitos anos com o Cirilo na seleção russa. Naquele ano, conseguimos ganhar da equipe da GM com um gol de ouro do Richard, na prorrogação. E ali, conquistamos o título de Campeão Paulista, outro título importantíssimo pra alavancar a nossa trajetória no esporte profissional.

Carreira internacional

O meu primeiro ano no exterior foi 1996. Eu era muito jovem quando cheguei à Espanha. Fui *pro* Maspalomas Sol de Europa, minha primeira experiência fora do Brasil. Hoje é primeira divisão, mas na época se chamava *división de honor*. Cheguei lá sem saber muito bem o que era a Espanha ou o futsal espanhol. Mas, como todo jovem da época, eu assistia ao campeonato italiano pela *Band*, com o meu pai, nas manhãs de domingo. Assistia ao Milan, Roma, que tinham jogadores brasileiros, e eu tinha aquele desejo de jogar também fora do Brasil. Acabei aceitando oferta de uns espanhóis que moravam em Jundiaí e fomos, eu e o Alemão. Não tive um sucesso explosivo, mas foi uma experiência poder conhecer outro país, outra cultura, outra realidade. E foi quando pensei em tentar a carreira fora do Brasil. Voltei e, em 2003, fui pra Fundação Jorge Antunes, no norte de Portugal.

Passagem pelo Benfica

Esta segunda experiência foi sensacional e completamente diferente da que eu tive na Espanha, porque eu já era um jogador mais vivido e fiz uma baita temporada. O presidente da Fundação diminuiu os investimentos, eu acabei voltando para o Brasil e joguei meia temporada na Intelli, meia temporada no Botucatuense. Depois, em 2005, voltei *pro* Benfica de Portugal, um dos clubes mais importantes em que eu joguei, em questão de estrutura, junto do Banespa. Em Portugal, éramos reconhecidos nas ruas, porque era o Benfica e a mídia em torno do clube é muito forte. Onde você passa, te pedem autógrafo. Nesse sentido, creio ter sido o maior clube em que joguei na minha trajetória. Também joguei no Cazaquistão, na Tailândia e na Itália.

Capacidade de adaptação

Cheguei aqui à Itália com 32 anos e, praticamente, rodei o mundo sozinho. Eu namorava, não era casado, não tinha filhos; minha primeira filha nasceu em 2008. Foi uma grande experiência aprender idiomas, conhecer a cultura local, respeitar as pessoas e a nova forma de viver. É importante conseguir ter essa clareza e se adaptar a tudo, o mais rápido possível, pra não ficar sozinho. As pessoas que conseguem se adaptar, que têm paciência de esperar que o momento deles vai chegar, são as que darão mais certo fora do Brasil. O pessoal que chega pensando que é o Pelé, que vai jogar como ele, que vai ser *o cara*, acaba não ficando.

Diferenças da Europa

No Brasil, o segundo lugar não tem vez. Mas, fora, mesmo você sendo segundo ou terceiro lugar, eles reconhecem o teu esforço. Na Europa, é diferente até o trato com ex-atletas: eles não esquecem os ex-atletas. No Brasil, infelizmente, nós esquecemos muito do nosso passado.

A importância do conhecimento

Eu teria estudado e buscado mais conhecimento em livros, apesar de que não tínhamos as referências e facilidades que temos hoje. Algumas coisas eu aprendi só a partir dos 25 anos. Então, eu teria me direcionado e começado a fazer algumas coisas antes. Eu falo para os jovens que o diferencial é direcionar esses treinamentos da forma correta, porque hoje eles podem buscar com a internet. Pego exemplos do futsal: o Vinícius acabou de fazer um livro que, acredito, será importante *pros* jovens; o Marquinhos Xavier é outro que está escrevendo livros. Que os novos atletas possam pegar lições com essas pessoas que chegaram onde eles também querem chegar e que não pensem em atalho, mas em otimizar o tempo. O conhecimento está aí. Na internet há coisas boas e ruins, como em tudo na vida. Mas treinar, trabalhar, não desistir, direcionar treinamento e objetivos, é mais do que meio caminho andado.

"Aprendi com os meus pais que eu teria que ser honesto e correto nas minhas ações, mesmo errando bastante. Eles me ensinaram que, sendo honesto, trabalhador e dedicado, as oportunidades chegam"

Inspiração para os mais jovens

Sou um menino que saiu de uma família de batalhadores, que

acertou muito, errou muito, aprendeu com as experiências, e o que ninguém vai poder me tirar: sempre fui honesto com todo mundo e nunca quis atropelar ninguém pra conseguir os meus objetivos. Nunca quis ser exemplo, mas, hoje, acredito que eu consiga inspirar muitos que querem chegar onde chegamos. Outros chegaram e tiveram muito mais sucesso na carreira do que eu, mas aprendi com os meus pais que, sendo honesto, trabalhador, dedicado, as oportunidades chegam.

Valor do papo reto

É importante entender o processo, ter paciência, ser resiliente. Há coisas que entram por um ouvido e têm que sair pelo outro. Não vale a pena ficar escutando coisas ruins como "ah, esse neguinho não vai chegar a lugar nenhum, não vai ser nada". Temos que desejar que isso nunca turbe os nossos corações ou os corações deles. E não desistir, não desistir, porque só você sabe o que você passa e o que passou, pra conseguir realizar os seus sonhos.

O legado

Meu legado é o de conseguir ter bom relacionamento com grande parte das pessoas, ser um amigo verdadeiro, me expor, falar a verdade quando tem que ser dita. Muitas das vezes, não temos que retrucar ou responder, mas aprender a escutar, que é importantíssimo, pra entender o que as pessoas estão querendo te falar — se for o caso, responder, se não for, ficar em silêncio: ter noção e discernimento de saber o momento de falar e de se calar. Dizem que quem cala, consente. Eu sou o contrário. Às vezes, é mais inteligente se calar do que entrar em situações que, no final das contas, acabam não levando a nada. E não é porque você se cala que está de acordo ou não com aquela questão.

O professor especial

Os professores, os treinadores, fazem a diferença na vida das pessoas, por isso tem que ter muita atenção. Cursei da primeira à oitava série no Belenzinho, na zona leste de São Paulo, e tive um professor de Educação Física chamado Hélio Fontana. Não me lembro de um cara melhor que passou no meu caminho. Tenho até hoje contato com ele, que está com 63 anos e em plena atividade, fazendo as corridas dele. Ele conseguia administrar a minha mãe, que era dura na queda, acordos pra eu faltar em algumas situações, e negociava com ela pra eu participar dos jogos escolares. Fiz uma homenagem a ele no meu site e num dos vídeos, tem também um depoimento dele lá. Eu o agradeço por ter cruzado o meu caminho. Então, os professores e treinadores, às vezes pensam que não, mas ficam marcados na vida das crianças e dos adolescentes para sempre, como o Hélio ficou marcado na minha vida.

Pendurando as chuteiras

A transição nunca é fácil, por isso eu falo sempre para os atletas se direcionarem para encurtar e otimizar o tempo. Todo mundo sabe que a profissão de atleta pode ser curta. É importante estar preparado desde jovem e começar a direcionar a transição. Muitos não pensam, porque estão com 18, 20 e poucos anos. E é verdade: eles podem jogar até os 40, mas como é uma carreira de alto risco, em algum momento você pode ter uma lesão, algum problema e parar de jogar precocemente. E sem estar preparado, vai sofrer bastante. Alguns atletas entram em depressão na transição porque não se prepararam. Mesmo se preparando, alguns entraram, porque por muito tempo você faz uma coisa de que gosta na tua vida e depois tem que deixar de fazer.

Além da bola

O acompanhamento com um psicólogo, ou com um *coach* mental, ou com alguém preparado da área, é importantíssimo pra ajudar na transição. Primeiro é entender o que você gosta de fazer além do futebol e se predispor a isso, senão, em algum momento, você vai fazer as coisas que não gosta. *Eu gosto da parte de gestão. Eu vou querer ser treinador. Não, eu vou querer ser advogado.* Você tem que saber do que gosta, porque assim, você se diverte. Eu demorei um pouco nessa transição pra entender o que eu gostava de fazer, mas, graças a Deus consegui economizar, pra poder parar e ter tranquilidade de poder escolher.

Gestão de carreira

Eu fiz curso de treinador. Fui treinador aqui na Itália na Série A2, equivalente à Série Prata, mas é uma coisa que eu não gosto de fazer e me fez entender que a minha parte é mais de gestão. Por isso tem que estudar, ir em busca de conhecimento. Outra coisa importante que indico é ir atrás de conhecimento de gestão financeira, pra conseguir fazer bem a gestão de investimentos. Fazendo isso agora, com 22 anos, o reflexo será grande quando você estiver com 35, quase para parar, ou com 40. Educação financeira, infelizmente, não temos na escola; deveria ser matéria. Muitos que ganharam bastante dinheiro, hoje não têm nada. E não é só o que você ganha; é o que você guarda, o que economiza, o que investe.

Os ídolos

Tenho algumas referências no esporte, mas, por nossa história de vida e por tudo o que fizeram, meus pais são minhas maiores referências. Foram os meus maiores incentivadores. Eles nos educaram dentro das possibilidades, das dificuldades, da falta de conhecimento deles; se viraram pra nos dar a melhor educação possível. E foram guerreiros — minha mãe ainda vive, meu pai já se foi. Passaram por poucas e boas e sempre estiveram ali, junto de nós, conseguindo nos transmitir o mais importante: a educação, a honestidade e não desistirmos nunca de ir atrás dos nossos objetivos. Eles são os responsáveis pelo que eu e meu irmão somos hoje.

"Eu acredito que a força mental seja uma coisa que acaba fazendo diferença entre os atletas de ponta e os atletas normais"

A importância do psicólogo

É importantíssima a ajuda psicológica direcionada aos atletas, porque não é fácil a trajetória, não mesmo. Às vezes, há resistência de atletas e de treinadores — eu fui atleta, eu sei que há —, mas tem que mostrar a eles o quanto é importante. Não é só jogar: tem a parte nutricional, tem o *personal trainer* pra fazer trabalhos a mais. Não é só o que se faz no clube. Alguns têm necessidade de fazer trabalhos extraclube. Eu acredito que a força mental acaba fazendo diferença entre os atletas de ponta e os atletas normais. Eles podem regular melhor a emoção, o estresse. E a questão não é ficar falando de problema, mas do que se pode melhorar.

ATÍLIO CLAUDIO FONSECA **DIAS**

Futsal

Quando a sensibilidade norteia o lugar do atleta

Atílio Cláudio Fonseca **Dias** *nasceu em Campanha, Minas Gerais, em 18.08.1960. Graduado em Direito e em Gestão Esportiva e especializado em Jornalismo e Coach, atuou no futsal como coordenador, supervisor, gerente, gestor, delegado de jogo, consultor para atletas, representante da CBFS, em diversos clubes, com destaque para o Atlético Mineiro — Atlético/Pax de Minas; Minas Tênis Clube; Palmeiras (GO); Ulbra (RS); e Unisul (SC). Atuou também como palestrante e blogueiro, além de criador, produtor e âncora de programa de televisão sobre futsal. Acumula prêmios recebidos anualmente em campeonatos (1995-2017), entre eles, o de Tetracampeão Metropolitano de Belo Horizonte com a Equipe Clube Atlético Mineiro (1997-2000) e de Campeão Mundial de Futsal, Moscou, Rússia, também com o Atlético Mineiro (1998). Atualmente é* head *de negócios do ex-jogador Falcão.*

Origem do amor pelo esporte

Sou um mineirinho de Campanha, uma cidade histórica do sul de Minas, de quase 300 anos, com cerca de 18 mil habitantes e tradição esportiva implantada na década de 1950 por educadores religiosos canadenses. Eles criaram no Ginásio São João, a "Olimpíada Campanhense", que é realizada há mais de 60 anos. A congregação não existe mais, mas a tradição esportiva ficou e chegou a ser nacional. Desde os cinco ou seis anos, eu ia com os meus pais assistir aos jogos e fui me envolvendo e gostando de esporte cada vez mais.

As Olimpíadas de Campanha

Como todo brasileiro, tentei o futebol, mas vi que não tinha aptidão. Acabei indo para o voleibol e cheguei a integrar o time da seleção da cidade. Eram equipes muito fortes e a Olimpíada ficou tão importante em nível regional que as cidades traziam os famosos "enxertos" — patrocinadores ou alguém com poder aquisitivo, que iam nas capitais e convidavam atletas de seleção para atuar por suas cidades. Quando fui estudar em Belo Horizonte, em 1977, passei a fazer o mesmo.

Xandó em Campanha

O primeiro grande atleta que levei pra vestir a camisa de Campanha foi ninguém menos que o Xandó, na época, o melhor atleta juvenil de vôlei do mundo. Xandó ficou hospedado na minha casa, jogou pelo time de Campanha e foi tudo muito marcante pra mim nesse ano de 1979. Mas para ilustrar como os jogos eram fortes, o nosso time, que nunca chegava a uma semifinal, mesmo tendo o Xandó em campo, não conseguiu a vitória. Então, assumi com os colegas o compromisso de levar mais de um atleta. Aí, ganhamos dez anos seguidos no voleibol, de 1981 a 1991.

De atleta a treinador de atletas

Chegeui a um ponto em que eu já não era mais atleta. Passei a ser treinador — gestor de atletas da Seleção Brasileira na cidade, o que era uma ousadia, mas é verdade. Fiquei conhecido no meio esportivo por conta desses atletas de seleção que eu levava: Pelé, que jogou no Minas Tênis Clube e foi da Seleção Brasileira; Hélder, que jogou no Atlético, no Minas e na Seleção Brasileira; Aluísio, jogou no Flamengo; o Marcos Miranda, que foi auxiliar do Zé Roberto na medalha de ouro do Brasil em Barcelona; e Zé Roberto, que é muito amigo do Marcelo Freitas (Dentinho). O Dentinho me mandou uma foto dele da época e brincou, "*pô*, o Atílio me proporcionou duas olimpíadas no mesmo ano. Fui campeão olímpico em Barcelona e em Campanha".

Coisas de mãe

Quando ganhei o décimo título, minha mãe falou, "ô, Atílio, perdeu a graça. Dez anos seguidos ganhando? Acho que está na hora de você ajudar o pessoal do futsal". A minha mãe sempre gostou muito de esporte e chegou a jogar voleibol na juventude. Ela foi realmente uma pessoa importante no processo, me incentivando a praticar e, depois, sendo essa pessoa com sensibilidade para organização de eventos. A família toda sempre me apoiou.

Passagem para o futsal

Bem, para satisfazer a minha mãe, parei de trazer atletas do vôlei para trazer os do futsal. Com isso, fiquei conhecido também na Federação Mineira, cujo presidente se dispôs a levar a Seleção de Minas para jogar por Campanha. Quando o Atlético montou a equipe, em 1997, tive a grata surpresa de ser convidado para gestor do projeto. Aí, sim, foi que entrei profissionalmente no esporte. Fiquei por 15 anos trabalhando no futsal, em Goiás, em Santa Catarina, no Rio Grande do Sul; na Ulbra (Universidade Luterana do Brasil/RS), trabalhei também no vôlei.

De infanto a cartola

Os amigos brincavam que eu tinha de ir para o *Guinness*, porque fui de infanto a cartola. Quando tentei jogar futsal e vi que não tinha aptidão, passei a marcar amistosos importantes e fazer a organização dos times que iam jogar em Campanha, para eu poder estar junto. Foi tudo meio ao acaso, isso de eu ter passado por quase tudo que era necessário saber, organização, planejamento, quando veio o convite para eu ser supervisor profissional. Minha experiência como treinador de voleibol também pesou, porque vi as necessidades do treinador contratado por mim para as Olimpíadas. Fui treinador realmente sem saber que estava sendo. Ao surgir a oportunidade, pude fazer isso que tanto amo, que é trabalhar só com o esporte.

De treinador a gestor

No começo, me assustei muito; eu achava que não daria conta de uma responsabilidade tão grande. Pensei, *não estou preparado pra ser supervisor/gestor de uma agremiação como o Atlético Mineiro, que tem uma tradição gigantesca no futsal.* Mas o empresário que seria o nosso grande patrocinador tinha me conhecido nos jogos e via a minha formação em Direito, também como um fator de peso para eu estar junto à empresa dele, nessa parceria com o Atlético Mineiro. Uma das condições postas era de que eu faria toda a gestão: contrato, imprensa, cheguei até a ser nutricionista, psicólogo — tenho um irmão psicólogo que me orientava no que podia e quando não, ele indicava algum profissional de Belo Horizonte. Se o treinador era suspenso por algum motivo ou expulso, eu poderia assumir também essa função.

Treinador campeão

Em vários campeonatos, fui mais vezes treinador do que o próprio, que estava suspenso. Na maioria das vezes eu acertava, por saber lidar com as emoções da equipe e dirigi-la no jogo. Com quatro meses e meio de formação da minha equipe, em 1997, o Atlético Pax de Minas foi campeão brasileiro. Aí o medo acabou e a coisa fluiu. Geralmente os que jogam profissionalmente têm mais espaço para se tornarem gestores ou supervisores de clubes famosos. Não foi o meu caso, mas ter sido campeão brasileiro com menos de cinco meses de formação de uma equipe, realmente, me deu autoconfiança para prosseguir na carreira.

O *coach*, o psicólogo e o atleta

Tenho quase certeza de que fui pioneiro em integrar o psicólogo, ou *coach* mental, no futsal. Até por ter um irmão e cunhada psicólogos e de fazer, por causa deles, as minhas primeiras terapias, tão importantes para a minha vida e evolução, acabei levando isso para a equipe. Em 1999, já no terceiro ano, não se pensava noutra possibilidade que não a do Atlético ser campeão brasileiro. Mas chegou a hora em que levamos um baque: fomos jogar em Teresópolis com o Vasco da Gama, que não era superior ao Atlético, mas tinha boa equipe, e tomamos de goleada: 9x2. E o grupo perdeu a confiança.

"Fui pioneiro em integrar o psicólogo, ou *coach* mental, no futsal. Até por ter um irmão e cunhada psicólogos e de fazer as minhas primeiras terapias, tão importantes para a minha vida e evolução, acabei levando isso para a equipe"

Confiança recuperada

Recorri ao meu irmão psicólogo: "Sérgio, o time não está mais se encontrando". E ele me indicou um profissional que trabalhava também com pêndulo. As experiências que tivemos com esse psicólogo, eu só acredito porque vi. Senão, eu não teria acreditado. Com alguns, ele fez trabalho pessoal; com outros, trabalhou em grupo. Em pouco tempo, fomos campeões brasileiros também em 1999. Isso me marcou tanto que, quando cheguei na Ulbra, logo procurei um psicólogo e tive essa felicidade de também introduzir lá um profissional muito bom na equipe.

Gerenciar craques

É todo um trabalho fundamental, o da sincronização entre atletas, treinador, diretoria e até mesmo patrocinadores. A equipe se fortalece com cada vitória e tudo gira em torno de fazer o melhor para o sucesso. Como gestor, dei a confiança possível para o treinador desenvolver suas ideias com o grupo. E nunca tive problema de trabalhar com atletas de alto nível. Quando se é do bem e da verdade, as coisas fluem. Sempre lidei com sinceridade e olho no olho. E tenho o respeito deles todos, graças a Deus, e à minha passagem toda pelo esporte, onde só fiz amigos. É lógico que em um grupo grande tem-se que saber administrar tudo o que acontece, mas me considero um privilegiado quanto a isso.

Patriarcalismo saudável

Não sei se por eu não ter tido filhos, mas sempre tratei os atletas como se fossem meus filhos. Encarei como um paternalismo saudável, fora das quatro linhas, no dia a dia, socialmente. Miltinho, excelente treinador, com o qual trabalhei mais vezes, também fazia isso maravilhosamente bem. Ele e a esposa acolhiam os atletas como se fossem da família. Penso que isso também pesou no fortalecimento do grupo.

Os arrependimentos

Se eu olhar para trás, não mudaria nada do que fiz. Quando o Atlético acabou com o futsal, fiquei muito triste, muito chateado, e tive que me mexer para que o patrocinador não tomasse um grande prejuízo. Tínhamos feito vários contratos e eu precisava conseguir encaixá-lo noutro lugar. Consegui, então, o Minas Tênis Clube — em minha opinião, o maior clube do Brasil —, que tinha o futsal, mas não um patrocínio forte, e aceitei tudo o que foi pedido pela direção. Muitas coisas eu não coloquei no papel, nem fizemos contrato da minha participação nelas e em determinado momento, me senti traído. Algumas coisas combinadas só de boca começaram a não acontecer, tanto que acabei saindo. Seis meses depois, o patrocinador também saiu. Afora isso, acho que não tenho arrependimentos — mas arrependimento, mesmo, foi de não ter documentado o combinado.

Na roda viva

Sou um espiritualista e acredito que nada é por acaso. Por um período, intercalei BH com Campanha; depois de me formar, quando achava que não iria exercer mais a profissão, fui para os Estados Unidos e fiquei um tempo na região de Miami. Lá, fui *office boy;* carreguei muita bandeja. Ao voltar, trabalhei na Secretaria de Esportes e fui exonerado junto com o secretário, quando ele saiu, por ser a pessoa de sua confiança, e voltei para Campanha. Lá, um ex-colega de faculdade que tinha morado na Austrália, me perguntou se eu gostaria de receber um grupo de australianos interessados em intercâmbio de futsal. E assim foi. Por cinco anos, recebi esse grupo para fazer treinamento. E lá, eles eram uma atração. Virava tudo uma festa.

Babau, o ídolo

Um grande do futsal nacional, um dos meus ídolos, que tinha sido da Seleção Brasileira e jogado no Bradesco, que foi o melhor time de todos os tempos, entrou em contato comigo: era o Babau. Ele queria ser treinador na Austrália, mas, antes, passar uma temporada em Campanha com os australianos. Respondi que fosse correndo e que ficasse hospedado em minha casa. E aprendi muito com a filosofia de vida do Babau. Tenho muita gratidão por ele, de quem recebi o convite para o Atlético, mas não quis aceitar. Eu queria que o Babau fosse o treinador e eu, o seu auxiliar. E ele, como meu guru, meu mestre, falou, "não, a hora é sua, eu te ajudo no início, te darei dicas". Então, aprendi muito com ele, do contrário, eu teria chegado muito despreparado para a função.

Outro ídolo

Outro grande ídolo e depois meu grande parceiro e grande amigo, que infelizmente não está mais entre nós, foi o treinador Miltinho Ziller, técnico campeão mundial de futsal e bicampeão da liga nacional com o Atlético. Fui buscá-lo em São Paulo pra ser treinador do Atlético, em Minas. Trabalhamos quatro anos juntos no Atlético, mais um ano no Minas Tênis e mais um ano e meio na Ulbra. Tínhamos grande sintonia na forma de pensar e nos respeitávamos muito. Tenho certeza de que um aprendeu muito com o outro.

Dicas para iniciantes

Sem qualificação total, não há espaço para gestor. Tem que correr atrás, fazer todo curso que aparecer, fazer estágio em equipes que já tenham esse departamento formado e com organograma bem definido, passar por todas as funções, estar preparado. Não adianta ter amigos e uma indicação. Se chegar e não souber fazer, vai ficar pouco tempo. Hoje há o aparato da informática, que é preciso conhecer e se aprimorar. No futebol, pesa negativamente não saber uma língua como o inglês. Não adianta só fazer uma faculdade. Tem que continuar se qualificando em cursos como o do Ximenes ou os da própria CBF, a Universidade do Futebol, a Gama Filho, a Fundação Getúlio Vargas. Tem que aprender, sempre.

Com tempo contado

A carreira de atleta esportivo é muito curta. Quando a pessoa abre os olhos, já acabou. A média histórica é de dez anos, embora alguns cheguem a 15, 16 anos. O goleiro Bagé, do futsal, já tem 50 anos e ainda está jogando — mas ser goleiro facilita. Eu falava com os atletas: "Não abandonem o estudo, aprendam um idioma, procurem aprender com o treinador, porque o que eles mais pensam em fazer, depois que parar de jogar, é ter a sua própria escolinha de futsal, profissionalmente ou no interior". E futebol é muito maior. A pessoa, quando vê, está ganhando entre sete e dez mil reais, acha que aquilo é eterno e esquece o futuro. Eu aconselhava uma poupança, um investimento, pra que pudessem ter ao menos casa própria, quando parassem. E que estudassem, pra dar sequência na área esportiva ou mesmo em outra. Vários me ouviram e alguns se lembram e me agradecem.

"Eu falava: 'aprendam um idioma, procurem aprender com o treinador, façam uma poupança, um investimento, pra terem ao menos casa própria ao parar, e estudem para dar sequência na área esportiva ou mesmo em outra'"

A realidade no Brasil

Na área em que atuei, que são os esportes especializados ou olímpicos, poucas equipes se mantêm mais do que cinco ou seis anos. Há exceções, como a Associação Carlos Barbosa de Futsal, hoje cinquentenária, mas muitas das que vêm com força total, logo acabam. Nem as equipes, os patrocinadores, se perpetuam, quanto mais as suas carreiras. Há de se ter um plano B. Se o atleta tem um problema que o obrigue a parar de jogar, o que vai fazer? Sem estrutura familiar, ele se vê, de repente, órfão de tudo. O esporte no Brasil não oferece, a exemplo de outros países, um seguro, uma carteira assinada, um fundo de garantia, uma proteção pós-carreira.

Quando parar

A Ulbra foi o meu último trabalho. A universidade passou por alguns problemas e o esporte teve que ser fechado, gradativamente. Na vez do futsal, a reitoria não me deixou ir embora e me mandou para o vôlei. Quando o vôlei acabou, achei que podia dar uma parada e depois voltar ao mercado. Voltei pra minha cidade e por um problema de saúde do meu avô, acabei ficando. Montei um restaurante e não fui feliz, mas até hoje administro a propriedade rural do meu avô. Eu sempre tive também uma loja de material esportivo, que minha irmã toma conta. Mas, o que me aconteceu, por eu ter parado por três anos? O mercado entendeu que eu tinha me aposentado. E para voltar, ficou difícil. O Luciano do Valle falava, "a memória esportiva do Brasil é do tamanho de um grão de areia". Por mais que se tenha contribuído, ao sumir por um período, é difícil reaparecer oportunidades.

Retorno ao mercado

Tive convites de grandes, médios e pequenos clubes. Alguns eu não levei à frente em função da distância. Hoje, trabalhar em um clube longe da minha cidade é complicado, porque meu pai é octogenário e já perdemos a minha mãe. Este ano, um grande clube bicampeão da Liga, para minha surpresa, se lembrou de mim, mas em função da questão familiar, agradeci. Quando se quer voltar à profissão e não acontece, a frustração é grande. Mas depois percebe-se que foi bom enquanto durou a luta, que marcou muito. Os amigos não têm preço, então, só tenho que agradecer. Pode ser que amanhã eu até atue, de algum modo, mas hoje as limitações são grandes.

Lidar com fracassos

A vida ensina a lidar com as frustrações. É a maior universidade, porque se aprende mais com as derrotas do que com as vitórias. Lógico que se erra também na vitória, mas você venceu e os erros... é como se você levasse aquela sujeira pra debaixo do tapete, que vai continuar bonito. Mas ao perder, não adianta esconder o pó sob o tapete. Ele vai parecer mal cuidado. Aí, tem-se que aprender a fazer aquela faxina na vida, rever e analisar as questões. No curso do Felipe Ximenes, ele explica que ao se desmontar, o ser humano e seus problemas se evidenciam — e ele nos expôs os dele. Isso é uma constante no esporte: não temos que mostrar só as vitórias, mas falar de derrotas, também. Perder não é vergonha.

O valor das derrotas

Em um campeonato — no brasileiro são 20 clubes —, só um vai ganhar, mas o que ficou em segundo lugar pode ter maior significado por uma série de coisas. Já fiquei em oitavo lugar, mas eu sei o que me custou de dificuldades, de planejamento financeiro. Não só os títulos valem. O importante é o todo e não as partes. Mas, infelizmente, no Brasil, não se reconhece o valor das derrotas.

Falcão e eu

Em 1999, o Falcão jogou comigo no Atlético Pax de Minas e sempre tivemos uma afinidade muito bacana. Acompanhei a trajetória vitoriosa dele e quando nos encontrávamos, nossa relação era de amizade, realmente. Bem, fizemos em 2019 um evento beneficente para o Chiquinho, que foi o nosso massagista no Atlético Mineiro e que precisou amputar uma perna e usar uma prótese importada caríssima. Liguei primeiro para o Falcão, se ele topasse, teríamos o estádio cheio e a compra da prótese garantida. Ele topou de cara. Convidamos outros jogadores do Atlético e a maioria pôde participar. Foi maravilhoso: 3 mil pessoas no ginásio do Minas, numa noite de segunda-feira. Além da prótese, pudemos dar uma ajuda grande ao Chiquinho.

As Escolinhas do Falcão

Falcão sempre foi também um empresário de grande tino comercial e com esse dom, enquanto ainda jogava, ele criou as "Escolinhas do Falcão". No ínterim da empreitada em prol do Chiquinho, conversamos sobre esse projeto dele, que chegou ao ápice do sucesso e depois decaiu. E ele, então, me convidou a assumir o projeto no seu lugar. Aceitei, mas sob a condição de ter comigo uma empresa estruturada para fazermos a coisa acontecer. Em fevereiro de 2020, eu e o Mateus Levi, meu atual sócio, sacramentamos a parceria, mesmo com o desafio da pandemia. E claro que, pelo nome do Falcão, mas também por tudo o que estamos oferecendo, o projeto tem feito muito sucesso. A metodologia é assinada pelo colega Barata e implantamos uma série de benefícios para os nossos 100 licenciados. Na pós-pandemia, teremos licença do Falcão para o Brasil todo e exterior, e vamos "estourar a boca do balão". Hoje temos sete em Dubai e pedidos dos Estados Unidos, Canadá, França, Itália e Austrália.

O legado

O meu maior legado é levar as pessoas a acreditarem que as coisas acontecem, se feitas com dedicação, amor, honestidade. Quando olho a minha história e a de pessoas que saíram do interior — lógico que não posso comparar com a história gigantesca do Felipe Ximenes — e que tiveram a chance de ir para grandes clubes fazer o seu trabalho da melhor maneira possível, vejo que a gente deixa esse exemplo para as gerações seguintes. Digo sempre a todos que se acreditem, que não desistam dos sonhos e deem o máximo de si. Como diz o Ximenes, temos sempre que dividir para multiplicar; assim atingimos mais objetivos do que poderíamos imaginar.

A comunidade Felipe Ximenes

Só tenho a agradecer por poder ter conhecido e participado do curso de gestão do Ximenes, que se tornou uma grande família. Que mais pessoas, nos tendo como espelho, possam se integrar a essa comunidade criada por ele, para buscar novos aprendizados, trocar informações e, de algum modo, disseminar conhecimentos, também.

Andar com fé eu vou

A fé é tudo na vida. O nosso grande mestre Jesus dizia "a casa do meu Pai tem muitas moradas", o que é preciso saber interpretar: seja qual for a sua opção, se Igreja Católica, Protestante, Espírita, Umbanda, Budismo, você tem que ter fé e, sobretudo, praticar o que você prega e acredita. Eu sinto que a fé realmente ajuda a ir mais longe, sempre com as bênçãos do Alto.

Dante

Yuri Naves

Vinícius Elias Teixeira

Eurico Rosa da Silva

Wallace Martins

Fillipe Soutto

Lavoisier

Gustavo Lobo Paradeda

Dentinho e Giovane

Leo Higuita

Sílvio Mariola

Gera

Diego Fávero

Falcão e Atílio Dias

Ataliba